P9-DFY-724

Von R. J. Pineiro ist als BASTEI LÜBBE Taschenbuch lieferbar:

14682 Ch@os

R. J. PINEIRO

P@NIK

THRILLER

Aus dem Amerikanischen von
Karin Meddekis

BASTEI
LÜBBE

BASTEI LÜBBE TASCHENBUCH
Band 14 880

Erste Auflage: April 2003

Bastei Lübbe Taschenbücher ist ein Imprint der Verlagsgruppe Lübbe

Deutsche Erstveröffentlichung
Titel der amerikanischen Originalausgabe: EXPOSURE
© 1996 by Rogelio J. Pineiro
© für die deutschsprachige Ausgabe 2003 by
Verlagsgruppe Lübbe GmbH & Co. KG, Bergisch Gladbach
Umschlaggestaltung: Tanja Østlyngen
Titelbild: Picture Uniphoto
Satz: hanseatenSatz-bremen, Bremen
Druck und Verarbeitung: Elsnerdruck, Berlin
Printed in Germany
ISBN 3-404-14880-0

Sie finden uns im Internet unter
http://www.luebbe.de

Der Preis dieses Bandes versteht sich einschließlich
der gesetzlichen Mehrwertsteuer.

Für meine Zwillingsschwestern Irene del Carmen und Dora Maria. Auch wenn wir jetzt an verschiedenen Orten leben, werden die wunderschönen Erinnerungen unserer Jugend niemals verblassen.

Und

dem heiligen Juda, dem Heiligen des Unmöglichen, der dieses und andere Projekte ermöglicht hat.

DANKSAGUNGEN

Für Hilfe und Unterstützung während der Arbeit an diesem Buch stehe ich bei den folgenden Personen tief in der Schuld. Ihnen gilt mein herzlicher Dank. Eventuelle Fehler sind selbstverständlich mein eigenes Verschulden.

Meiner besten Freundin und wundervollen Gattin, Lory Anne, für ihren unermüdlichen Glauben, ihre Liebe, Geduld und Ermutigung während der vielen, vielen Nächte und Wochenenden, an denen ich geschrieben und diesen Roman überarbeitet habe. *Muchas gracias* für die vergangenen fünfzehn Jahre. Ich freue mich auf die nächsten.

Meinem geliebten Sohn Cameron, der jetzt sechs Jahre alt ist, für seinen Wissensdurst, seine Arglosigkeit, seine Fantasie und seine nie versiegende Lust auf Geschichten aller Art. Es ist mir immer eine Freude und Ehre, dir Geschichten zu erzählen.

Meinem guten Freund Dave für seine großzügige Hilfe und seine Bemühungen, mich technisch auf dem neuesten Stand zu halten, und seinen scharfen Blick fürs Detail beim Korrekturlesen des Buches.

Gary Robert Muschla für seine Diskussionsbereitschaft über verschiedene Abschnitte des Romans.

Andy Zack, dem besten Verleger in der Branche, für seine ausgezeichneten Anregungen und seine erstklassige Verlegerarbeit bei diesem Buch und allen vorangegangenen Romanen. Jeder Autor sollte solch ein Glück haben wie ich.

Matt Bialer, meinem scharfsinnigen und treuen Agenten

bei William Morris, dass er es 1990 mit mir versucht hat und seither an meiner Seite blieb. Besonderer Dank gilt auch Matts ausgezeichneter Assistentin, Bonnie Obernauer, die stets meine Interessen wahrnimmt.

Tom Doherty und dem ganzen Team von Tor/Forge, die mich wie einen der Ihren behandeln. Besonderer Dank gilt Stephen de las Heras und Kevin Seabrooke für ihre ungeheure Unterstützung während der Produktion des Buches.

Meinen Eltern, Rogelio und Dora, denen ich das Verständnis für die wahren Werte, Disziplin und Mut zu verdanken habe.

Mike und Linda Wiltz, meinen liebenswerten Verwandten, für ihre Liebe und Rücksichtsnahme.

Michael Wiltz, meinem verantwortungsbewussten jungen Schwager, dessen Zensuren und hervorragendes Abschneiden beim Zulassungstest zum College uns alle sehr stolz machen.

Kevin Moser, einem Kind mit lebhafter Fantasie, weil er die Leidenschaft meines Sohnes für Reptilien und Insekten jeglicher Form und Größe teilt.

Bobby Moser, dem großzügigsten, herzlichsten und fleißigsten Teenager, den ich kenne. Zufällig ist er auch mein Schwager. Mach weiter so, Junge. Das Beste kommt noch.

R. J. Pineiro
Austin, Texas, 1996

Die Macht unserer Wissenschaft hat unsere geistigen Fähigkeiten eingeholt. Wir haben Raketen abgeschossen und die Menschen in die Irre geführt.

Martin Luther King, Jr.

Irren ist menschlich, aber um richtigen Mist zu bauen, braucht man einen Computer.

Anonym

PROLOG

KERNKRAFTWERK PALO VERDE, SÜDARIZONA

Sonntag, 2. August

Warum in Gottes Namen musste das während meines Bereitschaftsdienstes passieren?, dachte der Dienst habende Betriebsleiter des Kernkraftwerkes, der vor einem Computer saß und anfing zu schwitzen. Seine zitternden Finger hämmerten auf die übergroße Tastatur, während in dem fensterlosen Kontrollraum Lichter aufleuchteten und Alarmsirenen heulten. Er durfte sich auf gar keinen Fall durch den ohrenbetäubenden Lärm von seiner verzweifelten Anstrengung, eine Katastrophe zu verhindern, ablenken lassen.

Hinter ihm standen ein Dutzend Operatoren, die ihre Augen weit aufgerissen hatten, als erblickten sie soeben das achte Weltwunder. Gebannt starrten sie auf die Buchstaben, Zahlen und Diagramme auf dem Farbmonitor.

Keiner von ihnen verstand, warum vor zwanzig Minuten, um 1.40 Uhr nachts, das automatische Kontrollsystem des Kernkraftwerks drei der fünf Zusatzwasser-Pumpen, die Wasser ins Kühlsystem des Reaktors leiteten, ausgefallen waren. Notfallpumpen waren automatisch angesprungen, um mehr Wasser ins Kühlsystem zu pumpen, aber vor zwei Tagen hatten Arbeiter aus Versehen die Ventile zwischen den Notfallpumpen und den Leitungen geschlossen. Durch den Mangel an Kühlwasser wurde das Hauptkühlsystem überhitzt, wodurch mehr Dampf als normal entstand, was wiederum eine Druckerhöhung innerhalb des Hauptkühlsystems zur Folge hatte. Um den Druck zu senken, hatte sich ein Si-

11

cherheitsventil geöffnet, damit der radioaktive Dampf in einen Entspannungsbehälter entweichen konnte. Das Ventil hatte jedoch nicht richtig funktioniert, denn es blieb geöffnet. Anstatt nur eine kleine Dampfwolke entweichen zu lassen, drang Kühlwasser aus dem Reaktor und füllte den Boden des Entspannungsbehälters mit radioaktivem Wasser. Als das Kontrollsystem die Überhitzung des Reaktors feststellte, fielen Regelstäbe zwischen die Uran-Brennstäbe und beendeten die Kettenreaktion. Durch den normalen radioaktiven Zerfall im Reaktor entstand große Hitze, die das Hauptkühlsystem schnell austrocknete. Dadurch schnellten die Temperaturen im Reaktorkern in die Höhe.

Im Kontrollraum waren Lichter angesprungen, aber die Informationen auf den Monitoren hatten den verantwortlichen Operator verwirrt. Das Kontrollsystem zeigte keine geöffneten Ventile im Hauptkühlsystem, obwohl ein Ventil geöffnet war. Es zeigte auch an, dass die Notfallpumpen bereits arbeiteten, obwohl kein zusätzliches Wasser in den Reaktor floss. Da der verantwortliche Operator glaubte, das System bekomme zu viel Wasser, hatte er die verbleibenden zwei Zusatzwasser-Pumpen abgestellt. Der Reaktorkern begann bereits zu schmelzen.

Als der zuständige Operator ein paar Minuten später seinen Irrtum feststellte, schaltete er alle verfügbaren Zusatzwasser-Pumpen ein, doch der Zufluss des kalten Wassers in ein trockenes, überhitztes System führte zu zahlreichen Rissen in den Rohren. Das Wasser erreichte den zischenden Reaktor nicht.

Als der Betriebsleiter des Kernkraftwerks in den Kontrollraum stürzte, schmolz bereits das Zirkonium, mit dem die Uran-Brennstäbe ummantelt waren. Inzwischen war das geöffnete Ventil geschlossen worden, aber über fünfhunderttausend Liter heißes, radioaktives Wasser waren dem System entwichen und überschwemmten den Entspannungsbehälter. Das Wasser ergoss sich dann in den Reaktorsicherheitsbehälter, eine große Halbkugel aus Stahl und Beton, die den Reaktor umschloss.

»Die Brennstäbe verbiegen sich!«, schrie ein Operator auf der anderen Seite des Raumes, der einen weiteren Monitor überwachte. Die Brennstäbe – lange hohle Rohre aus Zirkonium –, in denen tausende von Urankügelchen untergebracht und die in einem quadratischen Gitter in der Mitte des Reaktors angeordnet waren, verbogen sich aufgrund der hohen Temperatur.

»Wie hoch ist die Kerntemperatur?«, fragte der Kraftwerksleiter, der noch immer auf die Tastatur einhämmerte und auf den Monitor starrte, auf dem eine Fülle von Daten angezeigt wurde.

»Tausendsechshundert Grad!«

»Im Kern entsteht Druck!«, schrie ein anderer Operator von seinem Platz. »Wir müssen das Sicherheitsventil öffnen, oder der Reaktor explodiert.«

Der Betriebsleiter verfluchte leise seine missliche Lage. Wenn er das Sicherheitsventil nicht öffnete, um den steigenden Dampfdruck im Reaktor zu senken, könnte die dann folgende Explosion den Reaktorsicherheitsbehälter zerbersten lassen, sodass die Radioaktivität ungeschützt in die Umgebung entweichen konnte. Wenn er das Ventil jedoch öffnete, würde noch mehr Kühlwasser aus dem Reaktor entweichen.

»Verdammt!«, schrie er, als er verschiedene Befehle eingab, um das Sicherheitsventil zu öffnen, wodurch eine große Dampfwolke in den bereits überfluteten Entspannungsbehälter freigelassen wurde. Auf den ersten überhitzten Dampf folgte noch mehr Kühlwasser. Aufgrund der geplatzten Wasserrohre entwichen radioaktives Wasser und Dampf in ein Lagerhaus, das unmittelbar neben dem Reaktorsicherheitsbehälter lag. Das Lagerhaus, das keine Stahl-Beton-Mauern hatte wie der Reaktorsicherheitsbehälter, konnte dem steigenden Druck nicht standhalten. Dreißig Sekunden später erfolgte eine Explosion, woraufhin eine Flut von radioaktivem Wasser aus einer zerborstenen Tür drang, die Treppe zum Lagerhaus hinunter und auf den Kies-Parkplatz strömte, auf dem das entsetzte Personal bereits die Flucht ergriff. Kleine Wolken stark radioaktiven Dampfes drangen aus den zersplitterten Fenstern des Lagerhauses auch in die Atmosphäre.

Das laute Heulen der Sirenen übertönte jetzt alle anderen Alarmsignale. Im Kontrollraum brach Panik aus. Der Kraftwerksleiter spürte es intuitiv. Die Strahlung war unsichtbar, aber die Panik war deutlich zu spüren.

»Alle Mann Schutzmasken anlegen«, schrie er, ohne seinen Computer zu verlassen.

Zwei Operatoren öffneten den Schrank und verteilten an alle Anwesenden im Raum schwarze Sauerstoffmasken.

Der Betriebsleiter griff nach dem Hörer und wählte die Nummer der Notfallbehörde. Das ganze Personal außerhalb der dicken Mauern des Kontrollraumes musste das Gebiet sofort räumen. Das Notfallteam musste bleiben. Das Team, das mit strahlungssicheren Anzügen ausgestattet war, erhielt den Befehl, ins Lagerhaus zu gehen, um den Zufluss an radioaktivem Dampf einzudämmen. Nur die Hälfte des Notfallteams gehorchte. Der Rest folgte den Dutzenden Arbeitern der Nachtschicht, die aus dem Kernkraftwerk hinausstürzten.

Der Kraftwerksleiter rief die Beamten der Nuklearkontrollbehörde in Phoenix an. Normalerweise gab es in Palo Verde zwei Sicherheitsbeauftragte. Doch in der Nachtschicht war nur einer, und der hatte sich vor zwei Stunden krankgemeldet. Der andere hatte gestern einen zweiwöchigen Urlaub angetreten, und seine Vertretung wurde erst morgen erwartet.

Es war jetzt drei Uhr morgens. Der Betriebsleiter landete bei einem Anrufbeantworter.

»Verdammter Mist!« Er knallte den Hörer auf die Gabel,

wählte die Nummer des Krisenzentrums der Nuklearkontrollbehörde in Bethesda, Maryland, und erklärte die Situation. Der Beamte am anderen Ende der Leitung versprach ihm, innerhalb einer Stunde ein Expertenteam aus Phoenix zu schicken.

Das Team traf erst um fünf Uhr ein. Zu diesem Zeitpunkt arbeiteten die Thermometer im Reaktor schon lange nicht mehr. Eine Reihe von XXXXXX rollte über den Kontrollschirm. Der letzte aufgezeichnete Wert betrug 2.200 Grad.

Palo Verde erlebte eine Kernschmelze.

Kernbrennstäbe waren geschmolzen und tropften auf den Boden des Reaktorsicherheitsbehälters, der schon mit einer großen Menge an geschmolzenem Zirkonium und Urankügelchen gefüllt war. Die extrem heißen Metalle drohten durch den Stahlbetonboden des Reaktorsicherheitsbehälters und in das Erdreich unterhalb des Kernkraftwerkes zu dringen.

Da innerhalb des Notfallteams der Nuklearkontrollbehörde keine Einigkeit herrschte, riefen sie das Krisenzentrum an. Niemand wusste genau, wie das Problem gelöst werden konnte. Obwohl das Notfallteam des Kernkraftwerks verhindern konnte, dass noch mehr radioaktiv verseuchtes Wasser aus dem Lagerhaus floss, hatte sich eine Wasserstoffblase in der Kuppel des Reaktorsicherheitsbehälters gebildet. Dadurch drohte eine noch größere Strahlenmenge freigesetzt zu werden, falls der Druck im Reaktorsicherheitsbehälter, der den Reaktor umgab, über vier bar anstieg. Die digitalen Anzeigen zeigten im Kessel einen Druck von drei bar mit steigender Tendenz an, und der Sauerstoffgehalt stieg langsam auf neun Prozent. Bei elf Prozent wäre genug Sauerstoff im Reaktorsicherheitsbehälter, um den brennbaren Wasserstoff zu entzünden.

Zwei der höchsten Beamten der Nuklearkontrollbehörde suchten den Gouverneur zu Hause auf. Sie forderten die sofortige Evakuierung aller Städte in einem Umkreis von zwanzig Meilen, besonders der fünfzehntausend Einwohner, die in dem nahe gelegenen Palo Verde wohnten. Der Gouverneur stimmte sofort zu, doch als die Notfallsendestation tausende von Radios und Fernsehgeräten in der unmittelbaren Umgebung erreichte, brach in der Öffentlichkeit Panik aus. Innerhalb weniger Minuten kam es zu zahllosen Unfällen, was verstopfte Straßen zur Folge hatte. Dadurch steigerte sich die Hysterie von nahezu zwanzigtausend Menschen, die versuchten, das Gebiet zu verlassen.

Mittlerweile war es neun Uhr morgens.

Mit Hilfe zusätzlicher Kräfte der Nuklearkontrollbehörde und dutzender Freiwilliger, die strahlungssichere Anzüge trugen und in Drei-Minuten-Schichten in der extrem *heißen* Umgebung arbeiteten, wurden genug Verbindungen hergestellt, um wieder Wasser in den Reaktor zu leiten.

Aber es war schon zu spät. Die Sauerstoffkonzentration erreichte elf Prozent.

»Mein Gott! *Nein!*«, schrie der Techniker, der neben dem Kraftwerksleiter saß.

Der Wasserstoff in dem unter Überdruck stehenden Reaktorsicherheitsbehälter explodierte. Durch die daraus resultierende Druckwelle platzte der Reaktorsicherheitsbehälter, als der Druck drei Sekunden einen Spitzenwert von 15,8 bar erreichte, ehe er wieder auf 3,7 bar fiel. Zu dem Zeitpunkt war das Unglück schon geschehen. Eine riesengroße bläuliche Säule von hoch radioaktivem Dampf drang aus dem zersprungenen Reaktorsicherheitsbehälter und stieg in den klaren Himmel Südarizonas auf. Der Wind trieb die Wolke nach Osten in Richtung Phoenix, das nur 25 Meilen entfernt lag. Die nach Osten treibende Wolke hinterließ einen meilenbreiten Streifen, der den Tod brachte.

Millionen Liter kaltes Wasser, das stark mit Bor angereichert war, um die Neutronen zu absorbieren, erreichten schließlich die Blasen werfende radioaktive Masse, die sich auf dem Boden des Reaktorsicherheitsbehälters gesammelt hatte. Zuvor entwich jedoch aus dem Reaktorsicherheitsbehälter eine Strahlenmenge, die einer Nuklearbombe von fünfzig Kilotonnen entsprach.

Im nahe gelegenen Palo Verde beobachteten die Einwohner, die auf den Straßen festsaßen, mit Entsetzen die radioaktive Wolke, die der Wind über ihre Stadt trieb. Viele verließen ihre Fahrzeuge. Andere schlossen die Fenster und stellten die Klimaanlage ab. Einige versteckten sich in Gebäuden, als die Dunstglocke wie eine Strafe Gottes auf Männer, Frauen und Kinder, weidende Kühe, Hunde, Katzen, Hühner und Insekten niederging. Vögel starben an der Verstrahlung und fielen vom Himmel. Dann traf es die Haustiere. Hunde und Katzen lagen zuckend auf der Erde, nachdem ihre geschwollenen Brustkörbe die Isotope eingeatmet hatten, die ihre lebenden Zellen in Schwindel erregender Geschwindigkeit verzehrten.

Ein Mann ließ seinen Pickup stehen, als dieser von der Wolke eingehüllt wurde. Nur zwei Minuten lang atmete er die radioaktive Luft ein und setzte sich damit der zigtausendfachen Dosis einer normalen Röntgenuntersuchung aus. Als er den nächsten Häuserblock erreichte, war er schon tot, ohne es zu wissen. Ihm war schwindelig, und er hatte die Orientierung verloren. Er beugte sich nach unten und erbrach sich. Dann sank er auf dem Bürgersteig auf die Knie und spuckte Blut und Galle. Er spürte, dass ihm Urin über die Beine lief. Eine Minute später folgten die Krämpfe, und er brach zitternd, mit verdrehten Gliedern und Blut und Galle spuckend, auf dem Bürgersteig zusammen. Seine Hose war mit Urin und Blut durchtränkt. Mit sterbendem Blick schaute er auf die Straße und sah die Menschen, die liefen, fielen, aufstanden und wieder zu Boden sanken, taumelten und über den Boden krochen. Er hörte sie schreien und kreischen.

Eine zu Tode erschrockene Frau hielt ihr zuckendes Kind

in den Armen, als die radioaktive Wolke sie erreichte und sie anfing zu zittern. Die Schreie der anderen vermischten sich mit ihren Schreien und dem herzzerreißenden Wimmern ihres kleinen Sohnes, dessen blaue Augen nach oben rollten und dessen winzige Arme ihre Handgelenke umklammerten. Die Luft, die in ihre Lungen drang, fraß sie von innen auf wie ein unsichtbarer Hai – schnell, unerwartet und gnadenlos. Ihr Baby starb, als sie jammernd auf die Knie sank und unkontrollierte Schreie ausstieß. Sofort darauf musste sie sich erbrechen. Zu ihrem großen Entsetzen entglitt das Baby ihren Armen, als ein lähmender Krampf ihren Körper und ihr ganzes Sein erfasste. Sie knallte neben ihrem toten Baby kopfüber auf den Bürgersteig. Ihr Mund war aufgerissen, und die auf ihren Sohn gerichteten Augen waren verdreht, als sie starb und schwarzes Erbrochenes über ihr Gesicht und ihren Nacken rann.

Die Todeswolke fegte in weniger als zwanzig Minuten durch Palo Verde. Als sich die Wolke in dem Wüstengebiet zwischen Palo Verde und Phoenix auflöste, waren die meisten Bewohner bereits tot, und die anderen starben innerhalb der nächsten 24 Stunden an der schweren Verstrahlung.

Die Nachricht der Katastrophe und der sich nähernden Wolke erreichte Phoenix und Tempe, wo alle Ausfahrtstraßen und Highways innerhalb kürzester Zeit verstopft waren. Glücklicherweise betrug die Höhe der Radioaktivität, die die große Metropole drei Stunden später erreichte, lediglich einen winzigen Bruchteil der großen Wolke, die alles Leben in Palo Verde ausgelöscht hatte. Nur Ratten und Insekten lebten noch.

Ein 30 Quadratmeilen großes Gebiet rund um das Kernkraftwerk und die Kleinstadt wurde von der Nuklearkontrollbehörde abgesperrt. Ausschließlich bevollmächtigtes Personal in strahlungssicheren Anzügen durfte das Gebiet betreten.

Die Angestellten der Nuklearkontrollbehörde, die Palo

Verde einen Tag nach der Katastrophe erreichten, fanden eine Brutstätte für Seuchen vor. Ratten und Insekten knabberten an den Toten. Es dauerte eine ganze Woche, bis 600 Soldaten der Armee und der Nationalgarde sowie die Techniker der Kontrollbehörde die vermodernden Leichen weggeschafft hatten. Die Aasfresser hatten viele von ihnen schon zur Hälfte vertilgt. Die meisten Leichen mussten außerhalb der Stadt von speziell ausgebildeten Technikern der US-Army verbrannt werden, damit sich die Radioaktivität und eventuelle Seuchen nicht ausbreiteten.

In der Woche nach der Katastrophe leiteten der Energiekonzern und die Nuklearkontrollbehörde die Ermittlungen ein, um die Ursache der Katastrophe aufzuklären.

Die geschlossenen Ventile, die verhindert hatten, dass die Notfallpumpen im kritischen Augenblick zusätzliches Kühlwasser einspeisten, wurden auf menschliches Versagen zurückgeführt. Die für die Ventile zuständigen Techniker hatten der nächsten Schicht Instruktionen hinterlassen, die Ventile wieder zu öffnen. Die Unterlagen waren irgendwie verloren gegangen.

Das defekte Sicherheitsventil war alt, und es war in der Wartungsabteilung schon um Ersatz gebeten worden. Die Auslieferung des neuen Ventils aus Deutschland wurde durch die US-Zollbeamten in Miami unglücklicherweise verzögert.

Die zahlreichen Tests und Untersuchungen, die an der Elektronik des Kontrollsystems des Reaktors durchgeführt wurden, ergaben nichts Ungewöhnliches.

Nichts.

Alle Computersysteme reagierten laut Programmierung. Ingenieure und Techniker von zwölf verschiedenen Computerherstellern führten auf ihren besonderen Subsystemen unabhängige Tests durch. Auch sie kamen zu dem Ergebnis, dass Hard- und Software richtig funktioniert hatten. Niemand konnte sich erklären, warum die Zusatzwasser-Pumpen genau um 1.37 Uhr nachts ausgefallen waren und die Kettenreaktion eingeleitet hatten, die zu der schlimmsten Nuklearkatastrophe in Friedenszeiten geführt hatte.

15.000 Menschen starben infolge des Unfalls. Der offizielle Bericht der Nuklearkontrollbehörde, der zwei Monate nach dem Störfall erschien, ergab, dass 400.000 der Überlebenden einer Strahlung von 150 rem, also dem tausendfachen einer normalen Röntgenbestrahlung ausgesetzt waren. Und etwa 70.000 hatten eine Dosis von 50 rem oder weniger erhalten, bevor sich die Dampfwolke ganz in der Atmosphäre auflöste.

Die amerikanische Bevölkerung attackierte wutentbrannt die Betreiber des Kernkraftwerks. Während Schadensersatzklagen raketenartig in die Höhe schnellten und zigtausend Bewohner von Arizona entsetzliche Angst hatten, an Krebs zu erkranken, begannen der Energiekonzern und die Nuklearkontrollbehörde mit der langwierigen und gefährlichen Dekontaminierung. Experten schätzten, dass die komplette Entgiftung zehn Jahre dauern würde. Die Kosten wurden auf drei Milliarden Dollar geschätzt. Rund um das Gebiet der lebensgefährlichen Zone wurde ein drei Meter hoher Maschendrahtzaun errichtet, und es wurden Schilder aufgestellt, um die Bevölkerung vor radioaktiven Niederschlägen zu warnen.

Es würde fast siebzig Jahre dauern, bis die Verstrahlung auf ein ungefährliches Niveau gesunken wäre. Bis dahin blieb dieses Gebiet eine Sperrzone, die nur die direkt mit der Dekontaminierung Betrauten betreten durften.

Niemand konnte erklären, warum das Computersystem den Befehl zur Abschaltung der Zusatzwasser-Pumpen erteilt hatte.

Computerprogramme

Der Mensch ist immer noch der außergewöhnlichste Computer.

John F. Kennedy

BATON ROUGE, LOUISIANA *Dienstag, 10. November*

Die Sonne durchdrang den leichten Nebel über dem Campus der Universität von Louisiana und schien auf die prächtigen Eichen, die klaren Seen, die gepflegten Rasenflächen und eine Reihe von Gebäuden aus Granit und Glas. Ein Fahnenmast in der Mitte eines großen runden Platzes kennzeichnete die Mitte des Universitätsgeländes. Im Westen der Universität ragte der Memorial Tower in die Höhe, im Osten die stattliche Juristische Fakultät, im Norden die moderne Musikschule, und im Süden stand das größte Student's Union Building des Südens. Das dreistöckige Gebäude war wie die anderen Gebäude auf dem Campus aus dem traditionellen Granit gebaut. Es beherbergte Restaurants, Theater, Bowlingbahnen, Konferenzsäle, eine Postfiliale und einen Supermarkt.

Weiter im Westen, in Richtung Mississippi, stachen zwei moderne Bauten aus der traditionellen Bauweise auf dem Universitätscampus hervor. Das eine war das wie ein Kolosseum gebaute Tiger-Stadion, in dem die Football-Mannschaft der Universität spielte und das als Studentenwohnheim für dreitausend Studienanfänger diente. Das andere war das prunkvolle Versammlungszentrum, ein für viele Gelegenheiten vorgesehenes klimatisiertes Stadion, in dem sportliche und kulturelle Veranstaltungen stattfanden.

Im Süden stach ein anderer Bau zwischen den älteren, traditionellen Gebäuden hervor. Es war das Zentrum für Ingenieurwissenschaften und Betriebswissenschaft (CEBA), ein modernes dreistöckiges Gebäude aus Granit und Glas. Ein großer offener Hof in der Mitte bot den Studenten des Instituts ein ruhiges Plätzchen, an dem sie fernab von den hektischen Seminarräumen und den überfüllten Bibliotheken und Cafeterien studieren konnten.

Auf dem großen Parkplatz rund um das Institut war normalerweise schon um acht Uhr morgens kaum noch ein freier Platz zu finden. Pamela Sasser, Dozentin im Fachbereich Informatik, hielt um 8.50 Uhr erleichtert in ihrem sechs Jahre alten Honda Accord an, als ein weißer Pickup rückwärts aus einer Lücke in der ersten Reihe herausfuhr.

Eine dunkle Corvette fuhr langsam in die entgegengesetzte Richtung, während Pamela mit eingeschaltetem Blinker wartete, bis der weiße Pickup aus der Parklücke herausgefahren war. Sie kniff ihre blaugrünen Augen zusammen, als der Fahrer der Corvette Gas gab und auf die freie Lücke zufuhr. Pamela trat aufs Gas, nachdem der Lastwagen die Lücke verlassen hatte, und fuhr hinein. Sie war den Bruchteil einer Sekunde schneller als die Corvette.

Der Fahrer der Corvette drückte auf die Hupe und hielt seinen gestreckten Mittelfinger drohend vor das Fenster. Dann gab er sich geschlagen und nahm die morgendliche Jagd nach einem Parkplatz wieder auf.

Pamela schaltete den Motor aus, zog die Handbremse an und schaute der Corvette lächelnd im Rückspiegel nach.

Nachdem Pamela die Wagentür aufgestoßen hatte, setzte sie sich seitlich auf den Sitz und stellte ihre langen Beine auf das feuchte Straßenpflaster. Sie trug Mokassins und eine enge ausgeblichene Jeans. Bevor sie ausstieg, überprüfte sie schnell, ob der mehrere Zentimeter dicke Computerausdruck auf ihrem Schoß auch der war, mit dem sie sich bis ein Uhr nachts beschäftigt hatte. Computerausdrucke anderer Projekte lagen auf dem Beifahrersitz. Pamela nahm nur den einen Ausdruck, ihre Handtasche und die Schlüssel mit und schloss die Tür ab.

Sie klemmte sich die Handtasche und den Stapel Papier, den sie auf dem Hewlett-Packard in ihrem Fachbereich ausgedruckt hatte, unter den Arm und folgte einer Gruppe Studenten und Dozenten, die zu den um neun Uhr beginnenden Seminaren eilte.

Pamela, die vor zehn Jahren mit dem Studium begonnen hatte und seit Abschluss des Studiums als Dozentin tätig war, kannte die Wege auf dem Campus im Schlaf. Sie schlängelte sich an den lärmenden Studenten vorbei, die sich auf den Fluren tummelten. Ihr langes schwarzes Haar, das leicht gewellt war und glänzte, fiel locker über die Schultern und wippte bei jedem Schritt. In dem schmalen Gesicht mit den hohen Wangenknochen fielen besonders die blaugrünen Augen auf, die asiatische Vorfahren vermuten ließen.

Pamela war sich der lüsternen Blicke einiger Studenten kaum bewusst, als sie die Treppe am Ende der Eingangshalle hinaufstieg. Ihr kleines Büro lag im ersten Stock, doch sie ging in den zweiten Stock, wo sich nur noch ein paar Dutzend Studenten aufhielten und der Lärmpegel auf wenige Dezibel sank. Vor einem Büro in der Mitte des Korridors blieb sie stehen und klopfte an die Tür.

»Die Tür ist offen. Kommen Sie rein!«, rief eine leicht krächzende Stimme hinter der großen Metalltür.

Pamela drehte am Türknauf und lehnte sich mit der rechten Schulter gegen die Tür, um sie zu öffnen, während sie die Ausdrucke und ihre Handtasche umklammerte. In dem Büro saß ein Mann Ende sechzig, der ein Tweedjackett und eine dunkle Hose trug. Eine gelbe Fliege zierte sein weißes Hemd. Er lächelte Pamela freundlich an. Seine tief liegenden blauen Augen, die trotz des Alters noch immer wachsam waren und Intelligenz ausstrahlten, musterten Pamela hinter einer Brille, die auf seiner Nasenspitze saß. Sein Blick wanderte von Pamelas Gesicht zu dem Stapel Papier unter ihrem Arm.

»Guten Morgen, Professor.«

Dr. Eugene LaBlanche, Professor für Nukleartechnik, bedeutete ihr, die Tür zu schließen und Platz zu nehmen. »Morgen, Pam. Wie ist es gelaufen?« Immer, wenn er einen Satz beendete, hob er seine buschigen Augenbrauen.

Pamela Sasser legte die Ausdrucke auf den großen Schreibtisch von Professor LaBlanche, setzte sich auf den Kunststoffstuhl gegenüber dem Schreibtisch und sagte: »Sieht nicht gut aus, Sir.« Sie blätterte die Seiten durch, bis sie zu einem Abschnitt kam, auf dem es von roter Tinte nur so wimmelte. »Mit dem Computerprogramm stimmt alles. Es läuft auf dem Hewlett-Packard hervorragend.«

»Und auf den Cray- und SUN-Systemen auch«, erwiderte der erfahrene Universitätsprofessor, dessen Gesicht die typischen Falten und Flecke des Alters aufwies. »Aber *nicht* auf dem Microtel-System.«

Pamela zeigte mit einem ihrer rot lackierten Fingernägel auf eine Stelle des Ausdrucks. »Auf dem Microtel-Computer gibt es genau an dieser Stelle Probleme – jedoch nicht immer. Ich habe gestern die Fehlerfrequenz überprüft und festgestellt, dass der Fehler nur etwa jedes zehnte Mal auftritt.«

»Sehr merkwürdig«, sagte der Professor.

»Und irgendwie ist der Fehler nicht vorhersehbar«, fügte Pamela hinzu.

LaBlanche nickte, lehnte sich auf seinem Stuhl zurück, faltete die Hände unter dem Kinn und runzelte die Stirn. Einen kurzen Augenblick widmete er seine Aufmerksamkeit dem leistungsstarken, mattweißen Microtel SC-200-Computer, der die ganze linke Seite des Schreibtisches einnahm. Dann nahm er die Brille ab und rieb sich über die Nase. »Seltsam und nicht vorhersehbar«, murmelte LaBlanche, der sich die Brille wieder auf die Nase setzte, sich auf seinem Drehstuhl herumdrehte und durch die Fenster hinter dem Schreibtisch auf den sonnenüberfluteten Hof des Instituts schaute.

Pamela schwieg und richtete ihren Blick auf den klaren Himmel über der Universität. Vor sechs Monaten hatte Dr. Eugene LaBlanche Pamela mit einer Aufgabe betraut. Es ging darum, Teile eines Computerprogramms für ein Kontrollsystem zu schreiben, das den Sicherheitsmechanismus in Kernkraftwerken revolutionieren sollte. Pamela hatte oft nachts und an Wochenenden am Microtel SC-200 in Dr. LaBlanches Büro gearbeitet und den Code eingetippt. Um die Arbeit schneller voranzubringen, hatte sie auch eine Standleitung zum Cray, der im Kellergeschoss des Instituts stand, hergestellt.

Als sie vor zwei Tagen das Programm durchlaufen ließ, um eine Computersimulation des Kontrollsystems eines Kernkraftwerkes durchzuführen, hatte sie eine alarmierende Entdeckung gemacht: Etwa jedes zehnte Mal lieferte ihr der Microtel SC-200 ein anderes Ergebnis als der Cray. Diese seltsame Entdeckung teilte sie Dr. LaBlanche mit, der das Programm seinerseits durchlaufen ließ und ihre anfängliche Entdeckung bestätigte. Obwohl die eingegebenen Daten auf beiden Systemen identisch waren, wurden auf dem Microtel-System andere Ergebnisse als auf dem Cray erzielt – jedoch nur etwa jedes zehnte Mal. Ansonsten waren die Ergebnisse auf beiden Systemen identisch. Der Professor hatte Pamela gebeten, dieses Phänomen zu überprüfen, indem sie das Programm auf dem SUN-Computer durchlaufen ließ.

Die Ergebnisse auf dem SUN entsprachen *immer* denen auf dem Cray. Um ganz sicher zu gehen, bat der Professor Pamela, das Programm auf einem Hewlett-Packard zu testen. Gestern Abend hatte Pamela die Ergebnisse mit nach Hause genommen, um sie durchzusehen. Die Ergebnisse auf dem HP stimmten mit denen auf dem Cray und dem SUN immer überein. Das bedeutete, dass es ein unvorhersehbares Verhalten in der Logik des SC-200 gab, der mit einem Perseus-Mikroprozessor lief, einem der populärsten Computerchips von Microtel.

»Haben Sie diese Woche ein Backup gemacht?«, fragte LaBlanche, der sich nach ein paar Minuten des Schweigens wieder zu ihr umdrehte.

»Ja, Sir«, erwiderte sie. »Ich habe das Programm auf einer neuen Diskette gesichert und das Backup von letzter Woche vernichtet. Die Diskette liegt verschlossen in meinem Büro.« LaBlanche hatte ihr aufgetragen, das Computerprogramm einmal pro Woche auf einer Diskette zu sichern und die der letzten Woche zu vernichten.

»Das ist nicht gut, Pam«, sagte LaBlanche, der beide Hände auf den Schreibtisch legte und mit den Fingern leise auf die Holzplatte trommelte. »Das wird den Leuten bei Microtel gar nicht gefallen, besonders da es mit Palo Verde in Verbindung gebracht werden könnte.«

Pamela Sasser atmete tief ein, als sie wieder an die grauenhaften Bilder im Fernsehen dachte. Für das High-Tech-Konsortium würde es eine Katastrophe bedeuten, wenn Palo Verde mit Microtel in Verbindung gebracht werden würde. »Sind Sie ganz sicher, dass der Perseus das Kontrollsystem in Palo Verde gesteuert hat?«

LaBlanche schüttelte langsam den Kopf. »Ich weiß, dass Millionen von Perseus-Chips in der Wirtschaft verwendet werden«, erwiderte er, während er die Seite des mattweißen Computers tätschelte. »Ich weiß allerdings nicht genau, wie groß die Verwendung in der Industrie ist. Ich bin jedoch ziemlich sicher, dass bei allen Anwendungen, bei denen der Perseus benutzt wird, um Kontrollsysteme zu steuern, die Software eine Gefahr darstellt.«

»Und stellen die SC-200-Computer, die in der Wirtschaft verwendet werden, auch ein Risiko dar?«, fragte Pamela.

»In gewissem Maße, aber denken Sie doch mal nach, Pam. Unter normalen Operationsbedingungen könnte dieser Fehler jahrelang unentdeckt bleiben. Was würden Sie machen, wenn Ihr SC-200 alle fünf Jahre einen kurzen Augenblick muckt und dann wieder normal funktioniert?«

»Wahrscheinlich nichts«, erwiderte sie. »Unser Cray stürzt öfter ab, und dann booten wir ihn einfach neu und machen weiter.«

»Ganz genau«, sagte der Professor, der wieder seine buschigen Augenbrauen beim Sprechen hob. »In einem Kontrollsystem könnte der Defekt aber häufiger auftreten, und dann müssten Sie sicher nicht nur den Computer neu booten, sondern es wären vermutlich schwerwiegendere Konsequenzen zu erwarten.«

»Was werden Sie tun?«

»Ich habe bei der Eröffnung von CEBA-West im letzten Jahr den technischen Leiter von Microtel kennen gelernt«, sagte LaBlanche, der sich auf eine große Erweiterung des Institutes mit neuen Laboren für weitere Forschungsgebiete bezog, die sie einer großzügigen Spende von Microtel zu verdanken hatten.

Der Professor öffnete eine Schublade und zog eine glänzende schwarz-goldene Visitenkarte hervor. »James R. Kaiser, Technischer Leiter. Ein netter, intelligenter Kerl. Ich werde Kontakt zu ihm aufnehmen und ihm die Situation und die potenzielle Gefahr schildern.«

Pamela schlug die Beine übereinander. »Wie wird Microtel Ihrer Meinung nach reagieren?«

LaBlanche runzelte die Stirn und schüttelte langsam den Kopf. »Schwer zu sagen, wie so ein Unternehmen reagiert. Ich hoffe nur, Microtel kann mit der Sache besser umgehen als Intel mit dem Defekt des Pentiums 94.«

Pamela zupfte an dem Kragen ihrer Bluse und sagte: »Und wenn der Perseus in Palo Verde benutzt wurde? Was wird dann passieren?«

LaBlanche hob wieder die Augenbrauen und schaute Pamela in die Augen. »Das könnte eine Katastrophe unglaublichen Ausmaßes bedeuten. Zunächst einmal müsste eine riesige Rückrufaktion kostspieliger Mikroprozessoren in die Wege geleitet werden. Doch der richtige Ärger beginnt, wenn es in Arizona zu einer Flutwelle von Schadensersatzklagen kommt. Bei dem Störfall sind 15.000 Menschen ums Leben gekommen, und hunderttausende wurden verstrahlt. Die Vermutung liegt nahe, dass die Existenz des großen Microtel-Konzerns stark bedroht wäre. Ein Konkurrenzunternehmen würde sich vermutlich die Konkursmasse unter den Nagel reißen ... Nun habe ich ein richtiges Schreckensszenario gemalt, Pam. Dazu muss es nicht kommen. Ich versuche noch heute, Kontakt zu Microtel aufzunehmen. Über das Ergebnis des Gesprächs werde ich Sie dann unterrichten. Wie sieht Ihr Programm für den Rest der Woche aus?«

»Wie immer viel Stress.« Abgesehen von ihrer Doktorarbeit, die schon viel Zeit beanspruchte, musste Pamela in jedem Semester fünf Seminare geben, und zwei davon waren gut besuchte Einführungskurse für Erstsemester.

»Wie wäre es, wenn wir am Freitag zusammen im *Plantation Room* zu Mittag essen? Bis dahin müsste ich bei Microtel etwas erreicht haben.«

»Im *Plantation Room*, Professor?«, fragte sie. Es überraschte sie, dass LaBlanche sie in das exklusive Restaurant im obersten Stockwerk des Student's Union Building einlud.

»Ich möchte mich bei Ihnen bedanken, weil Sie mir geholfen haben, das Programm zu schreiben.«

Pamela lächelte. »Okay. Hört sich gut an, Sir.«

»Großartig«, sagte er und klatschte in die Hände. »Zwölf Uhr?«

»Ja, das ist eine gute Zeit.« Sie schaute auf die Uhr. »Jetzt muss ich mich aber sputen. Ich muss noch einen Kurs vorbereiten. Soll ich Ihnen nachher die Diskette mit dem letzten Backup bringen? Ich glaube, meine Arbeit an diesem Projekt ist soweit erledigt.«

LaBlanche presste einen Finger auf die Unterlippe und starrte einen Augenblick in die Ferne, ehe er antwortete. »Nein, noch nicht. Ich habe ja das Original. Es ist immer besser, eine Sicherungskopie an einem anderen Ort aufzubewahren.«

»Kein Problem. Dann bis Freitag.« Pamela nahm ihre Handtasche, stand auf und drehte sich zur Tür um.

»Pam?«

Pamela Sasser blieb vor der Tür noch einmal stehen und warf dem Professor einen Blick zu. »Ja, Sir?«

»Ich möchte mich nur noch einmal bei Ihnen für Ihre große Hilfe bedanken.«

Pamela lächelte. »Das ist das Mindeste, was ich für Sie tun kann«, erwiderte sie. Pamela hatte bei Professor LaBlanche ihren ersten Abschluss in Nukleartechnik und ihren zweiten in Informatik erworben. LaBlanche hatte sie beraten, unterstützt und gefördert, um eine Dozentenstelle im Fachbereich Informatik zu bekommen.

»Ich wollte Ihnen nur sagen, dass ich Ihre Arbeit sehr schätze«, sagte LaBlanche. Er stand auf, ging um seinen Schreibtisch herum und klopfte ihr auf die Schulter. »Ja, ich weiß, Sie haben sehr viel zu tun. Sie müssen Unterricht geben, und ich muss ein wichtiges Telefonat führen.«

Pamela Sasser ging um 8.15 Uhr mit einem Stapel Prüfungsunterlagen in ihr Büro. In fünfundvierzig Minuten musste sie
eine Gruppe Erstsemester prüfen. Sie schaute sich kurz in ihrem Büro um, in dem ein Metallschreibtisch, ein Schreib-
tischstuhl aus Kunststoff und ein Aktenschrank standen. Das
grelle Neonlicht schien auf die mattweißen Wände, von denen
die Farbe abblätterte. Pamela hatte keinen Computer in ihrem
Büro. Bisher war sie noch nicht wichtig genug.

Nachdem sie den schweren Papierstapel auf den kleinen
Schreibtisch geworfen hatte, stieg sie die Treppe zum Computerraum hinunter, in dem eine ganze Reihe Computer standen.
Um diese Uhrzeit saßen nur ein Dutzend junger Studenten
hinter den Monitoren und hämmerten auf die Tastaturen.

Pamela setzte sich hinter einen Hewlett-Packard hinten
im Raum. Sie gab ihre Identifikationsnummer und ihr Passwort ein, um Zugang zum Universitäts-Computer-System zu
bekommen. Anschließend loggte sie sich in den Gruppenac-
count des Fachbereichs Informatik ein. Dieser Account hatte
ein spezielles Privileg, das die Nutzer befähigte, sich in
Gastaccounts jedes größeren Unternehmens, das die Universität dazu berechtigte, einzuloggen. Dieser Link war einge-
richtet worden, um der Universität von Louisiana und ihren
Hauptinvestoren einen schnellen Zugriff zu ermöglichen
und Anfragen über Experimente, Statusberichte über laufende Projekte und Abschlussberichte über abgeschlossene Projekte zu versenden.

Pamela gab die Gruppen-ID und das Passwort ein. Auf
dem großen Monitor erschien:

WILLKOMMEN BEI
SUPERUSER
Bitte geben Sie das Unternehmen ein:

Pamela zögerte einen Moment, ehe sie Microtel eingab. Seit ihrem Gespräch mit Professor LaBlanche am Dienstag hatte sie sich Gedanken über eine mögliche Verbindung zwischen dem fehlerhaften Perseus und der Katastrophe in Palo Verde gemacht. Sie wollte auf diesem Großrechner ein paar Recherchen durchführen, um ihre steigende Neugier zu befriedigen.

Auf dem Monitor erschien:

Die Verbindung wird hergestellt. Bitte warten Sie ...

Nach dreißig Sekunden las sie auf dem Monitor:

Willkommen bei Microtel, Inc.

Auswahl: A. Technik
             B. Marketing
             C. Verkauf
             D. Produktion **Vertraulich**
             E. Finanzen **Vertraulich**
             F. Rechtsabteilung **Vertraulich**

Pamela war schon einmal bis hierher in das System vorgedrungen, und es leuchtete ihr ein, dass nicht jeder in die Produktion, Finanzen und Rechtsabteilung eines Unternehmens Einblick nehmen sollte. Die Daten im Bereich Technik waren für gewisse Projekte zugänglich. Die Verkaufszahlen und Marketingpläne der vergangenen Jahre waren normalerweise kein Geheimnis, da sie auch im jährlichen Geschäftsbericht veröffentlicht wurden. Sie überlegte, ob sie sich die Marketingdaten ansehen sollte, entschied sich aber dagegen. Interessanter war es, eine Liste früherer Kunden zu erhalten, und daher wählte sie den Verkauf. Auf dem Monitor erschien ein anderes Menü.

Auswahl: A. Verkauf 1980–1997
B. Verkauf 1998 **Vertraulich**
C. Organisation **Vertraulich**
D. Verkaufsbüros
E. Kundenstamm 1998 **Vertraulich**
F. Nordamerika 1985–1997
G. Europa 1991–1997
H. Asien Pazifik 1992–1997
I. Mexiko und Südamerika 1993–1997

Pamela schaute sich die Liste an, wählte F und anschließend 1992. Mit diesem Jahr wollte sie beginnen. Auf dem Monitor erschien ein weiteres Menü. Sie konnte zwischen Industrie und Militär auswählen. Die Militärdaten waren vertraulich, und daher wählte sie Industrie.

Eine Zeit lang war auf dem Monitor nichts zu sehen. Pamela schaute auf die Uhr. Es war jetzt 8.45 Uhr.

Nach ein Paar Sekunden erschien auf dem Monitor:

Microtel Verkauf – 1992

Industriekunden – Nordamerika

A. Flugzeugbau
B. Chemie
C. Benzin und Gas
D. Kernkraft
E. Automobil
F. Telekommunikation

Pamela wählte sofort die Kernkraftwerke aus und schaute sich die relativ kurze Liste an. Es waren nur fünf Einträge, die alphabetisch geordnet waren.

1. Diablo Canyon 2. Elektrizitätswerk Pazifik, CA

2. Nine Mile Point. Niagara Mohawk Werk, NY

3. Palo Verde. Arizona Public Service, AZ

4. Peach Bottom 3. Elektrizitätswerk Philadelphia, PA

5. Südtexas 1. Elektrizitätswerk. TX

Sie starrte auf den dritten Eintrag.

Palo Verde.

Das bedeutete, dass Microtel Geräte an Palo Verde verkauft hatte. Sonst nichts. Jetzt musste sie noch wissen, um *welche* Geräte es sich dabei handelte.

Pamela schaute wieder auf die Uhr: 8.52 Uhr.

Mist!

Sie loggte sich aus, lief in ihr Büro und griff nach dem dicken Stapel Prüfungsunterlagen auf ihrem Schreibtisch. Wenige Minuten später war sie auf dem Weg in den Seminarraum im Erdgeschoss, wo über hundert Studienanfänger warteten.

Pamela ging sofort zu dem kleinen Schreibtisch vorne im Raum. Als sie die Vordrucke in der ersten Reihe verteilte, verstummten alle. »Legen Sie die Vordrucke umgedreht auf den Tisch, bis ich alle Vordrucke verteilt habe. Dies ist der letzte Test vor dem Abschlusstest in vier Wochen. Dieser Test besteht aus vier Teilen. Bei jedem können Sie fünfundzwanzig Punkte erreichen. Das ergibt eine Gesamtpunktzahl von hundert. Sie haben genau *fünfzig* Minuten Zeit, um alle Aufgaben zu lösen. Daher rate ich Ihnen, sich nicht länger als *zwölf* Minuten mit einem Teil zu beschäftigen, sonst werden Sie nicht rechtzeitig fertig. Ich muss genau erkennen können, in welchen Schritten Sie die einzelnen Probleme gelöst haben, damit ich Ihnen die volle Punktzahl für jede gelöste Aufgabe geben kann.«

Es dauerte noch eine Minute, bis sie alle vierseitigen Testbögen verteilt hatte. Dann schaute sie auf die Uhr.

»Vergessen Sie nicht, oben auf *jede* Seite Ihren Namen zu schreiben. Viel Glück. Sie können *jetzt* anfangen.«

Papier raschelte, als fast alle Studenten gleichzeitig die Bögen umdrehten und anfingen zu schreiben.

Pamela ging zu ihrem Schreibtisch, lehnte sich dagegen und warf ein wachsames Auge auf die Studenten. Sie hatte noch nie jemanden beim Pfuschen erwischt, und sie wusste nicht, wie sie reagieren würde, falls es je passieren würde. Diese Gruppe machte einen netten Eindruck, und ihre Gedanken wanderten wieder zu Palo Verde. Bevor sie sich noch einmal bei Microtel einloggte, musste sie in die Bibliothek gehen und sich Informationen über den Unfall besorgen. Sie könnte auch im Fachbereich Nukleartechnik vorbeigehen. Pamela erinnerte sich, dass ein Professor etwas über eine Fachzeitschrift gesagt hatte, in der ein ausführlicher Aufsatz über den Unfall veröffentlich worden war.

Die fünfzig Minuten schienen eine Ewigkeit zu dauern, denn Pamela konnte es kaum noch erwarten, ihre Neugier zu befriedigen. Den Studenten in diesem Raum, die nervös schrieben, radierten, auf ihre Taschenrechner hämmerten und die Köpfe schüttelten, erschienen diese fünfzig Minuten sicher wie fünfzig Sekunden. Pamela hörte das typische Stöhnen und Jammern, als sie sagte: »Die Zeit ist um. Bitte drehen Sie die Prüfungsunterlagen um und reichen Sie sie nach rechts durch die Reihen.«

Zehn Minuten später hatte sie die Unterlagen auf ihrem Schreibtisch abgelegt und lief durch die Korridore des Institutes, auf denen es von Studenten wimmelte. Kurz darauf erreichte sie den kleinen Lesesaal der Bibliothek des Fachbereichs Nukleartechnik.

Pamela wandte sich an den Mitarbeiter, einen ausländischen Studenten mit einem grünen Turban, dessen Körpergeruch ihr sofort in die Nase stieg, als sie die Glastür aufstieß. Er saß hinter einer Theke, die durch ein Dutzend voller Bücherregale vom Lesebereich abgetrennt war. Dieser bestand aus drei Tischen und zwei Sofas.

»Kann ich Ihnen helfen, schöne Frau?«, fragte er mit einem starken Akzent. Als er Pamela angrinste, schaute sie auf seine Goldkronen auf den Schneidezähnen, während er mit der rechten Hand an seinem Kopfschmuck zupfte. Seine braunen Augen wanderten von ihrer Taille zu ihrem Gesicht.

»Ja«, sagte sie und zeigte ihm ihren Bibliotheksausweis. »Ich bin Dozentin im Fachbereich Informatik und suche ältere Exemplare einiger Ihrer Fachzeitschriften.«

Sein Grinsen erlosch langsam, und er errötete, wobei er sie seltsam ansah. »Welche Zeitschrift, Madam?«

Pamela zuckte mit den Schultern. »Das weiß ich nicht genau. Ich weiß nur, dass in dieser Zeitschrift ein ausführlicher Bericht über den Unfall in Palo Verde veröffentlicht wurde.«

»Fast alle Fachzeitschriften haben Berichte darüber veröffentlicht. Einen Moment bitte.« Er ging weg und verschwand zwischen zwei Regalen. Eine Minute später kehrte er mit einem Stapel Zeitschriften zurück.

»Am besten, Sie schauen sich zuerst einmal diese hier an«, sagte er.

»Kann ich sie ausleihen?«

Der junge Araber grinste wieder. »Na klar. Ihre Ausweisnummer.«

Pamela gab ihm noch einmal ihren Ausweis.

»Die Ausleihfrist beträgt nur drei Tage.«

»Okay.«

Nach einem kurzen Abstecher zur Toilette erreichte Pamela wenige Minuten später ihr Büro. Sie schloss die Tür, schob den Papierstapel zur Seite, um sich Platz zu schaffen, setzte sich auf den Stuhl und stützte ihre Füße an der Schreibtischkante ab.

In der ersten Zeitschrift, *Nuclear Engineering Quarterly*, fand sie einen fünfzehnseitigen Artikel mit Fotos von dem geschmolzenen Reaktor, die ein ferngesteuerter Miniroboter einen Monat nach der Explosion aufgenommen hatte. Nachdem sie sich die Farbfotos angesehen hatte, blätterte sie die Seiten durch und suchte nach bestimmten Stichwörtern.

Etwa in der Mitte der fünften Seite fand sie, was sie suchte. Die Nuklearkontrollbehörde konnte nicht erklären, warum das Kontrollsystem, das die Temperatur im Kühlsystem des Reaktors überwachte, versehentlich drei der Zusatzwasser-Pumpen geschlossen hatte, als die aufgezeichnete Temperatur im Reaktor auf einen leicht erhöhten Wert anstieg. Das Kontrollsystem hätte entweder den Befehl herausgeben müssen, die Wasserzufuhr zu steigern oder mehr Regelstäbe zwischen die Brennstäbe zu setzen, um den Spaltungsprozess so weit zu verlangsamen, dass die Temperatur im Reaktor herabgesetzt worden wäre.

Also handelte es sich um ein Problem der Hard- und Software des Kontrollsystems – ein Problem, das die Nuklearkontrollbehörde und die Betreiber von Palo Verde offensichtlich in den folgenden Monaten in keinem anderen Kernkraftwerk replizieren konnten. Obwohl sie nichts mit dem Programm des Kontrollsystems in Palo Verde zu tun hatte, wusste sie, dass die Software derjenigen, die sie für Professor LaBlanche entwickelt hatte, im Prinzip ähnelte. Jede Software für Kontrollsysteme basierte auf dem gleichen Prinzip: Eine Reihe von Inputs wird anhand ausgewählter mathematischer Operationen mehrmals überarbeitet. Das Ergebnis ist das Kontrolloutput, das im Falle von Palo Verde offenbar nicht das Richtige war. Die Software des Kontrollsystems in Palo Verde musste selektive mathematische Operationen, die auf verschiedenen Variablen basierten, ausführen: dem Druck im Kühlsystem, der Temperatur des Kühlwassers, der vom Reaktor erzeugten Hitze und vielen anderen. Die Variablen änderten sich immer weiter, wenn der Reaktor auf Onlinebetrieb schaltete, und wurden mittels mathematischer Operationen analysiert und gegeneinander abgewogen, um die Kerntemperatur innerhalb eines sicheren Bereiches zu halten. Eine Kombination dieser Variablen könnte dazu geführt haben, dass der Perseus ebenso wie bei dem Programm von Professor LaBlanche nicht richtig funktioniert hatte.

Falls der Perseus Teil dieses Systems war.

Pamela schaute sich in der nächsten Stunde die anderen Zeitschriften an und machte sich mit dem Anfangsproblem und der Reihe falscher Entscheidungen und unglücklicher Umstände vertraut, die zu der Katastrophe geführt hatten. Sie musste herausfinden, welche Hardware von Microtel in dem Kernkraftwerk benutzt worden war, und vor allem welche Hardware das Kontrollsystem der Zusatzwasser-Pumpen steuerte. Teilte es sich elektronische Komponenten mit dem SC-200-System? Und schloss es einen Perseus-Mikroprozessor ein?

Sie musste sich noch einmal bei Microtel einloggen und recherchieren, was genau Ende der Achtziger und Anfang der Neunziger an Palo Verde verkauft worden war.

Mittlerweile war es elf Uhr und daher Zeit, ein Seminar für Erstsemester zu geben. Pamela suchte sich die Unterlagen zusammen, lief die Treppe hinunter und hielt ihre Doppelstunde vor den Studienanfängern. Anschließend kehrte sie in ihr Büro zurück, las den Artikel in der letzten Zeitschrift und riss sich endlich um ein Uhr los.

Ihr Magen knurrte.

Das Mittagessen musste warten.

Anstatt wieder in den Computerraum zu gehen, in dem es um diese Zeit wahrscheinlich ziemlich voll war, betrat Pamela die große Universitätsbibliothek, in der das Lehrpersonal Zugang zu privaten Recherchen im ersten Stock hatte.

Pamela ging in einen der Privaträume und schloss die Tür. Der mit Teppich ausgelegte Raum erinnerte sie an ihr Büro.

Er war ebenfalls klein, hatte kein Fenster und war mit einem einfachen Schreibtisch und einem Kunststoffstuhl ausgestattet. An den Wänden hingen alte Bilder. Doch im Gegensatz zu ihrem Büro stand hier ein Hewlett-Packard-Computer.

Als sie vor der Tastatur saß, loggte sie sich wieder bei Microtel ein und erhielt in weniger als einer Minute Zugang. Sie klickte immer wieder die entsprechenden Menüs an, bis sie bei den nicht vertraulichen Menüs war und dann bei der Hardware ankam, die 1992 an Palo Verde verkauft worden war. Ehe sie die Information jedoch finden konnte, erschien auf dem Monitor plötzlich:

XXXXX Kein Zugang XXX Kein Zugang XXXXX
Sicherheitsverletzung ER 7000
Unberechtigte Nachfrage. Eingeloggt um 13.45.00
XXXXX Kein Zugang XXX Kein Zugang XXXXX

Das System warf sie heraus, und Pamela starrte auf das Menü der Universität für Superuser.

Sie hatte aus zwei Gründen keine Angst, dass jemand diese Nachfrage bis zu ihr zurückverfolgen konnte. Auch wenn die meisten Sicherheitssysteme jede Übertretung berichteten, verfolgten die Unternehmen in der Regel nicht jeden Übertretungsbericht, sondern nur diejenigen, die ganz klar als vertraulich gekennzeichnet waren. Falls Microtel versuchen würde, dieser Übertretung auf den Grund zu gehen, würde der illegale Zugriff sie nur zu dem Universitäts-Superuser-Account führen, zu dem fast alle Dozenten und über fünfzig berechtigte Studenten mit Studienabschluss Zugang hatten.

Sie bediente die Tastatur, woraufhin ihr der Monitor Statistiken dieses besonderen Accounts einschließlich der Anzahl der Nutzer, die sich gerade in den Superuser eingeloggt hatten, zeigte: achtunddreißig. Pamela lächelte. Sie hatte sich schon gedacht, dass um diese Uhrzeit eine ganze Reihe Nutzer mit diesem Account arbeiteten.

Die Tatsache, dass die Information nicht als vertraulich gekennzeichnet war, aber trotzdem vor jeglichem Zugriff geschützt wurde, verwirrte sie. Sie beschloss, es noch einmal zu versuchen, und wählte sich wieder bei Microtel ein. Diesmal wählte sie jedoch das Kernkraftwerk Diablo Canyon statt das in Palo Verde.

Pamela lehnte sich zurück, als auf dem Monitor die Liste der Hardware erschien, die Microtel 1992 an Diablo Canyon verkauft hatte.

Sie rieb ihre feuchten Handflächen gegeneinander, während sie sich die Informationen auf dem Monitor durchlas, die anzeigten, dass eine ganze Reihe von Hardware für Kontrollsysteme an das kalifornische Kernkraftwerk verkauft worden war. Es handelte sich um Hardware, von der viele Komponenten auch in dem SC-200-Computer steckten.

Dazu zählte auch der Perseus-Mikroprozessor.

Mit dem Perseus-Mikroprozessor angetriebene Systeme kontrollierten viele Bereiche des Kernkraftwerkes einschließlich der vollautomatischen Kontrolle der Zusatzwasser-Pumpen des Reaktors.

Pamela saß noch immer zurückgelehnt auf dem Stuhl und drückte ihren Zeigefinger auf die Lippen. Wenn der Perseus Teile des Kontrollsystems in Diablo Canyon steuerte, war das in Palo Verde sicher auch der Fall.

Um der Sache weiter auf den Grund zu gehen, wählte sie anschließend Nine Mile Point in New York aus. Sie erhielt die gewünschte Information, die fast mit der an Diablo Canyon verkauften Hardware identisch war. Die beiden anderen Kernkraftwerke benutzten ebenfalls auf dem Perseus-Mikroprozessor basierende Kontrollsysteme.

Es gab demnach eine Verbindung.

Nachdem Pamela sich ausgeloggt hatte, verließ sie die Bibliothek, kehrte ins Institut zurück und suchte Professor LaBlanche, der leider nicht im Institut war. Sie rief bei ihm zu Hause an, doch dort sprang nur der Anrufbeantworter an. Ohne eine Nachricht zu hinterlassen, legte sie wieder auf, denn sie beschloss, bis morgen Mittag zu warten, um ihm ihre Entdeckung mitzuteilen.

Heute musste sie den ganzen Nachmittag Seminare geben. Um sieben Uhr machte sie Feierabend und fuhr in ihre Wohnung in Tiger Town. Das war eine Art Studentenstadt mit Wohnhäusern, Kneipen und Geschäften, die nördlich der Universität lag. Sie parkte vor ihrer Wohnung im Erdgeschoss, stieg aus und schloss die Haustür auf.

Ihre Wohnung war recht klein. Sie bestand nur aus einem Wohnraum mit Essecke, einer Diele, die zu dem Schlafzimmer führte, einer Küche, die rechts von der Diele lag, und einem Badezimmer gegenüber der Küche.

Nachdem Pamela die Tür abgeschlossen und verriegelt hatte, warf sie die Handtasche und die Schlüssel auf den Esstisch und knöpfte ihre Bluse auf dem Weg ins Bad auf. Anschließend zog sie die Jeans aus, ging in Unterwäsche zur Stereoanlage neben dem Bett und legte eine CD ein.

Als sanfte Jazzklänge durch die Wohnung hallten, zog Pamela die Unterwäsche aus und stellte sich unter die Dusche. Sie hoffte, wieder einen klaren Kopf zu bekommen, wenn sie unter dem heißen Wasser stand. Doch ihre Gedanken drehten sich noch immer um Microtel. Sie machte sich immer größere Sorgen um Palo Verde und die anderen Kernkraftwerke, die den Perseus-Mikroprozessor verwendeten.

Wenige Minuten später breiteten sich im ganzen Badezimmer Dunstschwaden aus. Pamela Sasser schloss die Augen und genoss den Wasserstrahl, der auf ihren Nacken und ihren Rücken prasselte.

Nach dem Duschen frottierte sie ihr langes Haar und wickelte sich ein Handtuch wie einen Turban um den Kopf.

Mit einem anderen Handtuch trocknete sie ihren Körper ab, und als sie auf ihren einst so festen Busen schaute, verzog sie das Gesicht. Eigentlich war ihr Busen noch recht gut in Form, aber sie hatte das Gefühl, dass die leichte Erschlaffung ebenso wie die kleinen Fältchen rings um die Augen, die sie vor einem Jahr entdeckt hatte, weitere Zeichen für die schwindende Jugend waren.

Sie musterte sich in dem Spiegel über dem Waschbecken, trug etwas Faltencreme unter den Augen auf und verteilte sie vorsichtig mit den Fingerspitzen.

»Langsam sieht man dir das Alter an, Schätzchen«, flüsterte sie.

Trotz der wenigen Fältchen und der leichten Erschlaffung des Brustgewebes hatte sie ihrer Meinung nach für ihr Alter noch einen recht guten Marktwert. Sie brachte dasselbe Gewicht wie vor zehn Jahren auf die Waage, wenn die gut sechzig Kilo auch immer schwerer zu halten waren. Ihre Schulterpartie und die Arme waren dank der Körperlotion, die sie nach der Faltencreme auftrug, so zart wie in Jugendzeiten. Die Beine waren noch so fest wie zu ihrer Studentenzeit, als sie zur Laufgruppe der Universität gehört hatte. Zum Teil gab sie den tausenden von Meilen, die sie mit Anfang zwanzig für die Universität gelaufen war, die Schuld für ihren leicht herabhängenden Busen.

Nachdem sie ihre Haare eine Viertelstunde geföht hatte, schlüpfte sie in eines ihrer extragroßen T-Shirts der Uni-Football-Mannschaft, die sie als Nachthemden benutzte. Kurz darauf schob sie eine Packung Popcorn ohne Butter in die Mikrowelle und nahm sich eine Cola aus dem Kühlschrank. Als sie im Bett saß, schaltete sie die Stereoanlage aus, griff nach der Fernbedienung und schaltete den Fernseher ein.

Auf dem Nachrichtenkanal war das lächelnde Gesicht von Preston Sinclaire, dem Präsidenten und Generaldirektor von

Microtel, während einer Tagung in New Orleans am letzten Wochenende zu sehen. Der ehemalige West Point Student, Vietnam-Held und jetzige Milliardär nutzte seinen unbescholtenen Ruf und sein Vermögen, um sich in den Wahlkampf zu stürzen. Er hatte vor, im nächsten November ins Weiße Haus einzuziehen. Sinclaire, der neben dem Gouverneur von Louisiana und dem Bürgermeister von New Orleans stand, winkte der großen Menschenmenge zu, die sich im City Park versammelt hatte, wo Microtel eine große Langustenpfanne gesponsert hatte.

Pamela schüttelte den Kopf. Sie hatte schon vor einem Monat die ersten Wahlwerbespots im Fernsehen gesehen. Obwohl die Wahlen erst in einem Jahr waren, hatte Preston Sinclaire damit begonnen, sich als unabhängiger Kandidat zu etablieren. Mit seiner Militärkarriere wollte er Mut und Charakterstärke demonstrieren, und sein gut geführtes, rentables Unternehmen sollte zeigen, wie man erfolgreich regierte.

Als Pamela Sasser den Fernseher und das Licht ausschaltete, fragte sie sich, wie Microtel wohl auf den Defekt des Perseus und die Tatsache, dass dieser Mikroprozessor in Palo Verde benutzt wurde, reagieren würde.

Eins stand fest: Die Reaktion des großen Konzerns würde mit Sicherheit sehr negativ ausfallen.

BATON ROUGE, LOUISIANA *Freitag, 13. November*

In dem eleganten *Plantation Room* im dritten Stock des Student's Union Building, wohin ein besonderer Aufzug führte, war das leise Tuscheln der Mittagsgäste zu hören. Nur Mitglieder konnten in dem Drei-Sterne-Restaurant essen. In dem jahrhundertealten Club trafen sich Professoren, hohe Verwaltungsangestellte sowie Stadt- und Staatsbeamte. Hier lebte die Atmosphäre des Alten Südens auf: feines Porzellan, poliertes Silber, opulente Kronleuchter, antikes Mobiliar und von Hand eingewachste Fußböden. Die Kellner in den weißen Uniformen und mit den weißen Handschuhen standen paarweise neben jedem Tisch, immer bereit, ein Glas Tee nachzufüllen oder eine Zigarre anzuzünden. Erst seit Ende der Sechziger wurde auch Frauen der Zutritt in den *Plantation Room* gestattet, und selbst jetzt wurde es noch immer im Stillen missbilligt.

Als Pamela Sasser gegenüber von Professor LaBlanche an einem Ecktisch mit hervorragendem Blick auf die Ostseite des Universitätscampus Platz genommen hatte, sah sie, dass höchstens ein Dutzend Frauen anwesend waren. Die meisten waren vermutlich wie sie auch von einem lebenslangen männlichen Mitglied eingeladen worden.

»Es ist sehr schön hier, Professor. Sie hätten wirklich nicht ...«

»Unsinn, meine Liebe. Auf diese Weise möchte ich mich bei Ihnen für Ihre Hilfe bei dem Computerprogramm bedanken«, unterbrach sie LaBlanche, der wieder sein Tweedjackett, eine hellgraue Hose, ein weißes Hemd und eine rote Fliege trug. Wie immer hob er seine weißen Augenbrauen, als er den Satz beendete.

Pamela, die sich in ihrer Jeans, der gestärkten langärmeligen Bluse und den Mokassins ein wenig unwohl fühlte, griff sich an den Kragen, während sie verstohlene Blicke in dieses Restaurant warf, das sie seit zehn Jahren nur vom Hörensagen kannte.

Zwei Kellner reichten LaBlanche und Pamela im selben Augenblick eine Speisekarte.

»Außerdem«, fuhr LaBlanche fort, der sich seine Brille auf die Nasenspitze setzte, »werden einige meiner Kollegen vor Neid erblassen, wenn sie eine so hübsche Frau an meiner Seite sehen.« Der Professor zeigte diskret mit seiner Speisekarte auf einen Tisch, an dem sechs gut gekleidete

Herren um die sechzig saßen. Sie schauten schnell wieder auf ihre Teller, als sie Pamelas Blick bemerkten.

»Ha! Ihr alten Säcke! Erwischt«, flüsterte LaBlanche. »Macht mir *das* mal nach!«

Pamela stieß LaBlanche unter dem Tisch kurz an. »Professor, benehmen Sie sich«, flüsterte sie mit Blick auf die Speisekarte.

LaBlanche lächelte Pamela freundlich an, wobei seine blauen Augen im Kerzenschein schimmerten. »Sie erinnern mich immer an die Tochter, die ich nie hatte, Pam. Ich bin dankbar, dass Sie mit so einem mürrischen alten Mann befreundet sind.«

Pamela lehnte sich zurück. Auf dieses Kompliment war sie nicht vorbereitet gewesen. In all den Jahren, die sie den Professor jetzt schon kannte, hatte er seine Zuneigung selten so deutlich ausgedrückt. Sie wusste nicht, was sie sagen sollte. Derartige Zuneigungsbekundungen lagen ihr überhaupt nicht. Während der Professor in ihr die Tochter sah, die er nie hatte, so hatte er nichts mit ihrem Vater gemein. Ihr Vater, ein korrupter Polizist aus Beaumont, Texas, schlug ihre Mutter immer, wenn er betrunken war, was fast jeden Tag vorkam. Und mehr als einmal hatte er versucht, ins Bett seiner jugendlichen Tochter zu steigen. Als Pamela sich geweigert hatte, das Bett mit ihm zu teilen, war sie ebenfalls verprügelt worden. Einmal hatte Pamela versucht, die Polizei anzurufen, doch dadurch war alles noch viel schlimmer geworden. Sie hatte leider feststellen müssen, dass die Bullen zusammenhielten, auch wenn es um alkoholabhängige, prügelnde Kollegen ging. Sofort nach ihrem Highschool-Abschluss war Pamela mit achtzehn Jahren von zu Hause abgehauen. Sie hatte jeden Penny, den sie kriegen konnte, benutzt, um ihre Eltern verlassen zu können. Dann hatte sie die Staatsgrenze überquert, um dem rechtlichen Zuständigkeitsbereich ihres Vaters zu entfliehen. Als sie in Baton

Rouge angekommen war, hatte sie sofort einen Job als Kellnerin angenommen, und zwei Jahre später schrieb sie sich an der Universität ein. Das war jetzt über zehn Jahre her.

»Ich ... hm, danke, Sir«, stammelte sie, nachdem sie sich von ihren Erinnerungen losgerissen hatte. »Ich bewundere Sie und Ihre Arbeit sehr.«

LaBlanche, der noch immer in die Speisekarte vertieft war, seufzte. »Pam, diesmal wird meine Arbeit – oder ich sollte besser *unsere* Arbeit sagen – Microtel ziemliche Kopfschmerzen bereiten.«

Pamela legte ihre Speisekarte auf den Tisch und beugte sich vor. »Wie ist es gelaufen? Ich habe gestern versucht, Sie anzurufen, um Ihnen zu sagen ...«

»Am besten, wir bestellen zuerst«, unterbrach sie LaBlanche, der auf die Uhr schaute, bevor er einem der Kellner ein Zeichen gab, woraufhin beide Kellner an den Tisch traten. »Dieser Platz ist großartig, aber es geht zu langsam.«

»Haben Sie vielleicht eine Frage, Professor LaBlanche?«, fragte der ältere Kellner, der etwa im Alter von LaBlanche war.

LaBlanche setzte sich die Brille richtig auf die Nase und fragte: »Sind die Auberginen frisch?«

»Immer, Professor«, erwiderte der Kellner in höflichem Ton, wobei er kurz mit dem Kopf nickte.

»Sie sollten die gefüllten Auberginen probieren, Pam«, empfahl LaBlanche. »Sie werden hier mit Krabbenfleisch, in Butter gedünsteten Garnelen, Zwiebeln, Schalotten, Sellerie, Knoblauch, Petersilie und Auberginenfleisch gefüllt.« Nach dem kurzen Vortrag schaute er den Kellner an: »Wie war ich?«

»Ausgezeichnet, Professor«, lobte ihn der Kellner grinsend. Pamela schüttelte lächelnd den Kopf.

»Okay, ich werde sie probieren«, sagte sie. Dann klappte sie die Speisekarte zu und reichte sie dem Kellner.

Auch LaBlanche klappte seine Speisekarte zu. »Ich nehme das Gleiche und ein Glas Chablis.«

»Möchte die Dame etwas trinken?«, fragte der ältere Kellner.

»Wasser, bitte.«

Der jüngere Kellner ging mit den beiden Speisekarten davon, während sich der ältere in taktvollem Abstand vom Tisch postierte.

»Und?«, fragte Pamela, die zuerst hören wollte, was der Professor erreicht hatte. »*Was ist passiert?*«

»Etwas äußerst Seltsames. Nachdem ich kaum fünf Minuten mit dem technischen Leiter gesprochen hatte, wurde ich in die Warteschleife gelegt. Und dann kam der Präsident von Microtel persönlich an den Apparat.«

»Was?«

»Der berühmte Preston Sinclaire wollte mit mir sprechen, Pam. Das allein sagte mir, dass die Lage sehr, sehr ernst ist.«

Pamela stützte ihre Ellbogen auf dem Tisch auf und fragte: »Und was hat er gesagt?«

»Er schätze es ungeheuer, dass ich das Unternehmen auf so taktvolle Art kontaktiert habe. Er war sehr dankbar über meine Diskretion. Wir haben eine ganze Weile über die Basiselemente des Computerprogramms gesprochen: Wie ich es geschrieben, wo ich es geschrieben und wie ich es getestet habe, welche Befehle es ausführt und wie es funktioniert. Er hat mich fast eine Stunde am Telefon festgehalten und mir so viele Details wie möglich entlockt. Ich habe Sie vorerst nicht erwähnt. Hoffentlich ist es Ihnen Recht. Wenn am Ende nur der Chip zurückgerufen werden muss und sonst nichts passiert – wie beim Intel Pentium –, werde ich betonen, dass Sie mir dabei eine große Hilfe waren. Sollte es zu einer Katastrophe kommen und Microtel in die Schusslinie der Öffentlichkeit und der Regierung geraten, werden Sie froh sein, dass ich Sie nicht erwähnt habe.«

»Das ist sehr nett, Sir.«

»Sinclaire hat mich eingeladen, in der nächsten Woche die Verwaltung von Microtel zu besichtigen. Er hat mich auch um eine Kopie des Programms gebeten. Ich habe es ihm bereits am Mittwoch per E-Mail zugeschickt«, fuhr der Professor fort, als der jüngere Kellner mit den Salaten und Getränken an den Tisch trat. »Sinclaire möchte eine unabhängige Studie durchführen, um unsere Entdeckung zu bestätigen.«

»Haben Sie schon erfahren, ob ihre Ergebnisse mit unseren übereinstimmen?«

»Er wollte mich eigentlich gestern zurückrufen. Sinclaire hat geschworen, dass er noch in dieser Woche eine Presseerklärung herausgibt, falls die Ergebnisse übereinstimmen – und wir beide wissen, dass das der Fall sein wird.«

»Die Woche ist so gut wie vorbei, Professor.«

LaBlanche presste die Lippen aufeinander. »Ja, Sie haben Recht. Ich werde Sinclaire nach dem Essen anrufen und ihn an unsere Abmachung erinnern. Bei der Gelegenheit werde ich ihm auch sagen, dass ich eine Presseerklärung herausgeben werde, falls Microtel es nicht tut. Ich werde ihn daran erinnern, was mit Intel passiert ist, weil der Generaldirektor des Unternehmens einen Universitätsprofessor aus Virginia nicht ernst nahm. Nachdem das Gerücht eines Fehlers beim Pentium aufkam, brachte er die Sache ins Internet. Die Presse hat Intel damals fast vernichtet. Dann wird er sicher begreifen, was ich meine.«

»Und wie steht es mit möglichen Verbindungen zu Palo Verde?«, fragte Pamela, die die Antwort auf ihre Frage bereits kannte.

»Nach Sinclaires Worten hat Microtel Teile des in Palo Verde benutzten Kontrollsystems gebaut, aber es wurde ein anderer Mikrochip benutzt.«

Pamela schüttelte den Kopf. »Ich glaube, er lügt, Sir.«

LaBlanche verschluckte sich fast an seinem Salat. »Wie bitte?«

»Darum habe ich gestern versucht, Sie zu erreichen, Sir. Ich habe gestern ein wenig recherchiert ... ich ... hm ... Ich habe mich über Superuser bei Microtel eingeloggt und in der Kundendatei herumgeschnüffelt. Das widerspricht zwar den Gepflogenheiten der Universität ...«

»Und was haben Sie herausgefunden?«, unterbrach er sie.

Pamela brauchte keine Minute, um ihm alles zu berichten.

Nach einem Moment des Schweigens, ergriff LaBlanche wieder das Wort. Er sprach leise und versuchte, seine Wut zu kontrollieren, während er mit der Salatgabel durch die Luft fuchtelte. »Der hat vielleicht Nerven ... dieser *Mistkerl!* Er hat mich nicht nur belogen, sondern auch gesagt, seine Mitarbeiter würden die Verkaufsakten sofort durchsehen, um den Einsatz des Perseus in der Industrie zu überprüfen. Ich wusste gleich, dass etwas nicht stimmte, als ich mit ihm verbunden wurde, aber ein derartiges Vertuschungsmanöver hätte ich ihm nicht zugetraut. Was glaubt der denn, wen er vor sich hat? Weiß er denn nicht, dass wir ...«

Mitten im Satz verstummte LaBlanche und verzog vor Schmerzen das Gesicht.

»Professor?«, sagte Pamela. »Dr. LaBlanche, ist alles in Ordnung?«

★ ★ ★

Dr. Eugene LaBlanche konnte Pamela Sasser zwar verstehen, aber er konnte ihr nicht antworten. Er konnte nicht mehr sprechen. Unmittelbar unter dem Brustbein spürte er eine Art Brennen, das ihm fast wie starkes Sodbrennen erschien, doch es wurde rasch stärker und erfasste den gesamten Brustkorb. Er hatte das Gefühl, jemand hätte ihm ein glühend heißes Messer in den Brustkorb gestoßen.

Und dann wurde das Messer gedreht.

Langsam.

Die Salatgabel fiel aus seinen zitternden Händen auf den Porzellanteller, als der Hochschulprofessor sich an den Kragen griff und ihn mit aller Kraft aufriss. Pamelas Schreie und der Tumult im *Plantation Room* drangen nicht in sein Bewusstsein. Knöpfe sprangen vom Kragen, Stoff zerriss, und Fäuste hämmerten gegen seine verkrampfte Brust, als eine glühend heiße Stahlkralle diese von innen zerfetzte.

Eugene LaBlanche versuchte, seine Lungen mit Luft zu füllen, doch stattdessen schmeckte er nur bittere Galle in der Kehle. Er warf sich in die Luft und spürte, dass er seine Gedärme und die Blase nicht mehr kontrollieren konnte und seine zitternden Muskeln nicht mehr die Kraft hatten, ihn zu halten. LaBlanche brach inmitten des wertvollen Kristalls und Porzellans auf dem weißen Tischtuch zusammen. Er schnitt sich an dem Geschirr Gesicht und Brust auf und schnappte nach Luft. Als der Professor dort zuckend lag und sich der Gestank seiner nassen Hose mit dem Geruch des Blutes und des Erbrochenen vermischte, sah er wie durch einen Nebel verschwommene Gestalten, die ihre Arme nach ihm ausstreckten, ihn auf den Rücken legten, ihn schüttelten und auf seine Brust schlugen. Ein Gesicht näherte sich ihm, und dann pressten sich Lippen auf seinen Mund und hauchten warme Luft in die sterbenden Lungen.

Den Professor verschlang bereits eine stille Dunkelheit. Seine Gedanken trieben an den Rand des Bewusstseins und ließen sein Innerstes leer, allein und erschöpft zurück.

Pamela stand schockiert hinter den Kellnern, die versuchten, LaBlanche wiederzubeleben. Ihr Verstand versuchte zu begreifen, was sich da vor ihren Augen abspielte. Dem ganzen Restaurant haftete etwas Surrealistisches an, als die Notärzte wenige Minuten später erschienen, Menschen zur Seite stießen, die Kellner von ihren Wiederbelebungsversuchen erlösten und Dr. LaBlanche sofort versorgten, ehe sie ihn auf einer Trage zum Krankenwagen brachten.

Die Sirenen dröhnten über den Campus, nachdem die Notärzte das Gebäude blitzschnell wieder verlassen hatten, aber Pamela Sasser erfuhr noch am selben Tag, dass die Bemühungen, Dr. Eugene LaBlanche zu retten, vergebens gewesen waren. Der Tod des Hochschulprofessors wurde nach seiner Ankunft im Our Lady of the Lake Hospital im Osten von Baton Rouge festgestellt.

BATON ROUGE, LA, Samstag, 14. November *(Morning Advocate)* – Dr. Eugene Raymond LaBlanche, 63, Nuklearwissenschaftler und Professor an der Louisiana State University, starb am Freitag, dem 13. November, in Folge eines Herzstillstands. Professoren und Verwaltungsangestellte der Fachschaft Ingenieurwissenschaften der Universität, an der der Professor fast drei Jahrzehnte tätig war, werden sein Andenken in Ehren halten. Am Sonntag, dem 15. November, findet um 15.00 Uhr in der Christ the King Church an der Universität ein Gedenkgottesdienst statt. Das Bestattungsinstitut Carlton richtet die Bestattung aus. Für die Kosten kommt der Fachbereich Ingenieurwissenschaften der Louisiana State University auf.

Gefahr

*Weisheit bedeutet, Gefahren erkennen zu können und
die harmloseste auszuwählen.*

Machiavelli

BATON ROUGE, LOUISIANA *Montag, 16. November*

Pamela Sasser fuhr um 6.45 Uhr auf den Parkplatz
des Instituts. Sie wollte ihren Schreibtisch aufräumen, ehe
sie ihr erstes Seminar um acht Uhr gab. Allerdings hatte Pamela an diesem trüben Morgen in Baton Rouge überhaupt
keine Lust, Unterricht zu geben. Sie war zutiefst betrübt. Als
sie gestern Nachmittag bei der Beerdigung zu dem offenen
Sarg gegangen war, hatte sie erst richtig begriffen, dass
LaBlanche, ihr väterlicher Freund, tot war.

Vom Parkplatz aus sah sie das Blaulicht von zwei Streifenwagen, die vor dem CEBA-Institut parkten.

Nachdem sie eine Lücke gefunden hatte, nahm Pamela
ihre Handtasche und ging zum Eingang, vor dem sich wie
immer zahlreiche Studenten und Dozenten tummelten. Alle
verlangsamten ihre Schritte, um einen Blick auf die Streifenwagen zu werfen, ehe sie das Gebäude betraten. Schon
um sieben Uhr begannen die berüchtigten Montagmorgen-
Seminare. Auch Pamela reckte ihren Hals. In den Streifenwagen saß niemand.

Pamela, die wie so oft eine verwaschene Jeans und eine
gestärkte langärmelige Bluse trug, ging an den Streifenwagen vorbei und schlug die Richtung ihres Büros ein, als sie

hörte, dass sich zwei Studenten über den Einbruch in Dr. LaBlanches Büro unterhielten.

Pamela erstarrte.

Einbruch? In Dr. LaBlanches Büro? Was ging hier vor?

Pamela Sasser ging sofort ins Büro des Professors und traf dort auf den Dekan des Fachbereichs Ingenieurwissenschaften und einen Hausmeister, die auf dem Korridor standen und mit vier Polizeibeamten aus Baton Rouge sprachen. Die vier Polizisten trugen die üblichen hellbraunen Uniformen, und ihre Oberarme waren dicker als Pamelas Oberschenkel. Als sie auf die kleine Menschenmenge zusteuerte, die die Polizisten umringte, sah sie, dass Professor LaBlanches Büro ausgeraubt worden war. Die Computer und viele Bücher und Ausdrucke des Professors fehlten.

Was, zum Teufel, hatte das zu bedeuten?

Sie spitzte die Ohren, als der Hausmeister verhört wurde. Er hatte das Büro um 6.00 Uhr aufgeschlossen, um es zu reinigen, und festgestellt, dass alles auf den Kopf gestellt worden war.

Jemand hatte den Microtel-Computer und die Disketten gestohlen.

Pamela Sasser trat zwei Schritte zurück, drehte sich um und lief in ihr Büro. Sie erinnerte sich an das, was LaBlanche gesagt hatte. Microtel wollte Ende der Woche eine Presseerklärung herausgeben, falls es sich als richtig erwies, dass der Perseus mit einem Fehler behaftet war.

Als sie ihr Büro erreichte, war sie sich ziemlich sicher, dass Microtel in der letzten Woche keine Presseerklärung herausgegeben hatte. Sonst würden alle Zeitungen jetzt darüber berichten. Preston Sinclaire hatte gelogen, als er behauptet hatte, der Perseus sei nicht in Palo Verde eingesetzt worden. Es wunderte sie nicht, dass er auch in Bezug auf die Presseerklärung gelogen hatte.

Pamela steckte eine Hand in die kleine Handtasche, die

an ihrer rechten Schulter hing, zog die Schlüssel heraus und schloss die Tür auf. Anschließend schaltete sie das Licht ein und betrat das Büro. Microtel nutzte Dr. LaBlanches plötzlichen Tod zu seinem Vorteil, schoss es ihr durch den Kopf.

Nachdem sie ihre Tasche und die Schlüssel auf den voll gepackten Schreibtisch geworfen hatte, setzte sie sich hin und schlug die Beine übereinander. Mit ihren langen schmalen Fingern zog sie eine Diskette aus der mittleren Schublade. Auf einem blauen Etikett stand die handschriftliche Notiz: CSA-BU26F. Auf dieser Diskette war das Backup Nummer sechsundzwanzig des Computerprogramms des Kontrollsystems – das letzte Backup des Computerprogramms.

Pamela tippte mit einem ihrer roten Fingernägel auf die Plastikhülle, schaute sich kurz die Diskette an und schob die Unterlippe vor. Sie hatte die einzige Kopie des komplexen Computerprogramms, die außerhalb von Dr. LaBlanches SC-200-System existierte. LaBlanche hatte darauf bestanden, dass Pamela die Diskette mit einem Sicherheitscode versah, damit sie nicht von einer Diskette auf eine andere kopiert werden konnte. Nur mit dem Computer von LaBlanche konnte diese codierte Diskette bei dem wöchentlichen Backup erstellt werden.

Da Pamela und LaBlanche verschiedenen Fachbereichen angehörten, war es ihnen nicht gestattet, sich ohne die Erlaubnis des Dekans gegenseitig bei größeren Projekten zu unterstützen. Es dauerte normalerweise immer ein paar Wochen, bis der Dekan sein Einverständnis gab. Daher hatte LaBlanche entschieden, diese bürokratische Formalität im Namen des Fortschritts zu umgehen und ihre Unterstützung geheim zu halten. Pamela war immer sehr vorsichtig, wenn sie dem Professor über ihre Fortschritte Bericht erstattete. Meistens passierte das in einem persönlichen Gespräch, obwohl sie in den vergangenen sechs Monaten auch mehrere

Berichte über den neusten Stand der Dinge geschrieben hatte.

Pamela beugte sich über den Schreibtisch und schob ihr langes schwarzes Haar in den Nacken. Sie fragte sich, wer wohl das Büro des Professors ausgeraubt haben könnte. Microtel hatte durch den Diebstahl von LaBlanches Computer, in dem das Computerprogramm gespeichert war, viel zu gewinnen. Das – und vieles mehr – hatte LaBlanche Sinclaire während des einstündigen Telefonats in der letzten Woche gesagt.

Was könnte sie tun, wenn Microtel für den Einbruch verantwortlich war? Und was sollte sie mit der Diskette machen?

Sie war im Besitz einer Kopie des Programms, mit dem das Chaos seinen Anfang genommen hatte. Es war die einzige Kopie, die nicht in den Händen von Microtel war – falls das Unternehmen wirklich für den Einbruch verantwortlich zeichnete.

Aber was würde passieren, wenn sie mit dieser Information an die Öffentlichkeit ginge? Was würde passieren, wenn sie den Defekt im Internet veröffentlichen würde, wie es der Professor vom Lynchburg-College mit dem Defekt der Fließkommaeinheit beim Intel Pentium vor ein paar Jahren gemacht hatte? Intel hatte sich wahrscheinlich nicht an dem Collegeprofessor gerächt.

Es bestand jedoch der Unterschied, dass der Pentium-Fehler nicht zu einer riesigen Katastrophe geführt hatte, wie es beim Perseus der Fall sein könnte. Für Microtel könnte viel mehr auf dem Spiel stehen als nur die Kosten einer Rückrufaktion. In Palo Verde waren tausende gestorben, und hunderttausende waren dem radioaktiven Niederschlag über Phoenix und Tempe ausgesetzt gewesen.

Das hier ist eine ganz andere Sache als der Fehler beim Pentium, Pam. Das hier ist richtige Scheiße.

Pamela beschloss, nicht überstürzt zu handeln und bis zum Abend zu warten, bevor sie irgendetwas unternahm. Sie musste in aller Ruhe darüber nachdenken.

Sie steckte die Diskette in ihre Tasche und machte sich auf den Weg zum Unterricht. Unterwegs fragte sie sich, ob der fehlerhafte Perseus tatsächlich eine Katastrophe wie in Palo Verde hätte auslösen können.

DETROIT, MICHIGAN Montag, 16. November

Der verantwortliche Schweißer der Tagesschicht am Fließband bei Ford war übel gelaunt, was gut zu dem stürmischen Morgenhimmel passte. Wieder einmal musste er auf sein geliebtes Footballspiel am Montagabend verzichten, weil sein Schichtleiter ihn zum zweiten Mal hintereinander an einem Montag für eine Doppelschicht eingetragen hatte. Im Vertrag stand allerdings, dass die Schweißer abwechselnd eingesetzt werden sollten.

Er wollte zuerst Theater machen und sich beim zuständigen Gewerkschaftsvertreter beschweren, doch da er in Kürze zum stellvertretenden Schichtleiter für diesen Abschnitt des Fließbandes aufsteigen sollte, wollte er die acht Prozent Lohnsteigerung nicht gefährden. Nach der Beförderung sollten sich andere kaputtmachen und nicht mehr er. Heute musste er sich jedenfalls mit einer Aufzeichnung des Spiels begnügen.

Der Schweißer ging an dem Fließband entlang, an dem Ford den neuen Mustang baute.

Ein schönes Auto, dachte er. Durch den günstigen Einkaufspreis für Angestellte hatte er sich im vergangenen Sommer ein Kabriolett kaufen können.

Der Schweißer ging zu dem Riesenroboter Arc-100. Das war eine bedrohlich aussehende Ansammlung von Roboterarmen, die große Fahrgestellteile des Mustangs mit ihren sechzig Zentimeter langen Greifern packen und mit Hilfe von Hilfsarmen, die mit gebogenen Schweißgeräten ausgestattet waren, zusammenschweißen konnten. Ein Kontrollsystemprogramm mit Millionen von Zahlenreihen lenkte den Roboter, der mit seinen zahlreichen Armen an einen Außerirdischen erinnerte. Die Roboterarme bewegten sich gleichzeitig in verschiedene Richtungen, um ein Dutzend Teile des Mustangs zu ergreifen und innerhalb einer Minute das ganze Fahrgestell mit einer Genauigkeit von einem tausendstel Zentimeter zusammenzuschweißen.

Der Schweißer, der hinter der roten Sicherheitslinie stand, die auf den Boden gemalt worden war, damit alle Personen in sicherem Abstand von den riesigen Roboterarmen blieben, erinnerte sich daran, dass dieses System vor zwei Jahren installiert worden war. Sieben seiner Kollegen waren entlassen worden, weil diese Maschine hundert Prozent mehr produzieren konnte und dabei noch zehnmal genauer arbeitete als ein Mensch.

Das war der Preis des Fortschritts. Ford war gezwungen, an seinen Montagebändern High-Tech-Geräte einzusetzen, um die Qualität seiner Produkte zu verbessern und keine weiteren Marktanteile an die Japaner zu verlieren.

Als der Schweißer die rote Linie überquerte, um den Weg zum nächsten Abschnitt abzukürzen, leuchteten außerhalb des Werks Alarmlichter auf, die durch die riesigen Fenster auf jeder Seite der langen rechteckigen Halle deutlich zu sehen waren. Den Bruchteil einer Sekunde nach dem Aufleuchten der Alarmlichter hörte er, dass der Roboter Arc-100 seltsame Geräusche ausstieß. Es hörte sich an wie ein Elektrotacker.

In dem Kontrollsystem dieses riesigen Schweißroboters arbeitete ein Perseus-Mikroprozessor, der aus zehn Millionen neuronengroßen Transistoren bestand. Der Perseus führte pro Sekunde hunderttausende von Befehlen aus, um die riesigen Arme im richtigen Moment in die richtige Position zu bringen und die gewünschte Schweißoperation durchzuführen. Der plötzliche Spannungsstoß, der durch den Spannungsschutz des Systems schon geschwächt worden war, verursachte eine minimale Störung bei mehreren Inputs des Perseus und sandte sich widersprechende Signale an die Fließkommaeinheit, den Bereich des Perseus, der Präzisionsberechnungen durchführte. Solch eine Störung hätte normalerweise einen internen Ausnahmezustand verursacht und den Perseus gezwungen, einen normalen Absturz des ganzen Systems durchzuführen. Stattdessen löste die Störung eine Überhitzung aus, die einen minimalen Riss im Schaltkreis der Fließkommaeinheit verursachte, als der Perseus im Begriff war, einem Roboterarm zu befehlen, ein Seitenteil des Aluminiumrahmens von einem angrenzenden Fließband aufzunehmen. Daraufhin befahl der Perseus dem Arm, sich um 180 Grad zu drehen und gegenüber vom Fließband ins Leere zu greifen, wo der Schweißer einen halben Meter von der roten Sicherheitslinie entfernt stand.

Als er sich umdrehte, erfasste ihn Panik. Der Roboterarm, der die massiven Klauen geöffnet hatte, packte seine Brust, hob ihn in die Luft, drehte ihn in die Waagerechte und zerquetschte seinen Brustkorb, ehe er ihn gegen einen anderen Teil des Fahrgestells presste.

Der Schweißer konnte noch nicht einmal um Hilfe schreien. Er war schon bewusstlos, als der Schweißarm des Roboters seinen Oberkörper verkohlte, ihn tötete und ihn mit dem Fensterrahmen eines Mustang-Fahrgestells verschweißte.

Alarmsirenen dröhnten über die Montagestraße, und die ganze Schweißoperation kam knirschend zum Stillstand. Die Techniker und Operatoren, die im Kontrollraum saßen, stürzten zur Montagestraße. Beim grausigen Anblick des verschweißten Kollegen erstarrten sie.

Überprüfungen des Kontrollsystems ergaben, dass das

Schweißgerät hundertprozentig in Ordnung war. Der Arc-100 war der Star-Roboter der Ford Motor Company, und er hatte seit seinem Einsatz einen enormen Gewinn eingefahren. Insgesamt waren sechzig Arc-100-Schweißroboter in verschiedenen Ford-Werken im ganzen Land im Einsatz. Das Kontrollsystem, das von Ford selbst aus Subsystemen verschiedener amerikanischer Hersteller zusammengesetzt worden war, steuerte auch viele andere Robotermodelle mit großer Zuverlässigkeit.

Nach Überprüfung der Videoaufnahmen des Unfalls wurde der offizielle Unfallbericht erstellt. Die Untersuchung ergab, dass es aufgrund eines Zusammenspiels unglücklicher Umstände zu dem tragischen Unfall gekommen war. Das starke Gewitter löste eine kurze elektrische Panne aus, was zu einer nicht wiederholbaren Fehlfunktion des Roboters führte. Hinzu kam die Unachtsamkeit des unglücklichen Schweißers, der die Sicherheitszone verlassen hatte.

3

Microtel

Unternehmen können keinen Verrat begehen, nicht geächtet und nicht exkommuniziert werden, weil sie keine Seele haben.

Edward Coke

BATON ROUGE, LOUISIANA *Montag, 16. November*

Preston W. Sinclaire, der einen eleganten grauen Armani-Anzug trug, stach aus der Menge hervor, als er federnden Schrittes einen langen Korridor hinunterging. Der feine Stoff saß perfekt auf seinen breiten Schultern, und eine graubraune Seidenkrawatte tänzelte an einem perfekten Knoten. Seine Bodyguards folgten ihm. Einer von ihnen trug seine Aktentasche.

Sinclaires schwarzes, mit silbernen Strähnen durchzogenes Haar fiel ihm in die Stirn. Seine dunkelblauen Augen wanderten über die rege Menschenmenge, ohne wirklich jemanden anzusehen, obwohl er wusste, dass viele Blicke auf ihn gerichtet waren. Sein markantes Gesicht, das die Spuren der unzähligen Wochenenden aufwies, die er beim Segeln oder Reiten verbracht hatte, war nicht nur innerhalb der sieben Gebäude, die zur Microtel-Zentrale gehörten, bekannt, sondern in ganz Louisiana und in letzter Zeit auch über die Landesgrenzen hinaus.

Sinclaire ging schweigend weiter. Auf seinem in der Regel unbewegten Gesicht, das für jede Gelegenheit den passenden Gesichtsausdruck parat hielt, spiegelte sich Sorge.

Im Augenblick wirkte sein Gesicht fast wie erstarrt. In den letzten Tagen war zu viel passiert. Vieles war schief gegangen, und seine Leute hatten es nicht geschafft, die Kontrolle über die Situation zurückzugewinnen. Möglicherweise könnte er alles, wofür er sein ganzes Leben gearbeitet hatte, verlieren.

Sinclaire hatte nicht viel Nachsicht mit denen, die versagten, weil er nie versagt hatte. Sein steiler Aufstieg bei der Armee hatte ihm den Respekt und die Bewunderung des amerikanischen Volkes eingebracht. Das Verwundetenabzeichen und die Ehrenmedaille des Kongresses zierten einst seine mit vielen Orden besetzte Uniform, was selbst die liberalsten Politiker beeindruckte. Der Rücksichtslosigkeit und Boshaftigkeit, mit der er sein Unternehmen führte, hatte er die Angst und den Gehorsam derer zu verdanken, die seine dunkle Seite, seine geheimen Machenschaften und die Absicht, die politische Leiter emporzusteigen, kannten.

Sinclaire erreichte mit seinen Begleitern einen Sicherheitsposten. Die Wachen, die weiße Uniformen trugen und mit automatischen Waffen ausgerüstet waren, nickten sofort, als sie ihn erkannten.

»Morgen, Sir«, sagte einer von ihnen.

»Morgen«, erwiderte Sinclaire trocken.

Sinclaire hatte es nicht nötig, seine Identität und seinen guten Leumund nachzuweisen. Niemand in Louisiana wagte es, ihn anzugreifen. Einmal war er unangemeldet zum Privatwohnsitz des Gouverneurs gefahren und sofort empfangen worden.

Das war Macht.

Er nahm einem seiner Bodyguards die Aktentasche aus der Hand, ließ die Bodyguards hier zurück, nickte den Sekretärinnen zu und betrat sein Büro, wo ihn bereits ein Mann erwartete. Sinclaire setzte sich hinter den Schreibtisch und schaute auf die Uhr. Es war Punkt sieben. Wenn Sinclaire morgens nicht ausritt, begann sein Arbeitstag um sieben Uhr, was ebenfalls für seine Mitarbeiter galt.

Als Gründer und Präsident der Microtel Aktiengesellschaft war Preston Sinclaire einer der wohlhabendsten Männer des Landes. Sinclaire war der Reichtum jedoch nicht in die Wiege gelegt worden. Der große, gut aussehende Nachkomme von Frankokanadiern aus Slidell, einer zwanzig Meilen nordöstlich von New Orleans gelegenen Stadt, hatte einst mit seinen sieben Geschwistern in einem zwölf Meter langen Wohnwagen in einer großen Wohnwagensiedlung an einem Kiesweg am Mississippi Delta gewohnt. Sein Vater war Armeeoffizier, ein Held des Zweiten Weltkriegs, der 1957 bei einem Autounfall ums Leben kam. Die bescheidene Armeepension zwang seine Frau, wieder Unterricht an der Grundschule zu geben, um über die Runden zu kommen. Preston Sinclaire, der damals gerade neun Jahre alt war, wurde von seinen älteren Brüdern und Schwestern erzogen, und er erzog wiederum die jüngeren Geschwister. Die jüngeren Geschwister trugen die Kleidung und Schuhe der Älteren auf. Bei den Sinclaires musste jeder mit anpacken. Die Hausarbeiten wurden unter den Kindern aufgeteilt. Es gab keine andere Wahl, um zu überleben.

Im Gegensatz zu seinen Geschwistern, die später in Fabriken in Süd-Louisiana arbeiteten, hatte Preston Sinclaire einen Blick für gute Gelegenheiten und das Talent zum großen Geschäftsmann. Er sah sofort, wenn sich die Möglichkeit bot, Geld zu machen. Schon als Neunjähriger trug er nicht wie seine älteren Brüder in dem Alter Zeitungen aus, sondern überlegte sich ein System, wie die Zeitungen am effektivsten ausgeliefert werden konnten. Er teilte die große Wohnwagensiedlung in Bezirke ein und organisierte ein schnelles, zuverlässiges Zustellungssystem für die Zeitungen. Den Jungen, die sich seiner Organisation anschlossen, bot er die Instandhaltung und Reparatur der Fahrräder an.

Die Kinder, die die meisten Zeitungen ohne eine einzige Kundenreklamation austrugen, bekamen einen monatlichen Bonus. Schon in dem Alter hielt Sinclaire die ausgetragenen Zeitungen, Strecken, Verkaufszahlen, Ausgaben, Gewinne und die Fahrradinstandhaltung schriftlich fest. Bald dehnte er seine Organisation auf nahe gelegene Wohnwagensiedlungen aus und kurbelte seine gewinnträchtigen Dienstleistungen durch den Wettbewerb an.

Das war sein Markenzeichen: Um jeden Preis immer der Sieger sein.

Auch seine Universitätskarriere war sehr erfolgreich. In der Mittelschule und auf der Highschool schrieb er nur Einsen, und bei den Zulassungsprüfungen zur Universität erreichte er fast die höchste Punktzahl. Dadurch erhielt er Stipendien für verschiedene Universitäten. Aber Sinclaire hatte andere Pläne. Er hatte Talent fürs Geschäft, und er liebte das Militär. Das lag ihm im Blut. Er bewarb sich und wurde zur US-Militärakademie in West Point zugelassen, wo er vier grauenhafte Jahre verbrachte, in denen er einen Universitätsabschluss in Betriebswirtschaft erwarb und zum Leutnant in der US-Army aufstieg. Dann kam Vietnam, wo der junge Offizier fünf Jahre verbrachte – ein Pflichtjahr und vier freiwillige. In diesem langen Krieg witterte Sinclaire günstige Gelegenheiten für Geschäfte. Durch seinen heldenhaften Kampfeinsatz wurde er zum Oberleutnant und dann zum Hauptmann befördert. In Vietnam wurden seine Talente als Organisator und Buchhalter von seinen Vorgesetzten erkannt. Hauptmann Sinclaire wurde die Obhut des Nachschublagers der amerikanischen Botschaft in Saigon übertragen. Wieder zahlte sich sein gutes Gespür für Gewinn bringende Geschäfte aus. Er eröffnete einen Schwarzmarkt für alle möglichen Güter. Das fing bei Alkohol an, ging über Zigaretten und Schlafsäcke bis hin zu Mückenspray. Nach Vietnam blieb er noch zwei Jahre bei der Armee in Fort Hood, Texas. Nachdem er mit neunundzwanzig zum Major mit zahlreichen Auszeichnungen aufgestiegen war und seine ausländischen Bankkonten mit Gewinnen der Schwarzmarktgeschäfte gefüllt waren, verließ er die Armee und kehrte nach Süd-Louisiana zurück. Das war Mitte der Siebziger, als das Ölgeschäft boomte. Preston Sinclaire wusste, wie er daraus Vorteil ziehen konnte. Als wohlhabender, geachteter Kriegsheld nutzte er seine Kontakte, um Risikokapital zu beschaffen und es in Ölbohrprojekten in Süd- und Mittel-Louisiana und Texas anzulegen. Als er in den späten Siebzigern lange vor der Konkurrenz das Abflauen des Ölgeschäftes in Louisiana ahnte, verkaufte er seine Anteile, scharte die talentiertesten Männer um sich, die er in der aufstrebenden High-Tech-Industrie finden konnte, und gründete im Jahre 1980 Microtel.

Jetzt war Preston Sinclaire Herrscher über ein Dreißig-Milliarden-Dollar-Unternehmen, und er entwickelte und stellte alles vom Computerchip bis zu Raketensystemen her. Im vergangenen Jahr übertraf die jährliche Bilanz von Microtel die von Pepsico, Boeing und Procter & Gamble, wodurch das Unternehmen zu dem am schnellsten expandierenden und Gewinn bringendsten Unternehmen Amerikas aufstieg. Sinclaire war außerdem Spitzenkandidat für die Präsidentschaftswahl, und er ging davon aus, die Wahl im nächsten November zu gewinnen. Preston Sinclaire war ein Überlebenskünstler, und er glaubte, stets der Sieger zu sein.

Heute Morgen blickte er in das düstere Gesicht seines technischen Leiters, der schon in seinem Büro wartete. Preston hatte das ungute Gefühl, dieses Spiel nicht gewinnen zu können. Seit dem verhängnisvollen Anruf von Professor Eugene LaBlanche in der letzten Woche hatte sein technischer Leiter zahlreiche Tests mit der Kopie des Computerprogramms durchgeführt, das LaBlanche ihm per E-Mail hatte zukommen lassen. Vierundzwanzig Stunden später hatte er das vorläufige Ergebnis erhalten: Der Perseus, einer von Microtels besten Computerchips, der nicht nur den verbreiteten SC-200 antrieb, sondern auch in den Kontrollsystemen von Kernkraftwerken eingesetzt war, hatte einen Konstruktionsfehler.

Nach dem Einbruch bei LaBlanche am Wochenende, den der Sicherheitschef von Microtel durchgeführt hatte, war das Unternehmen im Besitz von LaBlanches Computer-Hardware und seinen Disketten. In der letzten Nacht hatte Sinclaires technischer Leiter die Theorie bestätigt. Ein »datenabhängiges Problem«, hatte er Sinclaire erklärt. Ein seltsames Phänomen in der Fließkommaeinheit des Perseus, der Stelle, an der hochpräzise Rechenoperationen durchgeführt wurden.

Preston Sinclaire schaute dem technischen Leiter in die Augen.

»Mr. Kaiser, ich weiß, dass wir so ein Problem schon früher einmal hatten, aber ich verstehe nicht, dass jemand wie Sie dieses Problem nicht vorhersehen konnte.«

Jim Kaiser, ein kleiner Mann von sechzig Jahren mit einer breiten, geäderten Nase, herabhängenden Wangen und dünnem weißen Haar rutschte auf dem Ledersessel hin und her, während seine Finger mit einem gelben Bleistift spielten. Er räusperte sich und sagte: »Mr. Sinclaire, ich habe Ihnen schon oft gesagt, dass es ein sehr riskantes Unternehmen ist, komplexe Mikroprozessoren zu entwerfen und herzustellen. Wir haben den Perseus zahlreichen Tests unterworfen und versucht, so viele Instruktions- und Datentypen wie möglich abzudecken, aber die Permutationen sind unendlich. Es ist *unmöglich*, jede Kombination zu überprüfen, wenn wir es hier mit Millionen von Transistoren zu tun haben. Denken Sie daran, was Intel mit seinem Pentium-Chip passiert ist. Trotz aller Überprüfungen, die sie durchgeführt haben, ist ihnen ein winziger Fehler in der Fließkommaeinheit durchgegangen. Das kostete das Unternehmen viele Millionen, und seine Aktien fielen.«

»Ich *weiß*, was mit Intel passiert ist«, sagte Sinclaire. »Der

Unterschied ist, dass dieser Pentium keine Nuklearkatastrophe in Arizona ausgelöst hat. Verdammt! Wäre das der Fall, würde es Intel heute nicht mehr geben. Wenn der Fehler im Perseus nicht mit Palo Verde in Verbindung gebracht werden könnte, hätte ich keine Probleme damit, eine Presseerklärung herauszugeben und einen Rückruf zu starten. Aber unser Fehler hat vermutlich tausende Amerikaner getötet und hunderttausende verstrahlt. Also, wie *schlimm* ist dieser Fehler?«

Der erfahrene Ingenieur schüttelte bedächtig den Kopf. »Das ist sehr schwer einzuschätzen. Im Computerprogramm von Dr. LaBlanche ist der Fehler deutlich zu erkennen, aber er tritt nicht jedes Mal auf.«

Sinclaire lehnte sich zurück. »LaBlanche sagt, dass keine Systematik zu erkennen sei. Vermutlich werden Sie seine Behauptung bestätigen.«

»Ja«, erwiderte Kaiser.

»Sie haben mir immer noch nicht gesagt, wie schwerwiegend dieser Fehler ist.«

»Das Problem liegt im Zentrum der Fließkommaeinheit, wo der unbedeutendste Befehl in einem erweiterten Präzisions-Register, das statisch sein soll, gespeichert wird. Wenn das Register nicht ständig elektrisch nachgeladen wird, geht der Befehl verloren. Dr. LaBlanches Programm lädt *manchmal* einen erweiterten Präzisions-Operanden ins Register. Wird der Operand nicht innerhalb einer bestimmten Zeit benutzt, gibt ein bestimmtes Bit seine Ladung an das Substrat ab und verändert dadurch den Wert des Operanden, wodurch der Perseus das falsche Ergebnis erzeugt. Es ist eigentlich ein sehr interessantes Problem und ganz einfach zu fixieren.«

Interessant? Einfach zu fixieren?

Preston Sinclaire schloss die Augen und bekämpfte den Drang, seinem technischen Leiter an die Gurgel zu springen und ihn zu erwürgen. Er konnte die übersteigerte Selbstgefälligkeit dieser verdammten Ingenieure nicht ertragen, die gerne vergaßen, dass sie gar nicht die Möglichkeit hätten, derartig *interessante* Probleme zu erzeugen, wenn sie nicht für einen Geschäftsmann wie Preston Sinclaire arbeiten würden.

Doch er musste Nachsehen mit ihnen haben, denn es waren ihre Ideen und ihre Entwicklungen, die Microtel an der Führungsspitze der High-Tech-Industrie hielten.

»Mr. Kaiser«, sagte Sinclaire, nachdem er fast eine Minute geschwiegen hatte, in schneidendem Ton. »Ich habe Sie gefragt, wie *schlimm* das Problem ist. Ich habe Sie nicht gefragt, wie *interessant* es ist, und ich kann keine Erklärung gebrauchen, die nur ein Doktor der Ingenieurwissenschaften versteht. Mich interessieren die Bits, Register, Substrate und diese verdammten Fließkommaeinheiten einen Scheißdreck. Dafür bezahle ich Ihnen ein Vermögen! Noch einmal: *Wie schlimm ist das Problem?*«

Kaiser errötete und strich sich übers Kinn. »Nach meinen Berechnungen kommt dieser Fehler äußerst selten vor. Falls er in einem System auftritt wie auf dem Computer von La-Blanche, als er das Programm des Kontrollsystems laufen ließ, würde er nur sehr, sehr selten zu einem falschen Ergebnis führen. Wir glauben, dass dieses *seltene* Auftreten tatsächlich unter normalen Bedingungen *extrem* selten ist. Angesichts der unendlichen Anzahl von Daten- und Instruktionspermutationen, die im Perseus durchgeführt werden können, würde diese Fehlkombination nur einmal bei fünfzig Billionen Befehlen auftreten. Berücksichtigt man die geschätzte Anzahl von Befehlen, die ein Perseus in einem Jahr durchführt, würde dieses Problem wahrscheinlich jedes zehnte Jahr auftreten. Das sind natürlich nur Schätzwerte. Es ist sehr wohl möglich, dass jemand mit dem richtigen Computercode wie LaBlanche häufiger auf den Fehler treffen kann. Allerdings würde ich nicht erwarten, dass dieses Problem im Durchschnitt sehr oft auftritt.«

Sinclaire lehnte sich zurück und faltete die Hände im Nacken. Das durfte nicht an die Öffentlichkeit dringen. Andernfalls drohte eine Katastrophe. Bei solch einem Skandal würden Microtel *und* Preston Sinclaire *untergehen.* Die Chancen im Präsidentschaftswahlkampf waren von seinem guten Ruf als Präsident von Microtel abhängig. Würde sein Unternehmen aufgrund eines solchen Skandals zu Grunde gehen, würde er mit untergehen.

»In wie vielen anderen Systemen sind Perseus-Chips installiert?«, fragte Sinclaire, der an mindestens ein halbes Dutzend Anwendungsgeräte dachte, die von dem fehlerhaften Mikroprozessor gesteuert wurden.

»Neben dem SC-200 etwa sieben oder acht, größtenteils im Industriesektor und alle in ziemlich geringem Umfang. In den Systemen in Palo Verde waren nur fünf Perseus-Chips installiert. Ich vermute, dass wir vielleicht insgesamt fünf- oder sechstausend Perseus-Chips an die Industrie ausgeliefert haben. Der Perseus-Chip findet besonders auf dem Computermarkt Verwendung. Allein im letzten Jahr wurden fast eine halbe Million Systeme verkauft. Ein Perseus pro System. Ich werde Ihnen die aktuellen Zahlen bis spätestens morgen besorgen.«

»Ich will, dass die Dateien von Palo Verde gesperrt werden«, sagte Sinclaire.

»Das haben wir bereits an dem Tag getan, als LaBlanche angerufen hat. Ab heute Mittag werden alle Dateien, die mit unseren Verkaufszahlen für Kernkraftwerke zusammenhängen, nicht nur für dieses, sondern für alle Jahre als vertraulich gekennzeichnet sein. Das Gleiche werden wir mit allen anderen Unternehmen machen, die Perseus oder auf dem Perseus-Chip basierende Systeme gekauft haben. Die Verkaufszahlen im Industriesektor werden jetzt genauso behandelt wie Verkäufe ans Militär.«

»Gut.«

»Am letzten Donnerstag hat es jedoch an der Universität mehrere interessante Zugriffsversuche gegeben.«

Sinclaire beugte sich vor. »Erklären Sie mir das genauer.«

»Jemand hat sich über LSU-Superuser in unser System eingeloggt und wollte sich die an Palo Verde verkauften Geräte ansehen.«

Sinclaire stützte sich mit den Handflächen auf dem Tisch auf und beugte sich noch weiter vor. *»Wie bitte?«*

»Es gab drei unberechtigte Zugriffe. Alle am letzten Donnerstag. Einen morgens und zwei nachmittags. Zum Glück hatten wir bereits die Daten von Palo Verde gesperrt. Da der Hacker keine Informationen über Palo Verde bekommen konnte, suchte er Informationen über Verkäufe an Diablo Canyon, Nine Mile Point, Peach Bottom und South Texas One. Diese Accounts waren nicht gesperrt, und daher hat der unberechtigte Nutzer vermutlich nachgesehen, was wir an diese Kernkraftwerke verkauft haben, und vor allem, ob sich darunter mit dem Perseus-Chip angetriebene Kontrollsysteme befanden.«

Preston Sinclaire schlug wütend mit den Fäusten auf den Tisch, ehe er sich zum Fenster umdrehte, von dem man einen schönen Blick auf den Morgenhimmel über der City von Baton Rouge hatte.

»Verdammt! Das glaube ich nicht!« Er drehte sich wieder zu Kaiser um. »Und warum hat es so lange gedauert, bis wir bemerkt haben, dass jemand in unser System einbricht?«

»Das hat mit dem ganzen Chaos zu tun. Ich habe mich schon darum ...«

Kaiser verstummte, als es an der Tür klopfte. Der Präsident von Microtel schloss die Augen und presste seine Fingerspitzen gegen die Stirn.

»Ja?«, rief Sinclaire, woraufhin eine der dunklen Holzdoppeltüren zögernd aufgestoßen wurde. Eine Frau mit gebräuntem Gesicht und kurzem braunen Haar stand in der Tür.

»Mr. Sinclaire?« Eine leise Stimme mit einem leichten spanischen Akzent hallte durch das dunkel getäfelte Büro. Maria Torres war eine seiner Chefsekretärinnen.

»Was gibt es?«

»Sir, Mr. DeGeaux vom Sicherheitsdienst hat mich gebeten, Ihnen das zu geben. Das hat er in den Akten gefunden, die er gerade überprüft.«

Sinclaire winkte sie zu sich. Nick DeGeaux, der Chef des Sicherheitsdienstes des Unternehmens, hatte den Einbruch im CEBA-Institut am Sonntagmorgen durchgeführt. Sinclaire hatte ihn beauftragt, die Akten des verstorbenen Dr. LaBlanche durchzusehen, um möglicherweise mehr Informationen über das Computerprogramm des Professors zu finden.

Sinclaire nahm das zerknitterte Blatt von der kleinen, attraktiven Sekretärin entgegen. Sie verließ sofort darauf das Büro und schloss die Tür hinter sich.

Der Präsident von Microtel zog die Lesebrille aus der Brusttasche seines Hemdes und setzte sie sich auf die Nase. Die handgeschriebene Notiz trug keine Überschrift, sondern nur das Datum des 17. April. Preston Sinclaire las die Notiz schweigend durch, lehnte sich dann zurück und las sie noch einmal laut vor.

17. April

Betrifft: KSP (Kontrollsystemprogramm) Grundregeln.

Ich habe 250 Megabyte Speicherkapazität auf der Festplatte der SC-200-Workstation in meinem Büro für die Verschlüsselung des C-plus-Programms reserviert. Die Grundidee ist, die proportionale, derivative und integrale Kontrolle eines Kernreaktors zu kombinieren, indem ich die Zirkularanalyse eines Prozentes jedes Inputparameters von den Reaktorsensoren ausführe, ehe ich die Daten mit zusätzlichen Zirkularanalysen der verbleibenden Prozente jedes Inputs verschmelze. Es geht darum, alle verschiedenen Stadien jedes Inputs des Reaktors auf einen Blick zu sehen und die Initialanalyse hinzuzufügen. Ich glaube, dass diese Zirkularannäherung eine viel kürzere Systemreaktionszeit der drastischen Temperaturveränderungen innerhalb des Kerns liefern wird und Kraftwerksleitern eine viel effektivere Kontrolle des ganzen Prozesses an die Hand gibt. Das Gute an diesem Programm ist, dass es keinen Durchbruch in der Kontrollsystemtechnologie verlangt wie die laufenden Studien, die von Honeywell, Johnson Controls und Siemens gesponsert werden. Unser einfaches, aber erstklassiges Programm wird nur den Weg verändern, wie wir gegenwärtig verfügbare Daten verarbeiten, um sie dem Nutzer in einer ganz neuen, revolutionären Weise zu präsentieren.

Unser Ziel ist es, die erste Revision Mitte September und die letzte Version Ende Oktober zu vervollständigen.

Es folgen zwei Grundregeln, um zu gewährleisten, dass der Code richtig gesichert ist:

1. Fertigen Sie wöchentlich auf einer Diskette ein Backup des Programms an (auf einer zwei Megabyte 3,5-Zoll-Diskette, um nur den aktuellen C-plus-Grundcode zu sichern).

2. Benutzen Sie jede Woche eine neue Diskette, um die aktuelle Version des Programms zu sichern. Nachdem Sie das Backup auf seine Richtigkeit überprüft haben, vernichten Sie die Diskette der letzten Woche. Bewahren Sie die Backup-Diskette in Ihrem Büro auf. Installieren Sie einen Kopierschutzcode auf der Diskette, damit niemand Kopien von dieser Diskette anfertigen kann. Eine neue Diskette kann nur direkt von der Festplatte meines SC-200 angefertigt werden.

Der Präsident und Generaldirektor von Microtel legte das Blatt langsam auf den Schreibtisch, nahm die Brille ab und steckte sie wieder in die Brusttasche. Dann wandte er sich James Kaiser zu. »Mr. Kaiser, zuerst steckt ein Hacker von der Universität seine Nase in unser Netzwerk. Und nun sieht es so aus, als hätte LaBlanche einen Assistenten, der ein Backup des Programms besitzt? Ich dachte, DeGeaux und der Rektor der Universität hätten die Sache geregelt. Ich dachte, wir hätten *alles,* was mit dem Programm zusammenhängt. Was, zum Teufel, geht hier vor?«

Kaiser schüttelte den Kopf. »Ich weiß es nicht.«

Preston Sinclaire rieb sich übers Kinn und starrte seinen Untergebenen mit zusammengekniffenen Augen an. »Bitte hören Sie mir jetzt ganz genau zu. Ich wiederhole mich nur ungern. Ich will, dass Sie mit dem Rektor Klartext reden und ihn daran *erinnern,* dass ich der verfluchten Universität allein in diesem Jahr Gelder und Geräte im Wert von siebenunddreißig Millionen Dollar habe zukommen lassen. Siebenunddreißig Millionen Dollar! Erinnern Sie ihn auch an die Eigentumswohnung, die ich für ihn gekauft habe, damit er Studentinnen vögeln kann, ohne dass seine Frau es bemerkt. Erinnern Sie ihn an sein Versprechen vom letzten Freitag. Er hat uns versichert, dass wir alles, was wir brauchen, in LaBlanches Büro finden. Jetzt stellt sich auf einmal heraus, dass es irgendwo in seiner Scheißuniversität eine Sicherungsdiskette gibt. Auf dieser Diskette ist ein Programm gespeichert, das einen Fehler in einem unserer Mikroprozessoren aufdeckt. Wenn dieser Fehler bekannt wird und jemand ihn mit Palo Verde in Verbindung bringt, sind wir Geschichte. Sie, ich und unsere Kollegen in Washington – *alle.* Haben Sie mich soweit verstanden?«

Kaiser nickte.

»Sie werden den Hacker finden, der in unser System eingedrungen ist«, fuhr Sinclaire fort. »Und ich bin mir ganz sicher, dass Sie dieses Arschloch, das die Diskette hat, finden werden.«

»Ich bin schon unterwegs«, sagte Kaiser, der aufstand und zur Tür eilte.

»Ich brauche den Namen, Mr. Kaiser. Das ist alles. Nur den verdammten Namen. Um alles andere kümmere ich mich dann schon.«

Jim Kaiser verließ den Raum, ohne etwas zu erwidern.

Sinclaire rieb sich über die Schläfen und versuchte, sich zu beruhigen. *Bald,* sagte er zu sich. *Bald werden wir die Situation wieder im Griff haben.*

Dreißig Minuten später durchsuchte Jim Kaiser die Dateien des Fachbereichs Informatik der Universität, bis er das automatisch erstellte Einlogg-Protokoll des Superusers fand. Als Kaiser sich das Protokoll anschaute, sah er die deutliche Übertretung der Universitätsregeln. Der User hatte nicht die erforderliche User-ID-Nummer eingegeben. Anhand des automatisch erstellten Einlogg-Protokolls erfuhr Kaiser Datum und Uhrzeit der drei Einwählungen. Der User hatte sich um 8.30, 13.45 und 13.48 Uhr eingeloggt.

Jim Kaiser startete eine Nachfrage, um alle IDs des Superusers zu ermitteln, die sich um 8.30 Uhr eingeloggt hatten. Er erhielt fünfzehn ID-Nummern. Kaiser druckte sich die kurze Liste auf einem Laserdrucker aus. Er wiederholte diese Prozedur mit den IDs, die sich zu den beiden anderen Zeiten eingeloggt hatten.

Kaiser saß hinter seinem Schreibtisch und verglich die drei Listen miteinander. Es dauerte nicht lange, bis er die Identifikationsnummer fand, die sich zu allen drei Zeitpunkten bei Microtel eingeloggt hatte. Auf seinem SC-200 loggte er sich in die Universitätsverwaltung ein und suchte die Daten, die zur entsprechenden ID gehörten.

Anschließend griff Jim Kaiser zum Telefon und rief seinen Chef an.

Fünf Minuten später wählte Preston Sinclaire eine gesicherte Fernwahlnummer.

Ein langer Piepton wie der eines Fax-Gerätes hallte durch den Hörer. Sinclaire gab einen achtstelligen Code ein.

Ein paar Sekunden war die Leitung tot, und dann sagte eine Stimme: »Preston?«

»Jackson, ist der Zerhacker eingeschaltet?«

»Ja. Wir können reden.«

»Deine Leute sollen sich bereithalten. Wir haben noch ein Problem«, sagte Preston Sinclaire. In den nächsten zwei Minuten erklärte er General Jackson Brasfield die Situation. Brasfield war sein alter Freund aus West Point und Vietnam, mit dem er gemeinsam die sehr Gewinn bringenden Schwarzmarktgeschäfte in der amerikanischen Botschaft in Saigon und dann in Fort Hood gemacht hatte. Nachdem Sinclaire die Armee verlassen hatte, übernahm Brasfield die Militärgeschäfte und dehnte sie bis ins Pentagon aus, während Sinclaire zuerst ins Ölgeschäft und später in die High-Tech-Industrie investierte. Ihre Geheimoperationen brachten ihnen jetzt pro Jahr über drei Milliarden Dollar aus Militärverträgen ein, und das nicht nur zwischen dem Pentagon und Microtel, sondern auch zwischen dem Pentagon und zwei Dutzend Ländern. Von illegalen Waffenverkäufen bis zu High-Tech-Software für Kriegslogistik konnten Sinclaire und Brasfield alles zum richtigen Preis beschaffen. Brasfields Position als stellvertretender Direktor der DIA (Defence Intelligence Agency), des militärischen Geheimdienstes, verschaffte ihm Zugang zu Geheimdaten verdeckter Operationen, wodurch Sinclaire und Brasfield mit ihren Schwarzmarktgeschäften den Gesetzeshütern im In- und Ausland immer einen Schritt voraus waren. Und mit ihrem expandierenden Netzwerk wuchsen auch ihre Macht und ihr Einfluss innerhalb und außerhalb der USA.

»Verstanden, Preston«, erwiderte Brasfield.

»Gut. Ruf mich an, wenn die Operation erledigt ist«, sagte Sinclaire, bevor er auflegte und auf die Uhr sah. Er musste noch einen anderen Anruf tätigen. Der Fehler im Perseus würde niemals an die Öffentlichkeit dringen, welche Konsequenzen das auch immer mit sich brachte.

Am nur zwei Meilen entfernten Regional-Flughafen von Baton Rouge landete eine Federal-Express-Maschine nach einem neunzigminütigen Flug von Dallas. Die Maschine rollte zur Rampe, wo mehrere Federal-Express-Lastwagen neben der Laderampe der umgebauten Boeing 727 hielten.

Der Fahrer des ersten Lastwagens hielt wie jeden Morgen kurz vor der Rampe an, die über ein eingebautes Fließband verfügte, das die Crew der 727 benutzte, um die Nachtpost zu entladen. Der Fahrer stieg aus, öffnete die Hecktür des Lastwagens und fuhr ein kurzes Metallrollband aus, das am Ende des Fließbands einrastete.

»Tag!«, schrie ein Crewmitglied der 727.

Der Fahrer winkte, als der erste Postsack das Fließband hinunterrollte und über die Metallrollen ins Heck des Lasters fiel. Sechs weitere Säcke und ein paar Dutzend Pakete verließen die Transportmaschine, ehe der Lastwagen voll war und der Fahrer den Lastwagen abkoppelte. Er schloss die Hecktür, fuhr sofort zum Federal-Express-Büro am Flughafen, wo mehrere Angestellte die Leinensäcke mit dem Label Baton Rouge aufknoteten und anfingen, die kleinen Pakete und Umschläge mit der Hand zu sortieren.

In diesem Moment wurde ein Fehler, der vor zehn Stunden in einem der Federal-Express-Handsortierzentren in Denver, Colorado, entstanden war, entdeckt. Baton Rouge hatte die Post für Pensacola, Florida, bekommen, wo in diesem Moment Handsortierer ebenfalls die Verwechslung feststellten. Dieser Fehler, der bis Denver zurückverfolgt wurde, kostete Federal Express über zwei Millionen Dollar. Die automatische Postsortieranlage, die für den Fehler verantwortlich gemacht wurde, bestand jedoch alle Untersuchungen und Tests.

Eduardo »Eddie« López schob um 9.00 Uhr einen Handwagen einen langen Korridor hinunter, auf dem die Chefetage der DIA lag, die vom Verteidigungsministerium unter anderem damit beauftragt wurde, mit den Militärattachés in allen amerikanischen Botschaften weltweit zusammenzuarbeiten. Die Hauptaufgabe der DIA war es, Geheimdaten fürs Militär zu sammeln. Dieser Geheimdienst musste auch die Geheimdaten, die von dem Konkurrenzunternehmen, der CIA, gesammelt wurden, für das Verteidigungsministerium überprüfen.

Eddie war mager, aber muskulös. Er hatte braune Augen, eine hübsche Nase, volle Lippen und ein männliches Kinn. Die Damen im *Güeros,* einem spanischen Nachtclub, flogen auf ihn. Seine Beliebtheit stieg noch durch die Tatsache, dass er für die DIA arbeitete. Die Damen gerieten außer Rand und Band, wenn er ihnen seinen DIA-Ausweis zeigte und mit Geschichten über Geheimoperationen prahlte. Seine Kollegen hatten ihn gewarnt, dass er dadurch eines Tages Schwierigkeiten bekommen könnte, aber Eddie kümmerte sich nicht darum. Er betrachtete die lateinamerikanischen Mädchen, die dank seiner DIA-Tätigkeit mit ihm ins Bett stiegen, als Nebenverdienst. Das war das Risiko wert.

Eddie López war erst seit einem Jahr bei der DIA angestellt. Zuvor hatte er als Bote bei der Marine und der Luftwaffe gearbeitet.

Er erreichte das Büro des stellvertretenden Direktors der DIA, des Generals Jackson T. Brasfield, zeigte den Marines vor der Metalldoppeltür seinen Dienstausweis und betrat die Empfangshalle. Es war ein großer, luftiger Raum, in dem die beiden Sekretärinnen des Generals vor den Fenstern an ihren Schreibtischen saßen und an den Word-Prozessoren arbeiteten. Brasfields Büro lag rechter Hand hinter zwei kugelsicheren Glastüren, die der Direktor selten offen stehen ließ. Als Eddie den Handkarren zwischen den Schreibtischen der Sekretärinnen hindurch zu den Materialschränken schob, bemerkte er, dass Brasfield in seinem Büro eine Besprechung abhielt. Links vom Büro sah er drei kleinere Büros und einen großen Raum mit abgeteilten Arbeitsbereichen, in dem sich Brasfields Assistenten und Bodyguards aufhielten, von denen zwei telefonierten.

»Hey, Hermosa. Como estás?«, fragte er eine der Sekretärinnen, eine hübsche Blondine.

»Hallo, Eddie«, erwiderte die Sekretärin, die zwar den Kopf schüttelte, aber dennoch lächelte. »Bringen Sie uns das Material, das ich bestellt habe?«

Eddie schlug mit einer Hand auf den Handkarren. »Ich räume die Sachen sogar für Sie ein, Hermosa.«

Die zweite Sekretärin sprach Eddie an. »Auf der Toilette des Generals gehen auch langsam die Papierhandtücher, das Toilettenpapier und die Seife aus.«

»Okay, Yolanda«, sagte Eddie zu der korpulenten spanischen Sekretärin. »Ich bringe das gleich nachher vorbei.«

Beide Sekretärinnen wandten sich wieder ihren Computern zu, während Eddie zu den Materialschränken ging und sich so hinstellte, dass der Alpha-Pager, der an seinem Gürtel befestigt war, auf Brasfields Büro zeigte. Eddie warf schnell einen Blick ins Büro und sah, dass Brasfield vor dem Konferenztisch auf und ab ging und zu den drei Männern sprach, einem Mann mit Bart in Zivil und zwei tadellos gekleideten Armeeoffizieren.

Eddie griff an den Pager und drückte auf eine Taste an der Seite, woraufhin ein Niedrigenergie-Infrarotlaserstrahl aus dem Gerät schoss, durch eine der Glastüren drang und ins Gerät zurückkehrte. Dort wurde er von einem Empfänger im Gerät gelesen. Dann drehte Eddie langsam an einem winzigen Knopf an dem Pager, um die Frequenz des Laserstrahls einzustellen. Die Mikroelektronik in dem Abhörgerät verglich die Frequenz des eindringenden Laserstrahls mit der des zurückkehrenden Strahls, der durch die Klangwellen im Büro vibrierte. Der Unterschied – Brasfields Stimme – wurde elektronisch verändert und schließlich in die winzige fleischfarbene Ohrmuschel, die Eddie López im rechten Ohr trug, übertragen.

Während Eddie dem Gespräch in den nächsten fünfzehn Minuten lauschte, öffnete er verschiedene Schachteln mit Stiften, Notizblöcken, Umschlägen, Disketten, Gummibändern, Büroklammern und vielen anderen Dingen, die tagtäglich im Büro des stellvertretenden DIA-Direktors benutzt wurden.

Als Eddie fertig war, schaute er auf die Uhr. Es war 9.30. Nachdem er genügend Geheiminformationen aufgeschnappt hatte, um sich mehrere Seiten Notizen anfertigen zu können, kehrte der spanische Angestellte kurz in sein winziges Büro zurück, um das Abhörgerät mit dem Pieper der DIA zu vertauschen. Dann nahm er sein Handy und führte ein fünfminütiges Gespräch mit einer Nummer in der Innenstadt von Washington.

Als er wieder durch die Gänge wanderte, um seine Runde zu beenden, sah er, dass General Jackson Brasfield sein Büro verließ. Er überlegte, ob er die in sein Handy einprogrammierte Nummer noch einmal anrufen sollte.

Niemals zweimal an einem Tag anrufen.

Eddie López erinnerte sich an die Regeln, die ihm sein Vorgesetzter eingeschärft hatte, und schob den Handkarren über den Flur. Er schaute wieder auf die Uhr. Noch zwei Stunden bis zur ersehnten Mittagspause.

4

Über das Gesetz erhaben

So sind sie, die das Gesetz nicht haben, sich selbst Gesetz.

Der Brief an die Römer, 2, 14

BATON ROUGE, LOUISIANA *Montag, 16. November*

Nick DeGeaux, der Leiter der Sicherheitsabteilung von Microtel, verließ um 9.45 Uhr die imposante Microtel-Zentrale, die aus sieben Gebäuden bestand und auf einem über zwei Hektar großen Grundstück im Norden von Baton Rouge stand. Er hielt auf dem Weg zur Universität kurz an, um seinen Bruder, der in der Abteilung für Versand und Warenannahme arbeitete, aufzugabeln.

Nick saß hinter dem Steuer seines schwarzen Chevy-Pickups mit getönten Scheiben und inhalierte tief den Rauch einer filterlosen Camel, die in seinem Mundwinkel hing. Mit einer Hand strich er über den mit Bargeld gefüllten Briefumschlag, den er vor fünfzehn Minuten in Preston Sinclaires Büro entgegengenommen hatte.

Zehn Riesen. Eine weit über seinem normalen Gehalt liegende Vergütung für die diskrete Ausführung spezieller Aufträge für den Präsidenten von Microtel.

Der einsneunzig große, ehemalige Angehörige der Marine-Elitetruppe mit einem Gewicht von hundertfünfundzwanzig Kilogramm und ausgeprägten Muskeln trug einen kurz geschnittenen Bart, der so dicht und schwarz war wie sein Haar. Nick DeGeaux hatte die Risikooperationen des

Konzerns fest im Griff. Sein Bruder Tom, der die Schule geschmissen hatte und vor acht Jahren wegen bewaffneten Raubüberfalls verhaftet und verurteilt worden war, konnte dank der Intervention von Preston Sinclaire, der seinen Antrag auf vorzeitige Haftentlassung unterstützt hatte, vor sechs Monaten aus der Haft entlassen werden. Er machte alles, was Nick sagte, und arbeitete daher auch für wenig Lohn am Hafen, wo er Waren für Microtel annahm.

Tom DeGeaux war im Gegensatz zu seinem Bruder nur knapp über einssiebzig und wog unter fünfundsiebzig Kilo. Der blondhaarige, blauäugige Tom war das Ergebnis einer Affäre seiner Mutter mit einem Barkeeper, als ihr Vater in Vietnam kämpfte.

Tom trank einen Schluck Bier aus der Dose, rülpste und fragte: »Um was für'n Job geht's?«

Nick schaute seinen Bruder durch den aufsteigenden Rauch an. Der ältere DeGeaux nahm seinen jüngeren Bruder gelegentlich zu bestimmten Jobs mit, damit dieser ihm zur Hand ging und er nicht die Kontrolle über ihn verlor. Wenn Tom allerdings derartige Fragen stellte, bedauerte er seine Entscheidung immer.

»Ich habe es dir doch schon zweimal gesagt!«, brüllte Nick. »Manchmal stellst du dich wirklich verdammt blöd an!«

Tom grinste seinen Bruder dämlich an und entblößte seine tabakbefleckten Zähne. »Warum kriechst du dem Sinclaire noch immer in den Hintern, wenn du so unheimlich clever bist? Du redest doch schon ewig davon, einen eigenen Wachdienst zu gründen.«

Nick schaute auf die Straße. »Ich will zuerst unsere finanzielle Lage verbessern, Junge. Wir werden das Unternehmen bald gründen, und dann leben wir wie die Maden im Speck. Du wirst schon sehen.«

»Ja, okay. Wir haben noch nie wie die Maden im Speck

gelebt, aber ich hätte da eine Idee, wie es klappen könnte. Ich hab' mal ein bisschen nachgedacht. Wenn wir beide ein paar Banken überfallen, könnten wir ...«

Nick hielt seinem Bruder den Mittelfinger der rechten Hand drohend vor die Nase und sagte in wütendem Ton: »Tommy, sag das nicht noch mal, sonst halte ich sofort an und schlag dich windelweich. Haben diese Typen im Knast dich nicht oft genug in den Arsch gefickt? Ein Wunder, dass du kein AIDS hast. Du willst doch leben, oder? Du bist nur auf Bewährung draußen, du Arschloch! Du hältst dich an mich und meine Kontakte, und dann ist alles in Ordnung.«

Tom DeGeaux sank auf dem Beifahrersitz zusammen und schloss die Augen. »Okay.« Der Gedanke, wieder ins Hochsicherheitsgefängnis von Süd-Louisiana zu wandern, brachte Tom zur Besinnung.

Nick legte beide Hände aufs Lenkrad und fuhr fort: »Auf jeden Fall ist dieser Job echt super. Leicht verdientes Geld. Wir brechen nur in eine Wohnung ein und nehmen alle Disketten mit, die wir finden können.«

»Hast du schon gesagt. Und was dann?«

»Wenn wir Mr. Sinclaire die Disketten gebracht haben, fahren wir wieder zu ihrer Wohnung und warten, bis sie auftaucht.«

»Und dann?«

»Dann bleiben wir ihr auf den Fersen, beobachten, was sie treibt und liefern unseren Bericht ab.«

»Wie im Film?«

Nick seufzte. »Ja, wie im Film.«

»Ist sie süß, Nick?« Tom grinste wieder und entblößte seine fleckigen Zähne.

Der ältere DeGeaux schüttelte den Kopf. »Weiß ich nicht, und ist mir auch scheißegal. Wir erledigen unseren Auftrag, und dann kriegen wir noch mal zehn Riesen. Jetzt halt die Klappe, und lass mich nachdenken.«

Zehn Minuten später erreichten sie das Wohnhaus und sahen sich nach Pamela Sassers Honda um. Er stand nicht vor dem Haus. Während Nick den Parkplatz im Auge behielt, brach Tom ohne Probleme in ihre Wohnung ein. Tom De-Geaux hatte zwar nicht viel Verstand, aber dafür war er ein talentierter Einbrecher. Er konnte in weniger als dreißig Sekunden Wohnungen aufbrechen und Autos kurzschließen, und für diese Wohnungstür hatte er keine zwanzig Sekunden gebraucht. Tom machte seine Sache gut, solange Nick in der Nähe war und ihn davon abhielt, etwas Verrücktes zu machen, wie zum Beispiel am helllichten Tage ohne Maske in eine Bank einzubrechen und seinen eigenen Wagen als Fluchtwagen zu benutzen.

Aber so war Tom DeGeaux eben, doch jetzt passte sein Bruder auf ihn auf, damit er nicht wieder im Knast landete.

Die Brüder betraten die Wohnung und schlossen die Tür.

Während Nick und Tom DeGeaux Pamela Sassers Wohnung durchsuchten, ging Preston Sinclaire gefolgt von zwei bewaffneten Bodyguards in eines der Forschungs- und Entwicklungslabors von Microtel. Es lag im zweiten Stock in einem der modernen Gebäude, die von künstlich angelegten Teichen und gepflegten Grundstücken umringt waren.

In dem Labor standen mehrere Tischreihen, auf denen verschiedene Computer-Hardware angeordnet war. Zwei Dutzend Ingenieure und Techniker in weißen Kitteln liefen in dem Labor umher. Einige hielten Notizblöcke in den Händen und andere Testbögen und Testgeräte. Sechs Wissenschaftler, deren Hände in den Taschen ihrer Laborkittel steckten, hatten sich um einen Tisch in einer Ecke am Ende des hellen Raumes versammelt.

Die Gruppe umringte den Leiter der technischen Abteilung, Jim Kaiser, der hinter der Tastatur eines nagelneuen Hewlett-Packard-Computers saß.

Preston Sinclaire ließ seine Bodyguards vor der Tür stehen, zog einen Laborkittel an, der neben der Tür hing, und knöpfte ihn zu. Als er zu der hinten im Raum versammelten Gruppe ging, ließ er seinen Blick über die hochmodernen Geräte wandern, für die er Millionen von Dollar investiert hatte. Und dies hier war nur ein Forschungs- und Entwicklungslabor. Die Geräte in der Fertigungsabteilung entsprachen dem Schätzwert eines kleinen Landes. Wenn man die hohen Gehälter bei Microtel berücksichtigte, sah die Sache noch anders aus. Um erstklassige Techniker von den begehrteren High-Tech-Standorten im ganzen Land wie Sunnyvale, Austin, Phoenix und Portland abzuwerben, musste Preston Sinclaire ihre Gehälter um fast fünfzig Prozent erhöhen. Es rechnete sich dennoch, denn Microtels Umsätze stellten die seiner Konkurrenz im wirtschaftlichen, militärischen und industriellen Bereich in den Schatten.

Sinclaire ging zwischen den Tischreihen hindurch und schaute sich die verschiedenen Geräte an. Manchmal fragte er sich, welche der Geräte wirklich notwendig waren, um die in Microtels Wirtschaftsplan festgelegten Ziele zu erreichen, und welche Geräte nur als *Spielzeug* für die Technofreaks angeschafft worden waren. Obwohl Sinclaire schon so viele Jahre in der High-Tech-Industrie arbeitete, konnte er die Erregung, die diese Technofreaks in Erwartung noch größeren wissenschaftlichen Fortschritts manchmal überkam, noch immer nicht nachvollziehen. Der wissenschaftliche Fortschritt interessierte Preston Sinclaire nur, wenn er sich in barer Münze niederschlug. Technische Neuerungen, die keinen Profit abwarfen, waren in der Geschäftswelt eine Unmöglichkeit, und wurden den Akademikern überlassen, die abseits der realen Welt forschten. Preston hatte vor, dieses Prinzip aufs ganze Land anzuwenden und sich bei diesem Prozess selbst zu bereichern, sobald er ins Weiße Haus eingezogen war.

Alle Ingenieure und Techniker, die sich um Kaiser versammelt hatten, erblassten, als sie ihren Generaldirektor sahen. Es war bekannt, dass Sinclaire seine Mitarbeiter zur Arbeit anhielt, wenn er sie beim Nichtstun erwischte.

»Mr. Kaiser?«, sagte Sinclaire. »Haben Sie eine Minute Zeit?« Die anderen Ingenieure begaben sich wieder an die Arbeit.

Kaiser nickte. »Ja. Ich muss mich nur schnell ausloggen.«

Sinclaire und Kaiser verließen das Gebäude und gingen über einen kopfsteingepflasterten Weg an einem Teich vorbei zum Verwaltungsgebäude. Eine Minute später waren sie in Sinclaires Büro. Die beiden Bodyguards folgten ihnen in respektablem Abstand. Maria Torres saß vor ihrem Word-Prozessor.

»Mrs. Torres, ist Mr. Dolbear schon in meinem Büro?«, fragte Sinclaire. Lawrence Dolbear war der Leiter der Finanzabteilung des Unternehmens.

»Ja, Sir. Er ist gerade gekommen.«

»Gut. Ich möchte nicht gestört werden.«

»Ja, Mr. Sinclaire. Das Filmteam baut übrigens unten in der Lobby alles auf. Es fängt um elf Uhr an. Sie sollten um halb elf am Set sein, weil Sie vor den Aufnahmen noch geschminkt werden.«

Sinclaire nickte und schaute auf die Uhr. Er hatte noch genügend Zeit, ehe er die Hauptrolle in einem neuen, dreißig Sekunden langen Werbespot spielte, der am nächsten Montag im ganzen Land auf allen großen Kanälen während des Footballspiels zu sehen sein würde. Sinclaires Werbeetat für dieses Quartal betrug über acht Millionen Dollar. Doch das war für einen Mann, dessen Konterfei auf dem Cover der letzten Ausgabe von *Fortune* abgebildet war, eine Kleinigkeit.

Lawrence Dolbear, ein kleiner schlanker Mann Mitte fünfzig, der in seinem dunkelgrauen Anzug tadellos gekleidet war, saß bereits in einem der Ledersessel gegenüber von Sinclaires beeindruckendem Schreibtisch aus Rosenholz. Von den großen Fenstern hinter dem Schreibtisch hatte man einen ausgezeichneten Blick auf den Mississippi. Auf einer Seite des Schreibtisches stand ein HP-720-Computer.

Nachdem Sinclaire die Tür geschlossen hatte, sagte er: »Okay. Dann wollen wir mal sehen, was die Herren mir zu sagen haben.« Dolbear stand auf, richtete seinen Krawattenknoten und warf Kaiser, der mit einem Stift spielte, einen Blick zu.

»Meine Vermutung hat sich bestätigt. Es ist überhaupt kein Problem, diesen Fehler zu korrigieren, Mr. Sinclaire. Wir müssen nur ein paar Transistoren auswechseln«, sagte Kaiser. »Da wir ohnehin in Kürze die neue Version des Perseus herausbringen, fällt die Änderung unserer Datenbank überhaupt nicht auf.«

Seit Monaten kündigte Microtel seinen Kunden eine verbesserte Version des Perseus an, was in der Welt der Mikroprozessoren eine ganz normale Entwicklung war. Die neue Version sollte schneller und günstiger in der Herstellung sein. Darüber hinaus sollte der neue Perseus eine Reihe verbesserter Features enthalten, die von den Microtel-Kunden während einer vor sechs Monaten durchgeführten landesweiten Umfrage gefordert worden waren. Der neue Mikrochip, der Perseus II, stand kurz davor, in Produktion zu gehen. Es blieb jedoch noch genug Zeit, um eine kleine Konstruktionsänderung vorzunehmen.

»Wann können Sie das machen?«, fragte Sinclaire, der sich gegen den Schreibtisch lehnte und die Fingernägel seiner rechten Hand begutachtete.

»Jetzt sofort. Es dauert keine fünf Minuten. Ich muss mich nur ins System einloggen, nehme die Änderung vor, ohne dass es jemand bemerkt, und logge mich wieder aus. Ich bin der Einzige hier im Unternehmen mit einem Root-

Privileg. Niemand wird je erfahren, dass diese Änderung vorgenommen wurde.«

»Großartig«, sagte Sinclaire.»Dann machen Sie es jetzt sofort. Benutzen Sie meinen Computer. Wann kommt die neue Version auf den Markt? Und kommen Sie mir ja nicht damit, dass es vier Monate dauert, bis die Produktion ausgeliefert werden kann. Das predigt der Leiter der Marketingabteilung mir immer. Ich weiß genau, dass es nicht so lange dauert.«

Kaiser setzte sich hinter Sinclaires Schreibtisch, zog sich die HP-Tastatur heran und loggte sich ein. »Prototypen der neuen Version können in vier Wochen produziert werden. In zwei Monaten kann die erste Serie in Produktion gehen, und in drei Monaten können wir mit der Serienproduktion beginnen«, sagte er, während seine Finger über die Tastatur glitten.

Sinclaire verschränkte die Arme, als er auf die farbigen Grafiken auf dem 19-Zoll-Monitor schaute. *Zwei Monate bis zur ersten Produktionsserie.* In der Zwischenzeit würde Microtel Mikroprozessoren mit einem Fehler ausliefern.

»Haben Sie eine Liste mit den Industriekunden, für die ein Risiko besteht?«, fragte Sinclaire.

Dolbear reichte Sinclaire einen Ausdruck.

XXXXXXXXXX Verkaufsdaten 412-1019 XXXXXXXXXX
XXXXXXX MICROTEL, INC. VERTRAULICH XXXXXXX

Komponente:	Perseus
Beschreibung:	Verbesserter 64-Bit-Superscalar-Mikroprozessor
Markt:	Industrie

XXXXXXXXXXXXXXXXXXXXXXXXXXXXXXXXXXXXXXXXXXX

KUNDEN	ANZAHL	ANWENDUNG
Rythenon	340	Medizinische Röntgengeräte
Chrysler	980	Roboter
Diablo Canyon	12	Kontrollsysteme

Dow Chemical	37	Kontrollsysteme
Boeing	240	Flugelektronik
Ford	720	Roboter
Nine Mile Point	12	Kontrollsysteme
Palo Verde	12	Kontrollsysteme
Peach Bottom	12	Kontrollsysteme
Federal Express	670	Sortiermaschinen
South Texas	12	Kontrollsysteme
Xerox	1480	Kopierer (Modell GX7500)

| Gesamtlieferung: | 4527 | |

XXXXXXXXXXXX Ende der Daten XXXXXXXXXXXX

Preston Sinclaire studierte einen kurzen Augenblick die Liste. Zu den Fähigkeiten eines erfolgreichen Geschäftsmannes gehörte es auch, Schadensbegrenzung zu betreiben. Selbst wenn Microtel den Fehler im Perseus II beseitigte, liefen viele Anlagen weiterhin mit einem Risiko. Und obwohl viele dieser Anlagen wie die Kontrollsysteme in Chemie- oder Kernkraftwerken über eingebaute Sicherheitssysteme verfügen sollten, damit eine Störung in einem Teil des Systems nicht das ganze System zum Erliegen brachte, war Palo Verde ein Beispiel dafür, dass diese Sicherheitssysteme auch im ungeeignetsten Augenblick versagen konnten.

Sinclaire wandte sich wieder an Lawrence Dolbear. »Wie wollen Sie vorgehen?«

Der erfahrene Wirtschaftsmanager, den Sinclaire nach dem Crash an der Wall Street im Oktober 1987 eingestellt hatte, grinste. »Es nennt sich ‚selektiver Rückruf'. Wir werden den Perseus nur bei diesen Anwendungen ersetzen.« Er zeigte auf das Blatt, das Sinclaire noch immer in der Hand hielt. »Das sind die einzigen Anwendungen, bei denen der Fehler zu einem Unfall führen könnte. Keiner unserer Perseus-Prozessoren, die in der Wirtschaft und von Privatleuten genutzt werden, muss ersetzt werden, weil die Millionen Nutzer des SC-200 in Wirtschaft, Schulen und im Privatbereich im ganzen Land einen Fehler nicht bemerken würden. Der Perseus II wird als verbesserte Version auf den Markt kommen, und außerdem wird die Fehlerquelle beseitigt sein. Wir haben bereits geplant, die verbesserte Version während der monatlichen Wartungen, die unsere Außendienstmitarbeiter bei unseren gesamten Industrieanwendern durchführen, auszutauschen.«

Als Preston Sinclaire auf die Skizzen auf dem Farbmonitor schaute, während Kaiser einige Transistoren veränderte, dachte er daran, wie wichtig es war, in den Besitz der Diskette zu kommen und Pamela Sasser zum Schweigen zu bringen. Wenn seine Killer das schafften, müsste es ihm gelingen, eine persönliche Katastrophe zu verhindern, die ihm das Genick brechen könnte.

»Dann fasse ich mal zusammen.« Sinclaire beobachtete seinen technischen Leiter, der an der Skizze des Perseus II eine High-Tech-Operation vornahm. »Wir können diese Änderung also durchführen und die Sache dann vergessen, weil schon alles vorbereitet ist, um die Anlagen unserer Industriekunden aufzurüsten, die allein ein Risiko darstellen, falls der Fehler zu einem Unfall führt?«

»Ja, ganz genau. Finanziell wird sich das nicht auswirken, weil die Aufrüstungen bereits geplant waren.«

»Und wie sieht es mit der Nutzung des Mikroprozessors in der Wirtschaft aus?«

Der ehemalige Wirtschaftsmanager der Wall Street zuckte mit den Schultern. »Das steht auf einem anderen Blatt. Wenn wir den unüberschaubar großen Bereich der Nutzer in der Wirtschaft mit diesem Fehler konfrontieren, könnten wir damit auch gleich an die Öffentlichkeit gehen. Es ist etwas anderes, wenn wir ein paar Tausend Chips in der Industrie austauschen. Niemand wird misstrauisch werden, vor allem weil wir diesen Kunden bereits angekündigt haben, ihre Anlagen kostenlos aufzurüsten. Aber wir können nicht jeden SC-200-Computer aufrüsten, den wir je gebaut haben. Wir haben mehrere Millionen verkauft. Die Presse würde Lunte riechen, und dann wäre der Teufel los.«

»Es ist aber auch gar nicht nötig, die in der Wirtschaft genutzten Systeme aufzurüsten«, sagte Jim Kaiser, der beim Sprechen auf den Monitor starrte.

»Das sehe ich auch so«, stimmte ihm Dolbear zu. »Und wenn SC-200-Computer alle paar Jahre einmal abstürzt? Computer stürzen ständig ab, weil es einen Kurzschluss gibt, Beta Software verwendet wird oder aus anderen Gründen. Solange der Nutzer seinen Computer wieder neu starten kann und er nicht ständig abstürzt, werden Sie niemals Klagen hören. Denken Sie daran, dass wir den Perseus schon seit Jahren verkaufen und sich bisher nicht ein *einziger* unserer Millionen Kunden beschwert hat. Sie werden jetzt nicht damit anfangen.«

»Das scheint mir zu einfach zu sein«, sagte Sinclaire stirnrunzelnd. »So simpel ist es nie.«

»Das könnte man meinen«, stimmte Lawrence Dolbear zu. »Ich habe mir die Unterlagen und unsere aktuellen Marketingpläne jedoch angesehen und keine Lücke in der Strategie gefunden. Kaiser verändert die Datenbank des Perseus II, ohne dass es jemand merkt, und die Chips werden produziert und getestet. Unsere Außendienstmitarbeiter rüsten die Geräte unserer Industriekunden auf – was schon geplant war – und bringen die fehlerhaften Chips zurück in die Fabrik, wo sie vernichtet werden. Dann ist der Industriesektor sicher, und die Nutzer in der Wirtschaft werden den Unterschied nie erfahren. Einige Privatkunden werden ihren Computer mit dem Perseus II aufrüsten wollen, um die Leistungsfähigkeit zu steigern und verbesserte Features zur

Verfügung zu haben. Das ist ja auch der Grund, warum wir den Perseus II in erster Linie herstellen: um unseren Marktanteil zu vergrößern und unsere Gewinnspanne zu erhöhen. Wir nehmen lediglich in letzter Minute eine winzige Änderung vor, um das Problem zu beseitigen, ohne dass jemand davon erfährt. Wenn Kaiser uns garantieren kann, dass *niemand* außer uns hier im Raum von der Änderung erfährt, läuft das Geschäft einfach weiter wie bisher. Die neuen Chips werden produziert, und unsere Produktionsabteilung liefert sie an die Außendienstmitarbeiter aus, die die Umrüstung wie geplant vornehmen. Das ist eine perfekte Lösung des Problems, Mr. Sinclaire. Tadellos. Microtel macht weiter wie bisher, und Sie können sich in den Wahlkampf stürzen, ohne sich Sorgen machen zu müssen.«

Preston hob eine Augenbraue und nickte. »Hoffentlich haben Sie Recht, Mr. Dolbear. Manchmal mache ich mir einfach viel zu viele Sorgen, vor allem weil der Wahlkampf vor der Tür steht. Die verdammte Presse nimmt schon meine Steuererklärungen der letzten zwanzig Jahre, meine Investitionen und mein Privatleben unter die Lupe. Diese Hyänen haben Freude daran, jeden viel versprechenden Präsidentschaftskandidaten in der Luft zu zerreißen.«

In diesem Moment drehte sich Kaiser auf seinem Stuhl um und lächelte Sinclaire und Dolbear an. »Fertig. Morgen geht der Chip in die Produktion, und niemand außer uns wird je erfahren, dass die Änderung erfolgt ist.«

»Vergessen Sie Pamela Sasser nicht«, sagte Sinclaire.

Kaiser und Dolbear wechselten einen Blick, ohne etwas zu erwidern.

»Machen Sie sich keine Sorgen. Ich kümmere mich um Pamela Sasser«, fügte Sinclaire hinzu.

Preston Sinclaire hatte nicht nur seinem Leiter der Sicherheitsabteilung den Auftrag erteilt, die Wohnung von Pamela Sasser auszurauben. Überdies hatte er von General Jackson

Brasfield die Zusicherung erhalten, dass der Killer in weniger als einer Stunde kontaktiert werden sollte. Brasfield hatte schon ein Arbeitsessen in Washington vereinbart.

Es gefiel Sinclaire ganz und gar nicht, dass der Killer möglicherweise ein paar Tage brauchen könnte, um Pamela Sasser auszuschalten. Dadurch hätte die Informatikdozentin genug Zeit, um den Fehler im Perseus an die Öffentlichkeit zu bringen. Bei LaBlanche war das etwas anderes. Sinclaire hatte den alten Universitätsprofessor bis Ende der Woche hingehalten und ihn glauben gemacht, Microtel würde diese Zeit brauchen, um die Daten durchzusehen und die Presseerklärung herauszugeben. Dadurch hatte der Killer Zeit, seinen Vertrag zu erfüllen. Bei Pamela Sasser lag der Fall anders. Sinclaire wusste nicht, mit wem er es zu tun hatte. Sie könnte ihr Wissen jederzeit enthüllen. Wenn DeGeaux die Diskette jedoch in der Zwischenzeit an sich bringen könnte, gäbe es keinerlei Beweise mehr ...

»Und wie groß ist das Risiko eines weiteren Unfalls?«, fragte Kaiser. Diese Frage lenkte den Präsidenten von Microtel von weiteren Überlegungen ab. »Es dauert immerhin ein paar Wochen, bis die Geräte aufgerüstet werden.«

»Ja ... das ist ein Problem ...«, sagte Preston Sinclaire langsam. Er hatte die Augen geschlossen und atmete erregt. Einen Moment später öffnete er die Augen. »Seit wann wird der Perseus in der Industrie eingesetzt?«

»Seit fünf Jahren«, erwiderte Dolbear.

»Und bisher hat es nur einen Unfall gegeben?«, fragte Sinclaire.

»Soweit wir wissen, ja«, antwortete Kaiser. »Aber denken Sie daran, dass Perseus-Chips häufiger versagt haben könnten. Größtenteils verfügen die Anlagen über eingebaute Sicherheitssysteme, und daher würde durch den Fehler im Perseus nicht sofort das ganze System versagen. Ich wette, dass die Operatoren das Problem meistens noch nicht einmal bemerken. In Palo Verde hat sich die Situation zugespitzt, weil die vorschriftsmäßig eingebauten Sicherheitssysteme, wie zum Beispiel Notfallpumpen und Sicherheitsventile, nicht wie programmiert funktioniert haben. Eigentlich handelte es sich nur um einen kleinen Zwischenfall, weil zu wenig Kühlwasser in den Reaktor floss, und das passiert in Kernkraftwerken häufiger, als zugegeben wird. Durch eine Reihe unglücklicher Zufälle artete der Störfall aus, sodass es zu einer Kernschmelze kam. Wie hoch ist das Risiko, dass so etwas noch einmal passiert? Meiner Meinung nach ist es sehr, sehr gering.«

»Dann riskieren wir es«, beendete Sinclaire die Sitzung. »Und ich will über dieses Problem nicht mehr sprechen, falls nichts passiert. Verstanden?«

»Ja, Sir«, erwiderten die beiden leitenden Angestellten im Chor.

»Ich kümmere mich um Pamela Sasser. Noch Fragen?« Sinclaire schaute auf die Uhr. Es war 10.25 Uhr. »Gut. Meine Herren, ich muss mich jetzt um den Werbespot kümmern.«

Als Sinclaire mit seinen Bodyguards die Treppe hinunterstieg, kam ihm auf der Treppe eine Angestellte der Rechtsabteilung entgegen. Sinclaire beachtete sie kaum. Kurz darauf hatte er schon die Glastür erreicht, die in die Eingangshalle führte, wo er sofort vom Maskenbildner und dem Filmteam umringt wurde.

Die Angestellte ging in den Kopierraum, denn sie musste ein Dokument kopieren. Normalerweise hätte es mindestens zwei Stunden gedauert, von dem Papierberg fünfzig doppelseitige Kopien anzufertigen, aber der neue Xerox-GX7500-Kopierer, der seit einer Woche hier im Kopierraum stand, hatte sich bereits als schnellster und sauberster Kopierer im ganzen Gebäude erwiesen. Daher würde sie vermutlich kaum eine Stunde brauchen. Drei weitere GX7500-Kopierer sollten Ende der Woche geliefert werden, um ältere Modelle zu ersetzen. Die anderen Gebäude des Unternehmens sollten bis Ende des Jahres mit den neuen Kopierern ausgerüstet werden.

Die Angestellte runzelte die Stirn. Zwei Personen warteten bereits vor dem neuen Kopierer. Sie hätte auf einem der älteren Geräte anfangen können, aber das wollte sie nicht. In keinen anderen Kopierer konnte sie das ganze Paket auf einmal einlegen. Eigentlich hatte sie noch nie gesehen, dass jemand so viele doppelseitige Kopien eines so umfangreichen Dokumentes angefertigt hatte. Entweder benötigten die Angestellten wie auch die beiden Sekretärinnen vor ihr ein paar Kopien eines umfangreichen Dokumentes oder viele Kopien eines kleineren Dokumentes. Gleich sollte ihr der neue GX7500 zeigen, was in ihm steckte.

Als sie schließlich an der Reihe war, dauerte es fünf Minuten, bis sie genug Papier in den Kopierer gelegt hatte. Im Gegensatz zu älteren Modellen konnte der neue Xerox bis zu fünfzehntausend Blatt Papier aufnehmen.

Nachdem sie das Dokument in den automatischen Einzug gelegt hatte, drückte sie die entsprechenden Tasten auf dem weichen Pad und schließlich auf Start.

Da sie doppelseitige Kopien gewählt hatte, zählte der Kopierer zuerst die Seiten. Anschließend zog der Kopierer die Seiten blitzschnell ein.

Die Angestellte wartete, bis die erste Kopie eine Minute später im Ausgabeschacht lag. Sie nahm sie heraus, sah sich die Kopie an und war mit dem Ergebnis sehr zufrieden. Da der Kopierer jetzt mindestens fünfzig Minuten automatisch arbeitete, beschloss sie, in die Cafeteria zu gehen.

Die ungewöhnlich hohe Anzahl doppelseitiger Kopien eines ungewöhnlich umfangreichen Dokumentes zwang den Perseus-Mikroprozessor in dem großen Xerox GX7500, der schon über fünfzigtausend Befehle pro Sekunde ausführte, seine Fließkommaeinheit zu benutzen, um die Aufgabe bewältigen zu können. Mit jeder fertigen Kopie änderten sich die Inputs der Fließkommaeinheit. Der Output der Fließkommaeinheit wanderte nicht nur aus dem Perseus heraus, um dem Labyrinth des Hochgeschwindigkeitsmotors des Kopierers einen neuen Satz an Befehlen zu übergeben. Die Daten wanderten auch wieder zurück in die Fließkommaeinheit und vermischten sich mit den von hunderten verschiedener Sensoren gesammelten Daten, die durch den Kopierer schossen. Jedes vierundzwanzigmillionste Mal – was etwa jede achte Minute der Fall war – änderten sich die Daten, sodass sie durch den fehlerhaften Schaltkreis der Fließkommaeinheit flossen. Der Perseus leitete einen leicht veränderten Befehl an den Kopierer. Dadurch wurden drei Seiten nur einseitig kopiert, ehe die Daten wieder in den Perseus flossen und sich so veränderten, dass der fehlerhafte Schaltkreis nicht benutzt wurde.

Als alle Kopien nach dreiundfünfzig Minuten fertig waren, hatte der Kopierer sechs der fünfzig Kopien, die mit den doppelseitigen vermischt waren, nur einseitig kopiert. Und aufgrund dieses bestimmten Fehlers variierten die fehlerhaften Seiten innerhalb jedes Dokumentes.

Die Angestellte, die mit einem leeren Handkarren von ihrer Kaffeepause zurückkehrte, kontrollierte drei der fünfzig kopierten Dokumente. Das Ergebnis stellte sie zufrieden. Wieder einmal hatte der GX7500 tadellos gearbeitet. Sie packte die Kopien auf den Handkarren und ging damit zur Rechtsabteilung.

5

Rückblende

Alle Dinge werden uns genommen und zu Puzzle-
stücken der schrecklichen Vergangenheit.

Alfred Lord Tennyson

WASHINGTON, D. C. *Montag, 16. November*

Harrison Beckett hatte mehr als einmal gemordet.
Doch er tat das selten mit einer Waffe, zumindest nicht, seitdem er die DIA 1981 verlassen hatte. Es gab viel bessere
Methoden, Menschen ihr Leben zu nehmen, als ihnen eine
Kugel in den Kopf zu jagen. Beckett eilte an diesem trüben,
kühlen Nachmittag zu einem Treffen, bei dem er erfahren
würde, ob er wieder würde töten müssen.

Er atmete die trockene, kalte Luft tief ein, als er die Ecke
der Euclid und der Elften Straße erreichte, nachdem er eine
halbe Stunde durch die Innenstadt von Washington gelaufen
war, um mögliche Beschatter abzuschütteln. Er wurde nicht
beschattet.

Seine braunen Augen wanderten über das große Restaurant auf der anderen Seite der vierspurigen Straße, auf der
um diese Mittagszeit starker Verkehr herrschte. Auf dem
Schild über dem Eingang des einstöckigen Gebäudes aus roten Ziegelsteinen und Glas stand *Giovanni's.* Hinter den
großen Fenstern im Erdgeschoss und im ersten Stock saßen
Gäste im mattgelben Licht und aßen zu Mittag.

Harrison Beckett strich sich mit der Hand durch sein kurzes braunes, mit grauen Strähnen durchzogenes Haar, das

ihm in die Stirn fiel. Dem großen hellhäutigen Mann in dem dunkelgrauen Anzug war anzusehen, dass er aufs Essen achtete und Sport trieb. Die glatte Haut und das gesunde Aussehen spiegelten jedoch nicht seinen Lebensstil wider. In seinem Job waren Druck und Angst an der Tagesordnung, und zwanzig Jahre verdeckter Operationen hatten Becketts einst jugendliches Gesicht gezeichnet. Seine glatte Haut und sein gesundes Aussehen hatte er der plastischen Chirurgie zu verdanken, der er sich nicht aus Eitelkeit, sondern aus Notwendigkeit unterzogen hatte.

Ihm war ein wenig übel, als er an der Ampel stand und darauf wartete, dass sie auf Grün umsprang. Er hatte die Hände in die Hosentaschen gesteckt, und die Finger seiner rechten Hand spielten mit einem silbernen Feuerzeug. Öffentliche Plätze und Menschenmengen waren ihm verhasst. In seinem Job stand er nicht gerne in der Öffentlichkeit, doch er hatte sich noch nie wohl gefühlt, wenn ihn Unbekannte umringten oder – noch schlimmer – Menschen, die er nur flüchtig kannte, auch wenn diese Menschen ihm ein hübsches Sümmchen für seine Dienste zahlten.

Beckett war ein Einzelgänger. Er war als Einzelkind in einer Kleinstadt in Kansas aufgewachsen, und er liebte das Land und hasste alles, was mit großen Städten zu tun hatte: große Menschenmengen, verstopfte U-Bahnen, Busse und Straßen, Einkaufszentren, Supermärkte und Restaurants.

Schließlich sprang die Ampel auf Grün um, und er überquerte die Straße. Wasser spritzte hoch, als er mit seinen weichen Lederschuhen über den nassen Asphalt lief. Vor zwei Stunden war er in der Hauptstadt angekommen. Es hatte geschneit, und das gefiel Beckett ausgezeichnet, denn er hatte sich im *Admiral's Club* am Flughafen aufs Ohr gelegt, um Kraft zu tanken. Schlaf und Essen waren Waffen, die erfahrene Agenten sehr schätzten. Wenn er schlief, dachte er außerdem nicht ans Rauchen, das er vor drei Monaten unter großen Qualen aufgegeben hatte. Die einzige Erinnerung ans Rauchen war das Geschenk einer Frau, die jetzt nur noch in der Erinnerung des ehemaligen DIA-Agenten lebte. In das Feuerzeug war der Name *Layla* eingraviert.

Eine leichte Brise wehte ihm durchs Haar, als er die andere Straßenseite erreichte und auf den Eingang des Restaurants zusteuerte. Er schaute auf die Uhr. Zwölf Uhr – pünktlich auf die Minute.

Die Platzanweiserin, eine hübsche Blondine, die vermutlich ihr ganzes Gehalt für Schminke und Schmuck ausgab, kam auf ihn zu und begrüßte ihn.

»Guten Tag, Sir.«

»Tag. Ich bin hier mit Mr. Brasfield verabredet«, erwiderte Beckett, dessen Blick über die Menge im Eingangsbereich wanderte. Gut gekleidete Männer und Frauen standen herum und warteten auf einen freien Tisch oder gingen über die grauen Schieferplatten zur Bar. Der verlockende Duft italienischer Pasta stieg ihm in die Nase und weckte trotz der leichten Übelkeit seinen Appetit.

Die Platzanweiserin lächelte ihn mit strahlend weißen Zähnen an. »Er ist schon da, Sir. Hier entlang bitte.«

Beckett folgte der jungen Dame, deren langes blondes Haar anmutig wippte, durch die Menge. Das leise Klirren des Silberbestecks auf Porzellantellern vermischte sich mit dem Geräusch der Tischgespräche. Die Platzanweiserin blieb vor einer Tür im hinteren Teil des Erdgeschosses stehen, die zu einem separaten Raum führte. Sofort darauf verschwand sie.

Ohne anzuklopfen, öffnete Harrison Beckett die Tür und betrat den Raum.

Ein stämmiger, untersetzter Mann in einer Uniform der US-Army saß im flackernden Kerzenschein und trank Rotwein. Als Brasfield den Blick hob, sah Beckett unter den dunklen Augen des Generals tiefe Furchen. Eine behaarte Hand führte das Weinglas an die vollen Lippen. Der stellvertretende Direktor der DIA runzelte argwöhnisch die Stirn, als er Beckett durch seine Hornbrille musterte.

Beckett bemerkte sofort, dass noch eine weitere Person anwesend war. Abseits des Kerzenlichtes saß jemand in einer dunklen Ecke. Beckett schaute zuerst Brasfield und dann den Fremden an. »Ich wusste nicht, dass wir Gesellschaft haben.«

»Mein Assistent«, erklärte der General. »Derartige Treffen können gefährlich sein. Sie verstehen das sicher.«

Beckett warf dem Fremden in der dunklen Ecke noch einen flüchtigen Blick zu, ehe er sich wieder dem Direktor der DIA zuwandte.

Er zog sich einen Stuhl heran, setzte sich an den kleinen Tisch und beäugte den General mit der Hakennase und der ordensgeschmückten Brust, der ihm gegenübersaß. Auf der cremefarbenen Tischdecke lag glänzendes Silberbesteck, und vor dem General stand eine Flasche Wein.

»Wir haben ein Problem in Louisiana«, sagte Jackson Brasfield.

Beckett schaute auf die glatte Tischdecke. Seinen Auftrag in Baton Rouge hatte er tadellos ausgeführt. Daran bestand kein Zweifel. Die beiden bei Dr. Eugene LaBlanche eingesetzten Chemikalien hatten ausgezeichnet gewirkt. Am letzten Donnerstag hatte er den Trinkwasserfilter bei LaBlanche zu Hause mit der einen Hälfte des Giftes versetzt. Die Chemikalie, die von Dr. LaBlanches Gewebe aufgenommen wurde, war im Grunde unschädlich. In Verbindung mit dem zweiten Gift, einer anderen harmlosen Chemikalie, die Beckett am letzten Freitag auf das Salatdressing im *Plantation Room* gesprüht hatte, verwandelte sich die Mischung jedoch kurzfristig in ein starkes Gift. Es löste einen Herzstillstand aus und verwandelte sich anschließend wieder in eine harmlose Chemikalie. Gute Arbeit. Und jetzt deutete Brasfield an, es gäbe ein Problem.

Es klopfte an der Tür.

»Avanti, Alfredo«, rief Brasfield.

Als die Tür geöffnet wurde und Licht in den Raum fiel, konnte Beckett schnell einen Blick auf Brasfields *Assistenten* werfen, der sich kurz nach vorn beugte. Er lehnte sich sofort wieder zurück, und sein Gesicht wurde von der Dunkelheit verschluckt. Beckett hatte das Gefühl, dieses Gesicht schon einmal gesehen zu haben. Es kam ihm irgendwie bekannt vor.

Ein Kellner mit dichtem schwarzen Haar und einem ebensolchen Schnurrbart betrat grinsend den Raum, schloss die Tür und trat an den Tisch.

»Ah, Generalissimo. È arrivato il suo amico speciale?«

»Sì, Alfredo.«

Beckett musterte den großen dürren Italiener, der ihn ansprach. »Und was möchte der spezielle Freund des Generals trinken, bevor die Vorspeise serviert wird?«

»Scotch und Wasser«, erwiderte Brasfields spezieller Freund.

»Sehr gern, Signore.« Sofort darauf war er wieder verschwunden.

Brasfield strich mit einem Finger über den Fuß des Weinglases, bis der Kellner die Tür geschlossen hatte. »Es gibt noch eine Zielperson in Louisiana. Eine Frau. Sie hat mit dem Professor zusammengearbeitet.«

Beckett nickte. Es gab also ein *neues* Problem, das jedoch mit seinem letzten Auftrag in Verbindung stand. Die DIA hatte unwiderlegbare Beweise, dass Dr. Eugene LaBlanche allerneueste Computerprogramme an Länder der Dritten Welt verkauft hatte. In einem Fall konnte ein verdeckter Ermittler der DIA die Spur eines solchen Programms bis zu einem syrischen Schwarzmarkthändler für High-Tech-Güter zurückverfolgen. In einem anderen Fall berichtete ein DIA-Agent im Sudan, dass ein Amerikaner von einem bekannten Geschäftsmann aus Jordanien zwanzigtausend Doller für die

Lieferung von zwei Disketten erhalten habe. Der Agent hatte den Amerikaner fotografiert, und es war Dr. LaBlanche. Die DIA nahm noch weitere Überprüfungen vor, die bestätigten, dass Dr. LaBlanche während der Zeit der Übergabe am Mittelmeer einen Urlaub verbrachte. Der Professor war ein Verräter und musste ausgeschaltet werden. Der DIA stand nicht der Sinn danach, ihn zu verhaften und strafrechtlich zu verfolgen, denn um die notwendigen Beweise für eine Verurteilung zu erbringen, hätten Geheiminformationen einer Überseeoperation offenbart werden müssen. Auf diese Weise wären Geheimoperationen gefährdet worden. Daher beschritt die DIA den einfachsten Weg aus diesem Dilemma, und Beckett war einer der qualifiziertesten professionellen Killer, wenn es um diskrete Morde ging.

Der Kellner kehrte mit Becketts Getränken und zwei Speisekarten zurück. Als Beckett einen Schluck trank, spürte er, wie der Alkohol seine Brust erwärmte und den Magen beruhigte. Der Alkohol, das volle Restaurant und das ungute Gefühl, das dieses Treffen mit General Brasfield begleitete, lösten in ihm das starke Verlangen nach einer Zigarette aus.

Der Direktor der DIA setzte sich die Brille wieder auf, hob die Hand und sprach den Kellner an. »Vorrei il mio solito pasto, Alfredo.«

»Molto buono, Signore.«

»Probieren Sie Calzone alla Giovanni«, sagte General Brasfield in einem beiläufigen Ton zu Beckett. »Die beste in der ganzen Stadt.«

Beckett, der sich fragte, was mit Brasfields *solito pasto* gemeint war, nickte dem Kellner kurz zu. Dieser drehte sich um und verließ den Raum.

Der ehemalige DIA-Agent strich mit dem Daumen über Zeige- und Mittelfinger seiner rechten Hand und sagte: »Meine Bedingungen sind dieselben wie beim letzten Job.«

Brasfield zupfte an der schwarzen Krawatte seiner Uniform, bevor er das Weinglas in die Hand nahm und noch einen Schluck trank. »Es ist alles arrangiert.«

»Haben Sie bestimmte Vorstellungen?« Beckett trank den Scotch aus, stellte das Glas auf den Tisch und lehnte sich zurück. Der Alkohol entspannte ihn, ohne jedoch seine Sinne zu benebeln. Sein scharfer Verstand analysierte jede Regung des Armeegenerals und suchte nach Anzeichen für eine Täuschung.

Der General spielte mit seinen Orden und schaute Beckett in die Augen. »Als ich auf dem Weg hierher war, wurde ich Zeuge eines Unfalls. Vermutlich hat jemand die Kontrolle über sein Fahrzeug verloren und ist gegen einen Baum gerast. Die Sanitäter hatten große Mühe, den Leichnam des armen Kerls aus dem Wrack zu bergen.« Er hob sein Glas und prostete Beckett zu. »Ich finde, wenn man schon gehen muss, sollte es schnell gehen.« Er trank das Glas aus und füllte es nach.

»Wie schnell?«, fragte Beckett.

»Achtundvierzig Stunden.«

»*Unmöglich.* In der Zeit kann ich keine saubere Arbeit leisten, und das wissen Sie.«

General Jackson Brasfield trank schweigend einen Schluck Wein und schaute Beckett mit durchdringendem Blick an. »Vielleicht war es ein Fehler. Ich werde mir einen anderen suchen.«

Beckett verzog keine Miene. »Sie haben *keinen* Fehler gemacht, und Sie werden *keinen* Besseren finden, weil ich der Beste bin. Aber ich brauche eine Woche.«

»Vier Tage. Die Hälfte des Geldes bekommen Sie heute Abend. Die andere Hälfte wird Ihnen wie üblich zugestellt«, sagte Brasfield schmunzelnd. Es machte ihm offenbar Spaß, Beckett hinzuhalten.

Beckett gefiel es nicht, wenn man mit ihm spielte. Er war ein professioneller Killer. Vielleicht sollte er den alten General nach diesem Job kostenlos beseitigen. Plötzlich hatte er das dringende Bedürfnis, den Raum zu verlassen und niemals mehr einen Job für die DIA zu erledigen. Doch auch wenn er andere Kunden hatte, die nicht so anspruchsvoll waren, hatte keiner von ihnen das Jahresbudget der DIA, das 9 Milliarden betrug und die 1,5 Milliarden der CIA in den Schatten stellte. Die CIA stand im Mittelpunkt der Nachrichten, Romane und Spielfilme, aber die DIA bekam vom Kongress die großen Gelder. Die DIA, eine Behörde, die die meisten von der CIA durchgeführten Militäranalysen überprüfte, erstattete nicht dem Direktor der CIA, sondern dem Verteidigungsminister Bericht, der die Berichte und Analysen der DIA dem Nationalen Sicherheitsrat vorlegte. Zwischen der DIA und der CIA herrschte große Rivalität, vor allem wenn es darum ging, welche Behörde die besten Einblicke hatte, wenn sich Krisen anbahnten. Beide Behörden behaupteten, die sowjetischen Raketen auf Kuba, die 1962 zur Kubakrise führten, zuerst entdeckt zu haben.

Beckett legte seine Hände auf die Stuhllehnen, atmete tief durch und schaute Brasfield an. »Ich gehe kurz zur Toilette.«

Brasfield hob schweigend sein Glas, als Beckett den Raum verließ. Er fragte die blonde Platzanweiserin nach dem Weg.

Sie neigte den Kopf zur Seite und lächelte, ehe sie antwortete. »Rechts neben dem Eingang, Sir.«

Beckett nickte und ging davon.

Vier Tage für einen inszenierten Autounfall! Entweder hatte Brasfield zu viel Wein getrunken, oder er machte Scherze. Eine Woche war okay. Vier Tage waren auf jeden Fall zu überstürzt, aber es wäre machbar. Für LaBlanche hatte er vier Tage gebraucht. Zwei Tage für die Beobachtung und Planung und zwei für die Ausführung.

Beckett war erleichtert, als der Strahl ins glänzende weiße Becken floss. Der ganze Raum war makellos sauber. Ein großer goldgerahmter Spiegel hing über den drei blauen

Waschbecken. Ein ordentlicher Stapel königsblauer Handtücher mit einem aufgestickten goldenen G in der Mitte lag linker Hand. Nachdem Beckett sich die Hände gewaschen hatte, nahm er sich ein Handtuch vom Stapel und trocknete sich die Hände ab, während er das Wunder kosmetischer Chirurgie betrachtete. Dieses Gesicht hatte ihm ein italienischer Arzt verpasst, nachdem er wie durch ein Wunder einem Killerkommando entkommen war.

Das Killerkommando. Becketts Gedanken wanderten in die Vergangenheit, zurück zum Bahnhof in Kairo, Ägypten. Er hörte den qualvollen Schrei, ehe seine geliebte Layla Shariff im Kugelhagel des Bahnsteigs zusammenbrach. Beckett rollte sich zu einer Kugel zusammen und griff nach der Beretta in seinem Schulterholster. Er sah sie: vier in Schwarz gekleidete Männer mit Kalaschnikows AK-47. Beckett schoss zurück. Zwei der Killer sanken zu Boden, als ihre Brustkörbe nach dem Einschuss der Hollow-Point-Projektile aus Becketts Automatik zerbarsten. Beckett feuerte die letzte Kugel auf den dritten Killer. Der Schuss zerfetzte dessen Brust. Der vierte Mann, der einen Bart trug, versuchte seine AK-47 herumzuschwingen, doch Beckett hatte sich schon auf ihn gestürzt und presste ihn auf den Boden. Die Kalaschnikow entglitt den Händen der kämpfenden Rivalen. Schüsse. Weitere Schüsse. Sirenen in der Ferne. Der Geruch des Schießpulvers vermischte sich mit dem Rauch der Dieselmotoren und drang in seine Lungen. Beckett zog ein Messer heraus und schlitzte das Gesicht seines Angreifers auf. Als sich der Mann umdrehte, landete die glitzernde Stahlklinge auf seinem rechten Ohr und schnitt ein Stück ab. Blut floss über sein Gesicht. Beckett stach noch einmal zu und stieß das Messer tief in seine Brust und seinen Bauch. Der Angreifer sank auf die Knie und schaute Beckett an. Grüne, hasserfüllte Augen, bebende Nasenflügel, zitternde Lippen und Blut, das aus den Mundwinkeln sickerte. Als der Mann zusammenbrach, eilte Beckett zu Layla. Er sah nur noch ihren erloschenen Blick, das verzerrte Gesicht, das Blut, das aus ihrer Nase und über den kleinen braunen Leberfleck über ihren Lippen floss. Es war zu spät. In jenem Moment starb ein Teil von ihm, und Hoffnungslosigkeit erschütterte seinen bebenden Körper. Er hatte sie verloren. *Er hatte sie verloren.*

»Mister, alles in Ordnung?«

Harrison Beckett umklammerte mit beiden Händen das Waschbecken und kehrte in die Gegenwart zurück. Ein Mann mit gerötetem Gesicht schaute ihn neugierig an.

Beckett fasste sich wieder und erwiderte in einem lässigen Ton: »Diese Alfredosauce. Zu stark gewürzt.«

Der dicke Mann entspannte sich und grinste. »Das Problem kenne ich.«

Beckett grinste ihn an und spritzte sich kaltes Wasser ins Gesicht. Das tat ihm gut. Als er sich abtrocknete und seinen Krawattenknoten richtete, erstarrte er kurz. Plötzlich kam es ihm so vor, als hätte das undeutliche Gesicht von Brasfields Begleiter starke Ähnlichkeit mit Laylas bärtigem Mörder.

Zufall? Beckett spielte mit der Möglichkeit, als er in seine braunen Augen sah.

Dann meldete sich eine andere Stimme.

Lass es sein, Harrison. Lass es sein. Du musst diesen Job nicht machen. Du musst dich nicht mit der DIA herumschlagen. Du hast andere Kunden, die du kontrollieren kannst.

Beckett kehrte mit der festen Absicht, den Job abzulehnen, in den Raum zurück. Jetzt war noch Zeit dazu. General Brasfield hatte ihm die Einzelheiten des Jobs noch nicht enthüllt. Noch konnte er ablehnen, ohne ein Risiko einzugehen. Brasfield hatte ihm diese Möglichkeit zugespielt, als er ihm die absurden Bedingungen genannt hatte. Beckett nahm sich vor, den Job unter dem Vorwand abzulehnen, eine Woche zu brauchen.

Als Beckett sich auf seinen Stuhl setzte, zog Brasfield

eine Schachtel Camel und ein Feuerzeug aus der Tasche. Er bot Beckett eine an, der sie sofort annahm und sein eigenes Feuerzeug hervorholte. Beckett steckte sich die Zigarette in den Mund und drückte mit dem Daumen aufs Feuerzeug. Obwohl Beckett bereits entschieden hatte, den Job abzulehnen, wollte er noch einen Blick auf das Gesicht in der Ecke werfen.

Beckett und Brasfield steckten ihre Zigaretten im selben Moment an, und Beckett konnte ein zweites Mal kurz auf den bärtigen Mann blicken. Er prägte sich das Gesicht des Fremden mit den smaragdgrünen Augen und der rosa Narbe am rechten Ohr ein.

Mein Gott!

Er hatte das Gefühl, ein Güterzug hätte ihn überrollt.

Unmöglich!

Die Nase des Mannes war etwas schmaler und das Gesicht etwas runder, aber es gehörte Laylas Mörder.

Das konnte doch nicht sein! Der Mann war auf dem Bahnsteig gestorben. Die Eingeweide quollen aus seinem Körper hervor, den Beckett mit seiner langen Stahlklinge von der Brust bis zum Bauch aufgeschlitzt hatte. Aber dort saß er, etwa fünf Meter von Beckett entfernt, ohne auch nur im Geringsten anzudeuten, dass er ihn kannte ... *Harrison, du Idiot! Natürlich kann er dich nicht wiedererkennen! Du hast dich ja auch einer plastischen Operation unterzogen!*

Könnte es vielleicht ein Irrtum sein? Vielleicht der seltsamste Zufall auf Erden? Aber die Narbe am rechten Ohr! Die Augen!

Wahnsinn! Es konnte einfach nicht sein ...

»Und?«, fragte Brasfield. »Wie lautet Ihre Antwort?«

Beckett, der innerlich furchtbar aufgewühlt war, schaute Brasfield ungerührt an, zog an seiner Zigarette und sagte in sachlichem Ton: »Vier Tage ist okay.« Kaum hatte er den Satz beendet, bereute er seine Worte.

Lass es sein, Harrison. Lass es sein.

Brasfield lächelte zufrieden. »Ich wusste, dass Sie es können«, sagte er und zog einen weißen Umschlag aus der Innentasche seiner Uniform. »Sie treffen sich mit Ihrem Kontaktmann um ein Uhr dreißig am Lincoln-Denkmal. Hier sind die Instruktionen und die Tickets nach Baton Rouge. Sie müssen noch heute hinfliegen und die Beschattung der Zielperson aufnehmen.«

Beckett nahm den Umschlag entgegen, las sich kurz die Instruktionen durch und gab Brasfield alles zurück, als der Kellner Alfredo mit dem Essen und einem weiteren Scotch für Beckett den Raum betrat.

»Il pranzo, Signori«, sagte Alfredo grinsend, wobei sein Schnurrbart ein Stückchen nach oben rutschte. »Fettucine al Pesto für General Brasfield und die Calzone alla Giovanni für seinen speziellen Freund. Buon appetito!«

»Grazie, Alfredo«, erwiderte Brasfield, der in der rechten Hand den weißen Umschlag hielt.

»Prego.«

Nachdem Alfred verschwunden war, stach Beckett mit der Gabel in die Calzone, und Brasfield wedelte mit dem Umschlag. »Was ist mit der Fahrt? Wollen Sie die Tickets nicht?«

»Ich kümmere mich selbst darum. Danke. Ich werde den Kontaktmann wie besprochen treffen. In vier Tagen hole ich die andere Hälfte des Honorars ab.«

Brasfield hob eine Augenbraue und steckte den Umschlag wieder in seine Uniform.

Sie aßen schweigend. Brasfield hatte ihn mit der Calzone gut beraten. Sie schmeckte hervorragend, aber Beckett konnte das Essen nicht richtig genießen. Seine Gedanken drehten sich nur um das Gesicht, das er kurz gesehen hatte. Er spürte, dass die smaragdgrünen Augen des Mannes in der Ecke auf ihn gerichtet waren. War es ein bloßer Zufall? Oder war dieser Mann wirklich Laylas Mörder?

Nach dem Essen ging Beckett zum Washington Monument im West Potomac Park. Er musste die Zeit totschlagen, ehe er den Kontaktmann von der DIA traf, und sicherstellen, dass ihm niemand folgte. Brasfields mysteriöser Begleiter ging ihm nicht aus dem Kopf. Je mehr er darüber nachdachte, desto verrückter erschien ihm der Gedanke. Die Ähnlichkeit war verblüffend. Beckett und Brasfield hatten nicht viel miteinander gesprochen, nachdem Alfredo das Essen gebracht hatte, doch es gab auch nicht mehr viel zu sagen. Er hatte den Auftrag angenommen, und damit war die Sache zwischen ihnen erledigt. Beckett hasste nicht nur große Menschenmengen, sondern es lag ihm auch nicht, lockere Gespräche zu führen. Daher hatte er einfach gegessen und Alfredo und Brasfield zugehört, die zum Schluss noch kurz miteinander geplaudert hatten. Beckett konnte dem Gespräch entnehmen, dass Brasfield italienisches Essen liebte und mehrmals pro Woche in wechselnder weiblicher Begleitung in diesem Restaurant speiste. Aufgrund der Vertraulichkeit zwischen dem Kellner und Brasfield hatte Beckett das nicht besonders überrascht.

Und was war mit dem Mann in der Ecke? Warum war er da? Becketts Unruhe wuchs. In seinem Job blieb man nur am Leben, wenn man überall Gespenster sah, aber natürlich konnte das auch paranoide Züge annehmen. Die Kunst bestand darin, zu unterscheiden, ob tatsächlich Vorsicht geboten war oder ob die drohende Gefahr nur in der Einbildung existierte. Während seiner Jahre bei der DIA hatte Beckett viele Offiziere und Agenten sterben sehen, weil sie es nicht geschafft hatten, diese Unterscheidung zu treffen. Und dieser Fehler hatte auch zum Tod seiner geliebten Layla Shariff geführt.

Als Harrison Beckett 1981 als DIA-Agent bei der amerikanischen Botschaft arbeitete, erfuhr er, dass die DIA und das ägyptische Militär Geheiminformationen an die muslimische Bruderschaft hatten durchsickern lassen. Es ging um die getroffenen Sicherheitsmaßnahmen, den ägyptischen Präsidenten Anwar Sadat während einer Militärparade zu schützen. Bis heute erinnerte sich Beckett genau an den Moment, als seine Agentin, Layla Shariff, die als Chefsekretärin für einen Assistenten Sadats arbeitete, ihm unwiderlegbare Beweise lieferte, dass radikale Gruppierungen innerhalb des ägyptischen Militärs und der DIA sich mehrmals mit Führern der muslimischen Bruderschaft, einer Gruppe muslimischer Fundamentalisten, getroffen hatten. Diese hassten Sadat, weil er nach Israel gereist war, um mit Menachem Begin, dem damaligen israelischen Premierminister, Frieden zu schließen. Offenbar hätten Militärverträge über ungeheure Summen zwischen dem Pentagon und Ägypten storniert werden müssen, wenn der Friedensprozess zwischen Israel und Ägypten in Gang gekommen wäre. Die muslimischen Fundamentalisten hatten geplant, Sadat während der Militärparade am 6. Oktober zum Gedenken an den achten Jahrestag des Krieges 1973 zwischen Ägypten und Israel zu ermorden. Layla, die für einen engen Mitarbeiter Sadats arbeitete, einen General, der in den Mordplan verstrickt war, kam an mündliche und schriftliche Informationen, die kaum Zweifel an dem Plan ließen, der von Mitgliedern der muslimischen Bruderschaft ausgeführt werden sollte.

Beckett war wie gelähmt, als Layla, eine Agentin, die Beckett ein Jahr zuvor eingestellt hatte, um das ägyptische Militär für die DIA auszuspionieren, ihm unwiderlegbare Beweise für die Verschwörung gegen Sadat lieferte. Zu dem Zeitpunkt hatte sich Beckett schon lange in die hübsche Ägypterin verliebt. Bei dem Treffen vertraute Layla Beckett auch an, dass ihr Boss vermutlich einen Argwohn gegen sie hege, wofür sie allerdings keinerlei Beweise hatte. Da die Militärparade erst in einer Woche stattfinden sollte, beruhigte Beckett sie und schickte sie zurück zur Arbeit, während er versuchte, das Problem zu lösen. Wenige Stunden nach dem

Treffen mit Layla bemerkte Beckett die Verfolger, die sich an seine Fersen geheftet hatten. In diesem Augenblick erkannte Beckett, dass er und Layla in Lebensgefahr schwebten. Der Versuch, mit dem Zug aus Kairo zu fliehen, erwies sich als folgenschwerer Fehler. Am Bahnhof erwartete sie bereits ein Killerkommando.

Beckett verfluchte die DIA, weil sie den Agenten Geheiminformationen vorenthielt. Bei seinem jetzigen Job konnte ihm keiner die Kontrolle über seine Aufträge entreißen. Als Einzelkämpfer genoss er eine Freiheit, die ihn mitunter berauschte, vor allem da ihn Persönlichkeiten in hohen Positionen oder mit großartigen Titeln nicht beeindruckten. Für den Geheimagenten zählten nur nachvollziehbare Argumentationen, wenn es um einen Auftrag ging. Sein Verantwortungsbewusstsein, das zu DIA-Zeiten von den Vorgesetzten sehr geschätzt wurde, war für den Auftragskiller ungeheuer wichtig. Beckett hatte einen scharfen Verstand und hielt sich nur an sinnvolle Regeln. Ergab eine Sache in seinen Augen keinen Sinn, ließ er sie fallen. Daher war Beckett neuen Ideen, Konzepten und Möglichkeiten gegenüber offen und objektiv.

Möglichkeiten. Beckett dachte noch immer angestrengt nach, als er die kühle Luft tief einatmete. Eine leichte Brise fegte durch die Zweige der Bäume am Vietnam Veterans Memorial, wo ein paar Dutzend Menschen vor der Marmormauer hin und her gingen. War die schattenhafte Gestalt in der Ecke Laylas Mörder? War es möglich, dass Brasfield in Bezug auf Becketts wahre Identität einen Verdacht hegte und das Treffen und den *Assistenten* als Vorwand benutzt hatte, um seinen Verdacht zu überprüfen? Hatte Brasfield die Geschichte über die Frau, die mit Dr. LaBlanche zusammengearbeitet hatte, erfunden, um Beckett in die Sache hineinzuziehen, ihn zu testen und auszuschalten, falls er versagte?

Als Beckett auf das gewellte Bild des Washington Monumentes in dem lang gezogenen Reflecting Pool, der sich bis zum Lincoln Memorial erstreckte, schaute, fragte er sich, ob die DIA ihn schließlich nach all den Jahren aufgespürt hatte. War die DIA seinem verrückten Plan, den er in Rom ausgeführt hatte, um sein Überleben zu sichern, auf die Schliche gekommen?

Rom.

Harrison Beckett verdrängte den Gedanken an diese Schuld, als er die Stufen erreichte, die zum Lincoln Memorial führten.

Er warf einen prüfenden Blick auf die Umgebung und hielt Ausschau nach Detektiven, die verdeckte Ermittler vorausschickten, um die Sicherheit des Treffens zu gewährleisten. Touristen schossen Bilder, und Männer in Anzügen und Frauen in Kostümen eilten schnellen Schrittes an ihm vorüber. Jeder Einzelne von ihnen könnte für Brasfield arbeiten und die Sicherheit des Gebietes überprüfen, bevor eine Unmenge Geld den Besitzer wechselte.

Als Beckett die Treppe zum Denkmal bis zur Mitte hinaufstieg, wie er es mit Brasfield abgesprochen hatte, ehe sie sich getrennt hatten, wuchs seine Unruhe. Hier war er einer möglichen Gefahr schutzlos ausgeliefert. Hatte Brasfield das beabsichtigt? Wollte der stellvertretende Direktor der DIA, dass sich Beckett wie auf einem Präsentierteller der Öffentlichkeit preisgab?

Ein dunkler PKW fuhr auf den Bordstein. Ein Mann in einem grauen Anzug stieg hinten aus dem Wagen und kletterte die Stufen hinauf. Beckett schob seine rechte Hand unter den Anzug und umklammerte die Beretta 92F in dem Schulterholster, während er den Mann beobachtete. Dieser verdeckte Agent mit dem blassrosa Gesicht, dem aschblonden Haar, dem Schnurrbart und den blauen Augen war gekommen, um ihn zu bezahlen ... oder zu töten.

Der DIA-Agent grinste verächtlich, warf dann einer Gruppe japanischer Touristen, die sich für ein Gruppenfoto aufstellten, einen Blick zu und sagte: »Der General lässt grüßen.«

Becketts Hand steckte noch immer unter dem Anzug und umklammerte den Metallgriff. Der Kontaktmann war höchstens dreißig und ebenso groß wie Beckett.

»Zeigen Sie mal, was Sie haben«, sagte Beckett, der seine Beretta jetzt losließ.

Der Kontaktmann überreichte ihm zwei Umschläge. Beckett öffnete den dickeren zuerst. Er war mit Einhundertdollar-Scheinen gefüllt. Nachdem er ihn wieder geschlossen und unter seinen rechten Arm geklemmt hatte, öffnete Beckett den zweiten Umschlag. Er starrte auf das Foto von Pamela Sasser. Das war die Frau, die nach den Worten der DIA Dozentin im Fachbereich Informatik der Louisiana State University und Komplizin des verstorbenen Dr. Eugene LaBlanche sei. *Eine schöne Frau, diese Pamela Sasser.* Er sah eine Frau mit klaren blaugrünen Augen an. Sie hatte langes dunkles Haar, das auf ihre weiblich gerundeten Schultern fiel, einen dunklen Teint und hohe Wangenknochen. Als der ehemalige DIA-Agent den kleinen Leberfleck über der Oberlippe sah, zuckte er unmerklich zusammen.

Harrison ... Harrison, mein Geliebter ...

Hör auf! Konzentriere dich!

Harrison Beckett gab dem DIA-Kontaktmann das Foto zurück und las sich die Unterlagen durch. Er erfuhr die Adresse der Zielperson, den genauen Arbeitsplatz an der Universität, Fabrikat und Farbe ihres Wagens – alle Informationen, die Beckett brauchte, um seinen Vertrag zu erfüllen.

Unter dem wachsamen Blick des DIA-Agenten prägte Beckett sich schweigend die Daten ein, ehe er dem jungen Agenten das Dossier zurückgab. Dieser hob vier Finger und sagte: »Ab jetzt. Die Zeit läuft.« Anschließend ging der junge Mann davon.

Eine Stunde später flog Beckett an Bord eines gecharterten Learjets direkt nach Baton Rouge. Der Flug kostete ihn siebentausend Dollar, doch das war für ihn angesichts des großzügigen Honorars eine Kleinigkeit. Beckett, der von Natur aus vorsichtig war, wollte die Beschattung seiner Zielpersonen immer so früh wie möglich aufnehmen, damit er genügend Zeit hatte, sauber zu arbeiten. Charterflüge boten nicht nur die beste Möglichkeit, Reisezeit zu sparen und sich ungestört umziehen und schlafen zu können, sondern er konnte auch mit seiner Neun-Millimeter-Automatik und dem *Handgepäck*, einer imprägnierten Nylontasche, durchs Land fliegen. In seinem *Handgepäck* befanden sich zusätzliche Patronen für die Beretta, mehrere doppelschneidige Jagdmesser, ein Fernglas und ein paar Marlboro Golds, die er sich vor dem Reiseantritt gekauft hatte.

Um 4.45 Uhr parkte Beckett seinen Mietwagen einen Block von dem Wohnhaus entfernt, in dem Pamela Sasser nach Angaben der DIA wohnte. In gut vier Stunden hatte er seine Zielperson erreicht. Er zweifelte ernsthaft daran, dass ihm das ein anderer Killer nachmachen konnte.

Nach wenigen Minuten hatte Beckett drei Personen – eine Frau und zwei Männer – entdeckt, die das Wohnhaus von Pamela Sasser vom Swimmingpool aus, der hinter dem Parkplatz lag, beobachteten. Er verdächtigte die DIA. Entweder wollte Brasfield Beckett überprüfen, oder er wollte warten, bis Beckett seinen Job erledigt hatte, um ihn dann umbringen zu lassen.

Beckett ging zur Verwaltung des Gebäudes und dachte angestrengt über einen Plan nach, wie er Antworten auf seine Fragen bekommen könnte, ehe er nach Washington zurückkehrte, um das Geheimnis um Brasfields Assistenten aufzudecken.

6

FBI-Agenten

Die Aufgabe des FBI ist es, Verstöße gegen Bundes-
recht zu verfolgen, die Vereinigten Staaten gegen
Spionagetätigkeiten fremder Geheimdienste zu
schützen, anderen Polizeibehörden auf Bundes-,
Staats- und lokaler Ebene Unterstützung zu bieten
und diese Aufgaben im Einklang mit der Verfassung
und den Gesetzen der Vereinigten Staaten zu erfüllen.
Erklärung des FBI

BATON ROUGE, LOUISIANA *Montag, 16. November*

Eine hoch gewachsene Frau mit einem angeknabberten Stück gepökeltem Rindfleisch in der Hand lehnte am hüfthohen, schmiedeeisernen Gitter, das den Swimmingpool auf der anderen Seite des Parkplatzes vor Pamela Sassers Wohnhaus umgab. Sie trug eine ausgeblichene Jeans, ein übergroßes schwarzes T-Shirt der New Orleans Saints, Sneakers und eine runde Sonnenbrille. Ihr Blick wanderte über die Menge, die Kinder im Pool und den Nachmittagsverkehr in Tiger Town und blieb schließlich auf der Wohnung der Zielperson im Erdgeschoss haften. Es war Esther Cruz, Special Agent des FBI aus Washington, D. C., wo das FBI im J. Edgar Hoover Building in der Stadtmitte untergebracht war.

Esther Cruz war über einsachtzig groß und kräftig. Die sieben Kilo, die sie zu viel auf die Waage brachte, betrachtete sie als Vorteil, wenn es darum ging, einen Verbrecher zur Strecke zu bringen. Sie hatte ihr grau meliertes schulterlanges Haar im Nacken zusammengesteckt. Aufgrund der markanten Nase, die sie von ihrem mexikanischen Vater geerbt hatte, war Esther nicht besonders hübsch, aber sie war dennoch eine interessante, selbstbewusste Frau. Ihr Gesicht wies die Spuren des Alters und eines harten Arbeitslebens mit wenigen Unterbrechungen auf, und ihr dunkler Teint war in der heißen Sonne Louisianas schon eine Spur nachgedunkelt. Die mit Türkisen besetzten Silberarmbänder, die sie an beiden Handgelenken trug, klirrten, als sie noch ein Stück von dem gepökelten Rindfleisch abbiss, die Plastikfolie darüber zog und es in ihre Tasche steckte. Anschließend nahm sie die Sonnenbrille ab, hauchte auf die Gläser und polierte sie mit einem Zipfel ihres T-Shirts. Passende Ohrringe und Halsketten, die einen Teil des Logos auf dem T-Shirt verdeckten, erinnerten Esther immer an ihr texanisch-mexikanisches Erbe. Der Silberring auf dem Ringfinger der linken Hand erinnerte Esther an ein Leben, das sie nie würde führen können. Die Automatikwaffe in dem Schulterholster unter dem großen T-Shirt erinnerte sie an ihren Job.

Esther setzte die Sonnenbrille wieder auf und ließ ihren Blick noch einmal über das Gebiet wandern, ehe sie den beiden Agenten, die sie begleiteten, einen verärgerten Blick zuwarf. Die beiden Männer starrten auf eine junge Blondine mit üppigen Formen, die in dem winzigsten Bikini, den Esther je gesehen hatte, zum Pool ging.

»Beruhigt euch, Jungs«, sagte sie und wandte ihre Aufmerksamkeit wieder der Wohnung der Zielperson zu. Ihre großen Ohrringe tänzelten durch die Luft, als sie ihren Kopf bewegte. Beide Agenten räusperten sich. Einer murmelte eine Entschuldigung.

»Besichtigungen können Sie während Ihrer Freizeit vornehmen, aber nicht während der Arbeitszeit, und vor allem *nicht* bei diesem Job«, fügte Esther hinzu, die über die neue Generation der FBI-Agenten etwas enttäuscht war. Zeitweise schien es ihnen an der wichtigen Konzentration für eine erfolgreiche Beschattung zu mangeln. Sie hatten mit diesem Job erst vor ein paar Stunden begonnen, und die beiden jungen Agenten verfielen bereits in den typischen Anfängerfehler. Ihre Aufmerksamkeit erlahmte, und das hatte schon viele Agenten seit den Anfängen des FBI das Leben gekostet. Dabei sollten diese beiden zu den besten Nachwuchsagenten der FBI-Zentrale in Washington gehören!

Esther Cruz schüttelte den Kopf. Bei diesem Job durfte einfach nichts schief gehen. Erst heute Morgen hatte sie von einem Marine-Agenten, der unter dem direkten Befehl des Direktors des Marinegeheimdienstes, des Office of Naval Intelligence, fürs FBI arbeitete, erfahren, dass Pamela Sasser das nächste Glied in der Kette war. Esther hoffte, sie könnte das FBI und das ONI zu einem Verbrecherring führen, der innerhalb des Pentagons operierte. Vor zehn Jahren hatte das ONI von diesem korrupten Netzwerk erfahren. Der Direktor des Marinegeheimdienstes traf sich augenblicklich mit dem Direktor des FBI, um eine gemeinsame Spezialeinheit zu bilden, die diesen Verbrecherring bekämpfen sollte. Unglücklicherweise war dieser Verbrecherring sehr geschickt darin, die Ermittlungen zu behindern, indem Mitwisser und Verantwortliche ausgeschaltet wurden. Esther glaubte, dass der Verbrecherring für den Tod vieler Zivilisten und Militärs verantwortlich war. All diese Personen waren dem Netzwerk wahrscheinlich zu nahe gekommen und entweder eines *natürlichen Todes* gestorben oder durch Selbstmord ums Leben gekommen. Und der Verbrecherring schien immer weiter zu wachsen. Von Zeit zu Zeit lenkten ein Politiker, ein Reporter oder sogar ein Offizier die Aufmerksamkeit auf einen Fall von Bestechung oder Betrug, woraufhin das ONI und das FBI ihre Ermittlungen wie im Jahre 1991 verstärkten. In diesem speziellen Fall, in den über einhundert FBI-Agenten einschließlich Esther Cruz involviert waren, wurden vierundfünfzig Beamte des Verteidigungsministeriums verhaftet. Aber wie schon oft vor und nach diesem Fall hatte man nur die kleinen Lichter zu fassen bekommen. Die Hauptverantwortlichen schnitten erfolgreich die Verbindungen zu ihnen ab und blieben an der Macht. Schlüsselpersonen, die mit dem Fall zu tun hatten, starben. Einige verübten Selbstmord, einige kamen bei Autounfällen ums Leben, und einige starben eines natürlichen Todes.

Einige ...

Esther schaute auf den Silberring und atmete tief ein. Sie war davon überzeugt, dass die Militärmafia hinter den vielen Todesfällen steckte, wodurch die Verbindungen gekappt wurden, die das FBI näher an die Täter herangeführt hätte. Esther befürchtete auch, dass dieses Netzwerk schon länger als zehn Jahre seine Hände bei gewissen militärischen und politischen Machenschaften im Spiel hatte. Die seltsamen Todesfälle, die mit Skandalen im Pentagon in Verbindung standen, reichten bis zum Vietnamkrieg zurück.

Als der Marineleutnant Eduardo López, der als Undercover-Agent arbeitete, Esther Nachrichten über mögliche Verbindungen zum Web – wie Esther diesen verzweigten Verbrecherring nannte – zuspielte, hatte sie dem FBI-Direktor die Genehmigung abgerungen, mit drei ihrer Agenten sofort nach Baton Rouge zu fliegen. Esther war mit ihren Kollegen kurz nach Mittag gelandet und hatte zwei Wagen gemietet. In einem der Mietwagen war die versierte Agentin, Jessica White, zur Universität gefahren, um Pamela Sasser zu beschatten. Esther und die beiden jungen Agenten warteten vor dem Wohnhaus auf Pamela Sasser und hielten sich bereit, falls Jessica White sie zur Unterstützung rief.

Nachdem Esther Cruz überprüft hatte, ob das Handy an ihrem Gürtel aufgeladen war, gähnte sie und reckte sich. Obwohl sie erschöpft und hungrig war, trieb sie der hohe Adrenalinspiegel in ihrem Körper zu Höchstleistungen an.

Diese Ermittlung könnte zur Zerschlagung eines weit verzweigten Verbrecherrings führen, und das war eine Aufgabe, die ihr besonders lag.

Sie hatte 1975 als Einundzwanzigjährige beim FBI angefangen. Damals hatte das FBI nicht viele weibliche Agenten eingestellt, und vor allem nicht für riskante Undercoverjobs, die Esther Cruz anstrebte. Aber sie war eisern gewesen, clever und eine großartige Agentin. Als einziges Kind eines Ranchers in Südtexas hatte Esther nach der Schule gelernt, wie man mit Waffen umging, während ihre Freundinnen mit Puppen spielten. Ihr Vater nahm sie mit zur Jagd, wo sie lernte, sich an ihre Beute heranzupirschen, sich auf ihre Instinkte zu verlassen und zu töten, wenn sie töten *musste*. Nachdem sie die FBI-Akademie in Quantico, Virginia, besucht hatte, wurde sie in Miami eingesetzt. Dort hatte sich Esther ausgezeichnet, indem sie sich freiwillig für die härtesten und gefährlichsten Undercoverjobs meldete. Das Highlight ihrer Karriere in dem Südstaat war ihre tragende Rolle bei der Verhaftung des Drogenbosses Mario Calderón in Miami Beach gewesen. Esther hatte sich als Besitzerin von WhiteComm, einer vom FBI gegründeten Funktelefongesellschaft in Miami, ausgegeben. Das Leben der Drogendealer hing von guten Kommunikationsmöglichkeiten ab, und als sich herumsprach, das WhiteComm Handys verkaufte und kostenlose Gesprächseinheiten zur Verfügung stellte, ohne dass die Drogendealer sich durch Vorlage ihrer Sozialversicherungsnummern und Fahrerlaubnisse identifizieren mussten, konnte sich Esther Cruz' Kleinunternehmen kaum vor Nachfragen retten. Auch Mario Calderón fand sofort Gefallen an dem Unternehmen, als Esther ihm erlaubte, einige seiner Geschäfte bei WhiteComm abzuwickeln. Neun Monate lang hörte das FBI hunderte von Gesprächen ab und zeichnete dutzende Treffen bei WhiteComm auf Video auf. Am Ende der Ermittlungen konnte das FBI nicht nur Calderón und dutzende seiner Kontaktmänner verhaften, sondern es konnte auch verhindern, dass Lieferungen im Wert von 600 Millionen Dollar ins Land flossen. WhiteComm machte sogar einen Gewinn von 380.000 Dollar, die in den Tresoren des FBI verschwanden.

Esther Cruz war eine »Straßenagentin«. Es gefiel ihr, im Außendienst zu arbeiten, und sie hatte großen Respekt vor allen anderen Straßenagenten. Sie galt als sehr kollegial und scheute keine Auseinandersetzung mit den Vorgesetzten, um ihre Agenten zu unterstützen.

Als Esther 1990 nach Washington versetzt worden war, hatte sie Arturo Cruz, einen Korvettenkapitän, der für das ONI arbeitete, zum ersten Mal gesehen. Bis zu dem Zeitpunkt hatte Esther außer ein paar kurzen Romanzen mit Kubanern in Miami kaum Beziehungen zu Männern gehabt. Aber bei Arturo war alles anders. Schon eine Stunde, nachdem sie sich 1991 bei den vom FBI und ONI gemeinsam durchgeführten Ermittlungen kennen gelernt hatten, wusste sie, dass die Chemie zwischen ihnen stimmte. Drei Monate später heirateten sie auf der Ranch ihres Vaters in Texas unter denselben Eichen, unter denen sie das Schießen und Lassowerfen gelernt hatte. In dem Wald ganz in der Nähe hatte sie ihren ersten Hirsch erlegt.

Esther betrachtete den Silberring an ihrem Finger und zog die Stirn in Falten. *Ich werde diese Schweine kriegen, mi amor.*

Esther wusste, dass ihr früher oder später ein Durchbruch gelingen würde, und so geschah es auch. General Jackson T. Brasfield, der stellvertretende Direktor der DIA, setzte seine engsten Mitarbeiter davon in Kenntnis, dass Dr. Eugene LaBlanche über Informationen verfüge, die für seine Freunde in der Organisation gefährlich werden könnten. Brasfield gehörte zu den wenigen Offizieren, die die während der Ermittlungen 1991 gebildete Sondereinheit aus FBI- und ONI-Agenten nicht verhaftete. Sie beschlossen stattdessen, ihn zu beschatten, um auf diese Weise tiefer in das Netz der Verbrecherorganisation einzudringen.

Esther Cruz hatte zwei ihrer Top-Agenten nach Louisiana geschickt, um Dr. Eugene LaBlanche zu beschatten. Leider erwiesen sich die Bemühungen als erfolglos, denn der Universitätsprofessor starb wenige Tage später an einer Herzattacke.

Sie seufzte. *Herzattacke! Verdammte Scheiße!* Esther Cruz hatte die Möglichkeit einer Autopsie aus dem gleichen Grund wie die Verhaftung des korrupten Generals verworfen. Sie wollte den Verbrecherring nicht hellhörig machen, indem sie in das Wespennest stach. Bisher wussten sie nicht, wie weit es verzweigt war. Eine Verhaftung Brasfields könnte sie in ihrer Arbeit um Monate zurückwerfen. Brasfield war ihr zuvorgekommen und hatte Dr. LaBlanche ausgeschaltet. Damit hatte er ein Glied der Kette eliminiert, das ihnen neue Einblicke in den Verbrecherring ermöglicht hätte.

Esther hatte das schon zu oft mit ansehen müssen. Jetzt war der Professor tot, und plötzlich tauchte diese Pamela Sasser aus heiterem Himmel auf. Esther hatte gebeten, in diesen gottverdammten Staat geschickt zu werden, ohne auch nur das FBI-Büro vor Ort zu kontaktieren. Sie überzeugte die obersten Bosse davon, dass dieser Fall einfach zu heikel war und nur die Personen, die unmittelbar mit dem Fall zu tun hatten – nämlich Esther und ihre zwei Dutzend Agenten –, in Kenntnis gesetzt werden sollten. Der Direktor stimmte zu, und damit begann die Arbeit am wichtigsten Fall ihres Lebens.

Esther schaute auf die Uhr, ehe sie ihre Stirn gegen die rechte Schulter presste, um die Schweißperlen auf ihrer gebräunten Stirn zu trocknen. Sie war ein wenig neidisch auf die Kinder im Swimmingpool.

Was ist das nur für ein Wetter? Es ist November, oder? Da Esther seit sechs Jahren im Norden lebte, hatte sie vergessen, wie heiß es im Süden war. Noch nicht einmal in Texas war es um diese Jahreszeit so heiß und feucht. Esther konnte es kaum erwarten, nach Hause zu fahren, doch das war erst möglich, wenn sie gefunden hatte, was sie suchte: Spuren.

»He, Calv«, sagte sie zu einem ihrer Kollegen, einem fünfundzwanzig Jahre alten Afro-Amerikaner aus Harlem, New York, der an dem Tor stand, das zum Swimmingpool führte.

»Ja, Mutter?«

»Ziemlich heiß, nicht?«, sagte Esther, die diesen Spitznamen verliehen bekommen hatte, nachdem sie vor vier Jahren während eines Geiseldramas in einer Highschool in Washington ihr Leben riskiert hatte. Zwei bewaffnete fünfzehnjährige Jungen hatten die ganze Schule vierundzwanzig Stunden lang als Geiseln genommen, um gegen die Festnahme ihrer Klassenkameraden zu protestieren, die wegen Drogendelikten eine Woche zuvor verhaftet worden waren. Esther, die sich als Sozialarbeiterin ausgegeben hatte, um zwischen den bewaffneten Jugendlichen und der Polizei zu vermitteln, hatte die Jugendlichen entwaffnet, ihnen Handschellen angelegt und sie schließlich an den Ohren ins Freie gezerrt. Das war am Freitag vor Muttertag passiert. Aus Dankbarkeit für die Heldentat hatte die Schule Esther den Titel »Mutter des Jahres« verliehen.

Calvin Johnson wies mit dem Daumen auf den Agenten neben ihm, einen vietnamesischen Immigranten, der in der zweiten Generation in Amerika lebte. Er hatte erst vor zwei Jahren die Ausbildung an der FBI-Akademie abgeschlossen. »Das Schlitzauge ist dran, was zu trinken zu holen.«

Liem Ngo, der knapp einssechzig groß war und fünfundsiebzig Kilo auf die Waage brachte, konnte Typen, die zwei Köpfe größer waren als er, in dreißig Sekunden zu Boden strecken. Er sagte: »Scheiße, du Arsch. Ich hab' die letzte Runde spendiert, und außerdem bin ich jetzt pleite.«

Schlitzauge? Scheiße? Arsch? Esther Cruz fragte sich, seit wann es mit der englischen Sprache dermaßen bergab ging. Ihre Augen wanderten über Pamelas Wohnung. »Es ist sehr, sehr heiß hier, nicht wahr, *Calv*?«

Liem grinste. Sein glattes schwarzes Haar fiel über die schmalen Augen. »Das gefällt mir hier an diesem Land, Junge. Überall Gerechtigkeit. Stimmt's, Calv?«

»Scheiße«, murmelte Calvin Johnson, als er sich zögernd entfernte. »Immer müssen die Nigger den Botenjungen spielen. Mit uns kann man es ja machen.«

»Wir sind hier im Süden, Junge«, fügte Liem hinzu, der sich köstlich amüsierte. »Wenn in Rom ...«

»Leck mich«, zischte Calvin im Weggehen.

Esther überhörte den Kommentar, während sie im Stillen lächelte. Calvin war an der Reihe, Mineralwasser aus dem Automaten zu ziehen.

In diesem Augenblick sah sie einen blauen Honda Accord, der auf dem freien Parkplatz vor Pamela Sassers Wohnung anhielt. Das Fahrzeug stimmte mit den Informationen in den Unterlagen überein, die sie vor ihrer Abreise aus Washington erhalten hatte.

»Calv, kommen Sie sofort zurück. Die Zielperson ist da. Alle in den Wagen.« Sie drückte Liem Ngo das Handy in die Hand. »Rufen Sie Jessica an und sagen Sie ihr, sie soll sofort hierher kommen.«

Pamela Sasser manövrierte den Wagen auf den für sie reservierten Parkplatz vor ihrer Wohnung im Erdgeschoss. Sie war körperlich und psychisch vollkommen am Ende. Das hatte nicht nur mit der Trauer um LaBlanche und ihrer Sorge zu tun, dass Microtel möglicherweise für den Diebstahl verantwortlich war, sondern überdies neigte sich das Semester dem Ende zu. Sie musste Arbeiten und Examen benoten, und in einer Woche war ihr Semesterprojekt fällig.

Pamela schloss den Wagen ab, ging zu der langen Veranda vor dem Wohnhaus und legte ihre Hand auf den Türgriff.

Sie erstarrte. Die Tür war nicht abgeschlossen.

Da sie sich ganz sicher war, heute Morgen abgeschlossen zu haben, stieg Panik in ihr auf.

Ein Einbruch!

Jemand war in ihre Wohnung eingebrochen! Sie hatte gehört, dass in dieser Gegend in letzter Zeit verstärkt eingebrochen wurde und auch ein paar Nachbarwohnungen davon betroffen waren. Natürlich hatte sie nicht damit gerechnet, dieses Unglück könne auch ihr widerfahren.

Pamela blieb reglos stehen, schlug eine Hand vor den Mund und blickte misstrauisch auf die Tür. War der Dieb noch in der Wohnung? Und wenn er in diesem Moment herauskam? Was würde er tun, wenn er sie hier stehen sah? Sie zur Seite stoßen und mit der Beute davonlaufen, sie gar töten oder in die Wohnung zerren und vergewaltigen?

Pamela trat ein paar Schritte zurück und ging dann ein Stück zur Seite. Sie überlegte. Wahrscheinlich waren ihre Überlebenschancen weitaus größer, wenn sie hier draußen noch eine Weile wartete. Aber wie lange war lange genug? Fünf Minuten? Zehn Minuten? Sie wusste es nicht, und sie hatte zu große Angst, um darüber nachzudenken.

Sie lief zurück zum Wagen, stieg ein, verschloss die Türen und startete den Motor. Zehn Sekunden lang drückte sie auf die Hupe und wartete.

Nichts.

Nach weiteren zehn Sekunden streckten zwei Nachbarn ihre Köpfe aus den Fenstern im ersten und zweiten Stock und brüllten herum. Ein paar Leute, die am Pool standen, schauten in ihre Richtung. Aber in ihrer eigenen Wohnung tat sich nichts.

Nachdem sie zehn Minuten dort gesessen und den Motor hatte laufen lassen, kam sie sich allmählich ziemlich dämlich vor. Schließlich nahm sie ihren ganzen Mut zusammen und ging wieder auf die Haustür zu.

Sie hielt die Luft an, drehte den Knauf herum und stieß die Tür auf.

O mein Gott!

Ihre Wohnung war vollkommen auf den Kopf gestellt worden. Auf dem Boden im Wohnzimmer lagen überall Bücher, die mit dem weißen Füllmaterial aus ihrer aufgeschlitzten Ledercouch bedeckt waren. Tischlampen und Bilderrahmen waren zerbrochen. Der Fernseher lag auf der Seite, und ein Dutzend bunte Kabel ragten aus der Verkleidung hervor. Ihre Stereoanlage war aufgebrochen worden, und das elektronische Innenleben lag neben den zerbrochenen Lautsprechern. In der Küche herrschte das gleiche Chaos: Töpfe, Pfannen, Teller, Gläser und Bestecke lagen vermischt mit den Lebensmitteln aus dem Kühlschrank auf einem Haufen in der Mitte des Raumes. Ein durchgeschnittener Salatkopf lag neben einem ausgehöhlten Brot. Langsam dämmerte es ihr, dass hier kein normaler Dieb am Werk gewesen war. Ihre elektronischen Geräte waren noch da. Jemand hatte den Fernseher und die Stereoanlage aus dem Schlafzimmer ins Wohnzimmer geschleppt, doch die Geräte waren nicht gestohlen, sondern zerstört worden. Der PC, der im Schlafzimmer stand, war ebenfalls in Stücke geschlagen worden. Die ganze Wohnung sah unheimlich, aber irgendwie auch friedlich aus. Es erinnerte Pamela an eine Stadt nach dem Durchzug eines Tornados.

Schlagartig erkannte Pamela, was das bedeutete. Sie verdrängte ihre Wut einen Moment und wühlte in dem Chaos herum. Jemand hatte ihre Besitztümer zerstört, und sie wusste ganz genau, was fehlte. Sie ging bei der Suche sehr vorsichtig vor, um herauszufinden, mit welchen Menschen sie es zu tun hatte und wozu sie fähig waren.

Nachdem Pamela Sasser zehn Minuten lang Müll zur Seite geschoben hatte, setzte sie sich in einer Ecke des Schlafzimmer auf den Boden. Ihre Diskettenbox fehlte! Sie war nicht wie alles andere hier in dieser Wohnung, die sie seit fast fünf Jahren ihr Zuhause nannte, zerstört, zerbrochen oder aufgeschnitten worden, sondern sie war verschwunden. Und das Schlimmste war, dass Pamela *ganz genau* wusste, wer sie gestohlen hatte. Sie sah im Geiste vor sich, wie jemand in diesem Augenblick bei Microtel all ihre Disketten durchsah und sorgfältig den Inhalt jeder Diskette überprüfte, ehe er sie zur Seite legte und die nächste überprüfte.

Vielleicht hatte Microtel von ihrem Backup und ihrer Mitarbeit erfahren, als sich jemand in dem Unternehmen die Unterlagen von Dr. LaBlanche angesehen hatte.

Plötzlich schoss ihr eine Frage durch den Kopf: Was würden sie ihr antun, wenn sie feststellten, dass die Diskette nicht in ihrer Wohnung war? Und nicht in ihrem Büro? Sie vermutete bereits, dass Microtel auch ihr Büro wie das von LaBlanche nach seinem plötzlichen Tod durchsucht und ausgeplündert hatte ... Der Gedanke traf sie wie ein Schlag:

Dr. LaBlanche war ermordet worden!

Pamela schloss die Augen, rieb sich mit den Fingern über die Schläfen und fing an zu zittern. Sie konnte ihre entsetzliche Angst kaum noch kontrollieren. Ihr Leben war in Gefahr, weil jemand nach Geld und Macht strebte. Die Vorstellung, was Microtel und Preston Sinclaire ihr antun könnten, machte sie schier wahnsinnig.

Doch trotz der Angst und des Schocks, trotz der Tränen und der Wut, ihre bescheidenen, aber für sie wertvollen Besitztümer verloren zu haben, und trotz ihrer angegriffenen Nerven meldete sich Pamelas Verstand zu Wort.

Auf einmal ergab alles einen Sinn. In diesem makabren Schauspiel passte alles zusammen. Im Kampf um Gut und Böse war Pamela die Einzige, die noch lebend auf der Bühne stand. Dr. LaBlanche informiert Microtel über seine Entdeckung. Preston Sinclaire versucht, einen Skandal und eine kostspielige Rückrufaktion zu vermeiden und den Fehler zu vertuschen. Er erteilt einem Killer den Auftrag, LaBlanche zu töten und einen Herzanfall des Professors vorzutäuschen. Und jetzt ist Microtel im Besitz des Computerprogramms, weil das Unternehmen die Dateien von Dr. LaBlanche gestohlen hat. Das Unternehmen stellt fest, dass der alte Professor eine Mitarbeiterin hat, die eine Kopie des Programms besitzt, was Microtel als ernsthafte Bedrohung ansieht. Sonst hätten sie nicht danach gesucht.

Tausend Fragen schossen ihr durch den Kopf. An wen konnte sie sich mit dieser Information wenden? An die Polizei? Ans FBI? An die Nuklearkontrollbehörde? Und wie sollte sie genau vorgehen? Ein anonymer Anruf, um ihre Identität nicht preiszugeben, falls sich Microtel an ihr rächen wollte? Oder sollte sie die Sache an die Öffentlichkeit bringen und vor Gericht aussagen? Und was wäre die Konsequenz, wenn sie das machen würde? Würden die Gesetzeshüter ihr Personenschutz gewähren? Eine neue Identität? Ein neues Leben? Sie musste daran denken, dass sie vor über einem Jahrzehnt, als sie den Fäusten ihres Vaters entflohen war, schon einmal ein neues Leben begonnen hatte. Damals hatte ihr niemand geholfen. Es hatte sich als schlechter Scherz entpuppt, die Polizei zu rufen, denn die hatte sich auf die Seite ihres Vaters gestellt. Pamela hatte niemandem trauen können, noch nicht einmal ihrer Mutter, und daher war sie einfach abgehauen, hatte das Land verlassen und in Baton Rouge ein neues Leben begonnen.

Aber würde sie das noch einmal schaffen?

Diesmal hatte sie es nicht mit einem betrunkenen Bullen aus Beaumont, Texas, zu tun. Diesmal hatte sie es mit einem der mächtigsten Männer des Landes zu tun, mit jemandem, dessen Reichtum ihr Vorstellungsvermögen überstieg.

Pamela Sasser stellte sich die Frage, ob sie mit dem Wissen um den fehlerhaften Perseus an die Öffentlichkeit gehen sollte. Ganz sicher würde Preston Sinclaire alles in seiner Macht Stehende tun, um sie daran zu hindern, selbst wenn das bedeutete ...

Lauf weg, Pamela. Das ist eine Nummer zu groß für dich. Lass die Diskette hier und nimm die Beine in die Hand!

Konnte sie denn überhaupt weglaufen? Microtel hatte Dr. LaBlanche auf dem Gewissen. Konnte sie sich einfach abwenden und die Augen vor der Tatsache verschließen, dass der fehlerhafte Perseus für die schlimmste Nuklearkatastrophe, die je in Friedenszeiten ausgelöst wurde, verantwortlich war? Wie viele Katastrophen würden noch geschehen, wenn sie damit nicht an die Öffentlichkeit ginge?

Geh weg, Pamela, wiederholte die Stimme.

Pamela Sasser hatte das Gefühl, schon zu vielen Konflikten in ihrem Leben aus dem Weg gegangen zu sein. Sie war weggelaufen und hatte ihre Mutter mit ihrem gewalttätigen Vater allein zurückgelassen. Ein Jahr später hatte er sie getötet, als er eines Nachts vollkommen betrunken nach Hause gekommen war.

Pamela saß noch immer zitternd in der Ecke des Schlafzimmers, umklammerte ihre Knie und weinte, als sich ihre Angst plötzlich in Wut, in rasende Wut verwandelte. Die Wut nahm von ihr Besitz und gewann die Oberhand über ihre Gefühle. Sie presste die Lippen zusammen, ballte die Hände zu Fäusten und atmete tief ein. Solch eine Wut hatte sie nur einmal gespürt, als ihr Vater ihre Mutter zu Tode geprügelt und immer wieder mit seinem Stiefelabsatz auf ihren Schädel getreten hatte. Pamela hatte sich dafür eingesetzt, dass ihr Vater seine gerechte Strafe erhielt. Sie hatte als Zeugin ausgesagt und mit schonungsloser Offenheit das Martyrium geschildert, dem sie und ihre Mutter jahrelang ausgesetzt gewesen waren.

Ebenso wie ihr Vater jetzt hinter den Gittern eines Staatsgefängnisses in Texas für seine Sünden büßte, würde Preston Sinclaire für seine büßen. Der Präsident von Microtel würde für LaBlanche und Palo Verde zahlen und für seinen Glauben, das Recht, sich über das Gesetz zu erheben, kaufen zu können.

Pamela verdrängte den Schmerz und die Tränen, sprang auf, überprüfte, ob die Diskette noch in ihrer Handtasche steckte, nahm die Schlüssel und verließ die Wohnung. Auf dem Parkplatz schaute sie sich um, aber es war niemand zu sehen.

Sie stieg in ihren Honda und fuhr davon, obwohl sie gar nicht genau wusste, wohin sie fahren sollte und wen sie um Hilfe bitten könnte. Auf jeden Fall wusste sie, wohin sie *nicht* fahren und wen sie *nicht* um Hilfe bitten würde. Sie musste Prioritäten setzen: *Das Beweisstück schützen. Die Diskette verstecken. Zum Gegenangriff ausholen und ihre Rache planen.*

Harrison Beckett gefiel es nicht, wie dieses Spiel gespielt wurde. Wie sollte er denn an Pamela Sasser herankommen, wenn es in der ganzen Gegend von Verfolgern wimmelte?

Dieser Fall war eine einzige Farce, und wenn die Lage nicht so ernst gewesen wäre, hätte Beckett fast darüber gelacht. Als Pamela wegfuhr, startete ein schwarzer Pickup mit getönten Scheiben und fuhr langsam aus der Parklücke heraus, um den Honda offensichtlich zu verfolgen. Ein paar Sekunden später fuhr ein dunkler PKW mit den drei Personen, die er für DIA-Agenten hielt, los. Jetzt rannte Beckett aus seiner Wohnung im ersten Stock zu seinem Wagen, einem weißen Ford Escort.

Beckett hatte sich heute Nachmittag auf dem Flug nach Baton Rouge mit der Hausverwalterin verabredet. Die nette alte Dame hatte in ihrem Büro in dem großen Gebäudekomplex auf ihn gewartet. Als er kurz vor Büroschluss ankam, konnte er sich eine Skizze des Hauses ansehen und erhielt Informationen über leer stehende Wohnungen mit

Blick auf den Parkplatz. Alles andere ging problemlos über die Bühne. Nachdem er die Hausverwalterin informiert hatte, dass er morgen zurückkehren werde, parkte Beckett am Ende des Parkplatzes, schlich in den ersten Stock und drang heimlich in eine leer stehende Wohnung ein, von der er einen guten Blick auf den Parkplatz und auf Pamelas Wohnung hatte.

Von diesem Beobachtungsposten überwachte Beckett nicht nur die Aktivitäten der Verfolger durchs Fernglas, sondern auch jedes Fahrzeug, das in der Nähe von Pamelas Wohnung parkte. Da er keinen Wagen sah, auf den die Beschreibung, die er sich Stunden zuvor eingeprägt hatte, passte, war er zu dem Schluss gekommen, dass Pamela nicht zu Hause war.

Als Beckett bei seinem Escort ankam, wartete er, bis die drei Wagen einen Häuserblock entfernt waren, ehe er ihnen folgte. Seine verschwitzten Hände rutschten vom Lenkrad. Das beunruhigte ihn sehr. Normalerweise war er nie nervös, wenn er einen Job ausführte. Er hatte schon viel zu viele Aufträge erledigt, um sich dadurch aus der Ruhe bringen zu lassen, aber er kannte den Grund für die ungewöhnliche Unruhe. Als er seine Handflächen an der Jeans abwischte, wanderten seine Gedanken wieder zu *Giovanni's*, wo er ein paar Sekunden lang das Gesicht von Layla Shariffs Mörder gesehen hatte.

Verdammt, Harrison! Konzentration!

Beckett presste die Lippen aufeinander und versuchte, die Erinnerung an Layla und ihren Mörder zu verdrängen. Er musste sich auf die gegenwärtige Situation konzentrieren, die von Minute zu Minute unüberschaubarer wurde.

Pamela parkte ihren Wagen vor dem großen Supermarkt in Tiger Town, einem Studentenviertel in der Nähe der Universität. Auf der Hauptstraße von Tiger Town, der Highland

Road, waren viele Geschäfte, Supermärkte, ein Kino und eine ganze Reihe von Kneipen. Pamela zog ihre Scheckkarte aus der Tasche, ging zum Geldautomaten im Supermarkt und zog vierhundert Dollar aus dem Automaten. Mehr Geld konnte sie innerhalb von vierundzwanzig Stunden nicht am Automaten abheben.

Ehe sie den Supermarkt wieder verließ, ging sie durch die Gänge und suchte sich die wichtigsten Dinge zusammen, die sie zum Überleben brauchte: eine Schere, eine Flasche Haarfärbemittel, Shampoo, eine Bürste, Styling-Gel, eine Pinzette und Schminkutensilien. Außerdem kaufte sie sich ein extragroßes T-Shirt mit dem Logo der Universität, eine Packung Tiefkühlbeutel und eine kleine Rolle doppelseitige Klebetiketten.

Die Luft an diesem Spätnachmittag war feucht und klar. Das fahle Licht der untergehenden Sonne warf einen rötlichen Schimmer auf den Parkplatz, auf dem sich Pamela nach etwaigen Verfolgern umschaute. Aber im Grunde wusste sie gar nicht, wonach sie suchte. Auf dem Parkplatz standen schätzungsweise über hundert Autos. Um diese Zeit herrschte in dem Supermarkt Hochbetrieb. In einer einzigen Minute gingen ein Dutzend Leute ins Geschäft, und ein Dutzend kamen mit Einkaufstüten wieder heraus. Jeder Einzelne von ihnen hätte sie beschatten können, ohne dass sie es bemerkt hätte.

Als sie mitten auf dem bevölkerten Parkplatz stand, beschloss sie, den Honda stehen zu lassen. Sie würde es ohnehin nicht bemerken, falls ihr jemand folgte, und Microtel wusste vermutlich bereits, welchen Wagen sie fuhr. Daher ging sie zu Fuß zur anderen Seite des Universitätsgeländes zum Nicholson Drive, der zum *Residence Inn* führte. Wenn sie sich beeilte, müsste sie noch vor Einbruch der Dunkelheit dort ankommen.

Nachdem Pamela sich zu Fuß entfernt hatte, fuhren Esther Cruz und ihre beiden Assistenten an den Wagen von Jessica White heran, der in der Mitte des Parkplatzes stand. Fahrzeugtyp und Baujahr der beiden Mietfahrzeuge waren identisch. Sie unterschieden sich nur in der Farbe. Esthers war schwarz und Jessicas weiß.

Jessica White und Esther Cruz ließen die Fenster herunter, als die Wagen nebeneinander standen. Esther hatte Jessica über Handy und Funk über den neuesten Stand der Dinge informiert, bevor sie hier angekommen waren.

»Sie lässt ihren Wagen stehen«, sagte Jessica. Sie hatte schulterlanges blondes Haar, einen hellen Teint, eine zierliche Nase, schmale Lippen und ein spitzes Kinn.

Esther schüttelte den Kopf, als Pamela Sasser über den Parkplatz davonging und ihren Wagen stehen ließ. »Wir lassen unseren Wagen hier stehen und folgen ihr zu Fuß«, sagte Esther zu Liem. »Jessica, Sie und Calvin folgen uns im Wagen.«

Sie nickte.

Bevor sie sich trennten, ließ Esther ihren Blick kurz über den Parkplatz wandern. Plötzlich spürte sie starke Unruhe. Im ersten Moment war sie sich nicht sicher, wodurch dieses Gefühl ausgelöst worden war, aber irgendetwas stimmte hier nicht. Sie hatte mit ihrem geübten Blick die Menschen im Eingangsbereich des Supermarktes, die hineingingen und herauskamen, überprüft. Dabei hatte sie den Bruchteil einer Sekunde einem Mann mit einer Zeitung in der Hand, der in der Nähe der Behindertenparkplätze neben dem Eingang stand, in die Augen gesehen. Dieser kurze Blickkontakt versetzte sie in Alarmbereitschaft. Als Esther ein paar Sekunden später noch einmal zu derselben Stelle schaute, um sich den Mann genauer anzusehen, war er verschwunden.

»Vorsichtig«, sagte Esther mit Blick über den Parkplatz. »Ich glaube, wir werden beobachtet.«

»Wer sind die beiden in dem Pickup?«, fragte Jessica. Soeben stiegen zwei raubeinige Typen aus dem Pickup aus und folgten Pamela Sasser.

Esther zuckte mit den Schultern. »Keine Ahnung. Sie standen vorhin auch schon vor der Wohnung.«

Jessica nickte und schloss das Fenster, nachdem Calvin eingestiegen war.

Esther wartete, bis sich die beiden Typen aus dem Pickup ein paar Schritte entfernt hatten, und kaute trotz der winzigen Blutbläschen auf einigen Fingerkuppen an ihren Fingernägeln.

»Ganz ruhig, Mutter«, sagte Liem.

Esther ignorierte die Bemerkung ihres Untergebenen, kaute weiter an den Fingernägeln und beobachtete die beiden Typen, die Pamela folgten.

»Los, Liem.«

Esther Cruz legte eine Hand auf den .45er Colt unter dem schwarzen T-Shirt, stieg aus und schaute misstrauisch auf die geparkten Wagen. Hatte sie diesen Mann wirklich gesehen, oder wurde sie langsam, aber sicher paranoid? Um Pamela Sasser und die beiden Typen, die sie verfolgten, machte sie sich keine Sorgen. Mit denen würde sie schon fertig werden. Viel größere Sorge bereitete ihr das Gefühl, von einem Dritten, den sie nicht sehen konnte, beobachtet zu werden.

Esther Cruz warf noch einen letzten Blick auf den Parkplatz, schloss die Tür und steuerte auf den Universitätscampus zu.

Harrison Beckett brachte der kurze Augenkontakt mit der fremden Frau etwas aus der Fassung. Er hatte sich eine Zeitung aus dem Automaten gezogen, um sich zu beschäftigen, solange Pamela Sasser im Supermarkt war. Nachdem die fremde Frau ihn fast enttarnt hätte, kehrte er schnell zu seinem Wagen zurück und setzte sich hinein. Die große kräftige Frau in der ausgeblichenen Jeans und dem schwarzen T-Shirt, die mit zwei Männern in einem schwarzen Wagen saß, schien sich in ihrem Job auszukennen. Das Gefühl, verfolgt zu werden, irritierte sie offenbar. Nachdem sie neben dem anderen Wagen angehalten hatte, stieg einer der Männer in den weißen PKW, und der andere blieb bei der Frau in dem schwarzen T-Shirt, die wie eine Spanierin aussah.

Jetzt konnte er die beiden am Ende des Parkplatzes sehen, ehe sie gegenüber von einem Fast-Food-Laden um die Ecke bogen. Die beiden anderen Agenten in dem weißen Wagen fuhren ihnen in einem Abstand von zwanzig Metern hinterher.

Harrison Beckett schossen zig Fragen durch den Kopf, als er den Beschattern seiner Zielperson folgte. Was spielte Jackson Brasfield für ein verrücktes Spiel mit ihm? Beckett konnte sich seiner Zielperson unmöglich nähern, ohne entdeckt zu werden. Lag das in der Absicht der DIA? Sollte Beckett gezwungen werden, seinen Standort preiszugeben, damit die DIA ihn beschatten und ausschalten konnte, nachdem Pamela Sasser bei einem inszenierten Autounfall ums Leben gekommen war?

Das ist verrückt, Harrison.

Der Film, der vor Becketts Augen abrollte, war in der Tat verrückt, und durch die Geister der Vergangenheit wurde alles noch schlimmer. Die Ausführung seines Auftrags schien ihm unmöglich zu sein, und diese Wahrheit schwebte wie ein Unheil über seinem Kopf. Wie konnte er dieser paradoxen Situation entfliehen? Die DIA hatte ihn großzügig entlohnt, um Pamela Sasser innerhalb von vier Tagen zu töten, und sie sollte bei einem inszenierten Autounfall ums Leben kommen. Das hatte Brasfield ganz deutlich bei dem Treffen gesagt. Konnte er diesen Auftrag überhaupt erfüllen, selbst wenn er dazu bereit gewesen wäre? Wie sollte er sich ihr nähern, wenn ihr zig Geheimagenten folgten? Beckett wusste, dass er die ganze Macht der DIA zu spüren bekäme, wenn er versagen würde. Die Militärs duldeten kein Versagen, schon gar nicht das Versagen ihrer Auftragskiller. Und wenn sich die Gelegenheit für das Attentat bot? Konnte Beckett Pamela Sasser unter diesen seltsamen Umständen töten? Hatte sich Pamela tatsächlich schuldig gemacht, oder hatte die DIA die Beweise erfunden, um Beckett auf die Bühne zu zwingen, nachdem der Geheimdienst Becketts wahre Identität aufgedeckt hatte?

Ihn quälte noch eine andere Frage: War es überhaupt möglich, dass Brasfields Begleiter tatsächlich Laylas Mörder war? Immerhin hatte er den Bauch des Mörders aufgeschlitzt und gesehen, wie die Eingeweide hervorquollen. Konnte er diese tödliche Verwundung überlebt haben?

All diese Fragen schossen Beckett durch den Kopf und verwirrten ihn. Die Situation war mehr als heikel: Die Geister der Vergangenheit quälten ihn. Die Zielperson wurde von verschiedenen Gruppen beschattet. Der bedrohliche Schatten der DIA gefährdete zum zweiten Mal in seinem Leben seine Zukunft. Harrison Beckett sah nur eine Möglichkeit: Er musste sein Geschick, seine Kraft und alle ihm zur Verfügung stehenden Mittel einsetzen, um sich dieser Frau zu nähern und von ihr die Wahrheit über ihre Zusammenarbeit mit Dr. Eugene LaBlanche zu erfahren. Nur so könnte er das Netz der Verschwörung bei dieser seltsamen Mission, die er niemals hätte annehmen dürfen, entwirren.

Pamela Sasser verließ mit der kleinen Einkaufstüte und ihrer Handtasche den Parkplatz. Ihr Herz klopfte laut, ihr Mund war trocken, und ihre Glieder zitterten. Die Tüte und die Handtasche hingen an ihren Handgelenken, als sie die Diskette in einen der Plastikbeutel schob. Diesen Beutel steckte sie in einen zweiten Plastikbeutel, klebte ihn mit zwei Klebeetiketten zu und schaute sich nach einem Versteck für ihr Beweisstück um.

Sie hielt den Atem an und ließ ihren Blick über den Boden wandern, auf dem hohe Eichen und Magnolien standen. Die untergehende Sonne verlieh dem Park einen rötlichen Schimmer, doch Pamela nahm den schönen Anblick gar nicht wahr. Sie hatte das Gefühl, beobachtet und verfolgt zu werden. Als sie sich umsah, sah sie nur leere Bänke an den Rändern des gepflegten Rasens, ein paar Kinder, die Frisbee-Scheiben durch die Luft warfen, und andere, die einem Football hinterherliefen. Nichts Außergewöhnliches. Und dennoch wusste sie, dass jemand in der Nähe war. Jemand, der in ihre Wohnung eingebrochen war, um das zu stehlen, was sie jetzt in der Hand hielt. Sie durfte das Beweisstück auf gar keinen Fall verlieren.

Pamela atmete schließlich aus, nachdem sie die Luft eine Weile angehalten hatte, und nahm den Geruch des feuchten Laubes wahr. Sie bog hinter dem Fachbereich der Anthropologie, der gegenüber dem kleinen griechischen Amphitheater lag, um die Ecke. Dort sah sie eine alte Steinbank, die im Schutz dichter Büsche und zwei üppiger Magnolien stand.

Pamela Sasser, die mit einer Hand die Einkaufstüte und die Handtasche und mit der anderen die Diskette festhielt, ging auf die Bank zu, schaute sich noch einmal um, beugte sich hinunter und klebte den Plastikbeutel mit den Etiketten blitzschnell unter die Bank. Sie staunte selbst über die blitzschnelle Aktion. Es hielt. Auch wenn der Beutel hinunterfallen sollte, würden die Büsche und Magnolien ihn vor den Blicken der Fußgänger verbergen.

Pamela ging weiter in Richtung Nicholson Drive, ohne sich noch einmal umzusehen. Nachdem sie über das Universitätsgelände gelaufen war, um mögliche Verfolger abzuschütteln, erreichte sie nach etwa einer Stunde das *Residence Inn*.

Inzwischen war der Mond über Baton Rouge aufgegangen. Über den Mississippi tuckerten Handelsschiffe, und aus der *Good Times Bar*, die einen Block weiter den Nicholson Drive hinunter lag, drang Musik. In dieser Studentenkneipe hatte Pamela vor mehr als sechs Jahren verkehrt. Der hämmernde Bass der Rock-Musik, der durch die kalte, feuchte Nacht hallte, erinnerte sie an unbeschwerte Zeiten.

Die Bilder der Vergangenheit verblassten schnell, als sie das Hotel betrat und auf die Rezeption zuging. Ein mittelgroßer dunkelhaariger Mann in einer braunen Uniform und mit dicken buschigen Augenbrauen, die fast mit seinem Schnurrbart konkurrierten, lächelte Pamela an.

»Kann ich Ihnen helfen?« Die Stimme wirkte ein wenig hoch und genäselt für sein ausgesprochen männliches Aussehen.

»Ich hätte gern ein Zimmer für eine Nacht«, sagte Pamela, die ihre beiden Ellbogen auf die weiße Kunststofftheke stützte.

»Haben Sie reserviert?«

»Nein, nein, habe ich nicht, aber es wäre sehr schön, wenn Sie vielleicht trotzdem ein Zimmer hätten.« Ihre eigene Stimme kam ihr fremd vor. Die Augenlider wurden schwer, und ihre Konzentration ließ nach. Sie musste unbedingt schlafen. In der letzten Nacht hatte sie nicht gut geschlafen, denn sie hatte über ihre Mitarbeit bei dem Computerprogramm nachgedacht und sich gefragt, ob das ihrer Karriere möglicherweise schaden könnte. Jetzt erschien ihr diese Sorge unbedeutend im Vergleich mit dem Wunsch, am Leben zu bleiben.

Nachdem der Hotelangestellte dreißig Sekunden auf eine Tastatur gehämmert hatte, wandte er sich wieder Pamela zu. »Raucher oder Nichtraucher?«

»Nichtraucher wäre mir lieber, aber ich nehme auch ein Raucherzimmer.«

Er tippte noch etwas ein und sagte: »Wie möchten Sie bezahlen?«

»Bar.«

Der Angestellte reichte ihr eine Karte und einen Stift. Pamela schrieb sich unter falschem Namen ein. Nachdem sie das Zimmer bezahlt hatte, bekam sie einen Schlüssel für ein Zimmer im ersten Stock.

Fünf Minuten später legte Pamela Sasser die Einkaufstüte und die Handtasche auf den Nachttisch und warf sich aufs Doppelbett. Sie fragte sich, ob es ihr gelungen war, die Verfolger, die Preston Sinclaire auf sie angesetzt hatte, abzuschütteln.

Kurz darauf gab sie es auf, sich in Mutmaßungen zu ergehen, und dachte angestrengt nach. Es war ihr gelungen, in den letzten fünf Jahren etwa zwanzigtausend Dollar von ihrem Gehalt zurückzulegen. Dieses Geld müsste ausreichen, um an einem anderen Ort ein neues Leben zu beginnen. Als Erstes würde sie morgen Früh ihr ganzes Geld abheben, die Diskette holen und in einen anderen Staat fliegen.

Zunächst einmal musste sie in Sicherheit und fern von Preston Sinclaires Tentakeln sein, damit sie zum Schlag ausholen konnte. Dann würde sie die Öffentlichkeit mit dem Fehler im Perseus und der möglichen Verbindung zum Unfall in Palo Verde konfrontieren. Sie würde nicht wie damals in Beaumont, Texas, davonlaufen und alles vergessen.

Diese korrupten Dreckskerle mussten zur Rechenschaft gezogen werden.

Während Pamela Sasser mit dem Gedanken an ein neues Leben spielte, stand sie auf und ging mit der Einkaufstüte ins Badezimmer. Den Inhalt der Tüte verteilte sie auf der Ablage neben dem Waschbecken.

Sie schaute noch einmal auf ihr langes Haar, ehe sie zur Schere griff, ein paar Strähnen in die Hand nahm und sie abschnitt. Tränen traten ihr in die Augen, als die Haare nach und nach zu Boden fielen. Die abgeschnittenen Haare symbolisierten den Abschied von ihrem jetzigen Leben. Es fiel ihr nicht leicht, doch sie schnitt weiter. Sie schnitt ihre Haare ab, weinte und redete sich ein, dass sie überleben und diesen Schweinen bei Microtel die Stirn bieten würde. Sie war clever und würde ihren Verstand einsetzen, um ihr Leben zu retten und Microtel anzuzeigen.

Nach kurzer Zeit verschwanden die Füße unter den langen Haarsträhnen, und das Bild der zwanzigjährigen Pamela Sasser sah ihr im Spiegel entgegen. Damals war sie im zweiten Studienjahr und hatte kurze Haare. Die Frisur erinnerte sie an die wilde Zeit während der ersten Semester. Als Pamela Sasser die Schere aus der Hand legte und sich mit den Händen durchs kurze Haar strich, schöpfte sie Hoffnung. Schon allein der neue Haarschnitt hatte ihr Aussehen verändert. Doch das genügte ihr nicht. Sie musste sich noch stärker verändern, um alle zu täuschen, die ihr auf den Fersen waren.

Pamela nahm das Haarfärbemittel von der Ablage und verwandelte sich innerhalb von dreißig Minuten in eine Blondine. Anschließend zupfte sie mit der Pinzette die Augenbrauen, bis sie so dünn waren, dass sie zu ihrer Frisur passten. Durch das blonde Haar fiel ihr brauner Leberfleck über dem Mundwinkel stärker ins Auge. Sie stülpte mehrmals die Lippen und sah zu, wie sich der Leberfleck über der Oberlippe hin und her bewegte.

Ihr Vertrauen wuchs, als sie die kurzen Haare mit Gel stylte und nach hinten kämmte. Jetzt waren ihre Stirn und ihr Nacken zu sehen, die seit fast einem Jahrzehnt von schwarzem Haar verdeckt gewesen waren.

Zum ersten Mal an diesem Tag lächelte Pamela Sasser. Ihr neues Aussehen gefiel ihr. Sie fühlte sich jung und lebendig und war bereit, die Herausforderung anzunehmen, der ganzen Welt zu zeigen, was für ein Mann Preston Sinclaire war.

Anschließend schaute sie sich die Schminkutensilien an. Sie hatte gut gewählt. Der dunkle Lippenstift, der Lidschatten und das Rouge würden Wunder wirken, den Leberfleck betonen und ihrem Gesicht den richtigen Kontrast verleihen. Das Make-up wollte sie erst morgen Früh auflegen. Jetzt war sie erschöpft. Ihre blutunterlaufenden Augen verlangten nach Schlaf. Es lag ein langer Tag vor ihr.

Pamela legte sich ins Bett, umarmte das Kissen und schlief innerhalb weniger Minuten ein.

Nachdem der Leiter der Sicherheitsabteilung von Microtel, Nick DeGeaux, den Hotelangestellten bezahlt hatte, bekam er das Zimmer neben dem von Pamela Sasser. Sein Bruder Tom wartete vor den Aufzügen. Er lehnte an der holzgetäfelten Wand und umklammerte den dicken Ledergürtel seiner engen Wrangler.

Nick kam zu ihm. »Hol den Wagen und komm dann zurück. Ich hab' uns ein Zimmer reserviert.«

»Wir bleiben hier?«

»Sie ist in 41. Wir haben Zimmer 42. Ein Einzelzimmer. Ich schlafe im Bett und du auf der Couch.«

»Okay«, erwiderte Tom, ehe er sich umdrehte und noch hinzufügte: »Das ist echt cool.«

Als sein Bruder gegangen war, schloss Nick kurz die Augen, schüttelte den Kopf und stieg in den Aufzug.

Harrison Beckett registrierte, wie die Verfolger ihre Beobachtungsposten auf der anderen Straßenseite einnahmen. Die beiden ungehobelten Typen, die ins Hotel gegangen waren, schienen die beiden Personen, die ihnen zu Fuß gefolgt waren, und die beiden in dem weißen Pkw, der einen Block entfernt parkte, nicht bemerkt zu haben. Und niemand wusste, dass Beckett auf dem Dach des China-Restaurants stand, das neben dem Hotel lag. Dieser Standort bot ihm einen ausgezeichneten Blick auf die beiden Verfolgerteams auf der anderen Straßenseite und auf den Parkplatz.

Alle hatten ihre Wagen auf dem Parkplatz vor dem Supermarkt stehen lassen. Nur die vermeintliche CIA-Agentin war in ihrem weißen Wagen hierher gefahren. Als Beckett gesehen hatte, wohin Pamela und ihre Verfolger gingen, kehrte er zum Supermarkt zurück, um seinen Wagen zu holen. Dieser stand jetzt auf dem Parkplatz hinter dem China-Restaurant, das geschlossen war. Von seinem Beobachtungsposten auf dem Dach des Restaurants sah er, dass der schwarze Pickup mit den getönten Scheiben ebenfalls vor dem Hotel stand. Wahrscheinlich war einer der Fahrer zurückgegangen und hatte ihn geholt.

Beckett musste nun gegen einen neuen Feind kämpfen: riesige, blutdürstige Louisiana-Moskitos. Mit der rechten Hand zog er die Schachtel Marlboro Golds aus seiner Gesäßtasche. In den vergangenen acht Stunden hatte Beckett eine halbe Schachtel geraucht. *Und es hatte ihn so viel Mühe gekostet, diese verdammte Sucht zu besiegen.*

Als er nach dem Feuerzeug griff, verharrte er mitten in der Bewegung. Die Zigarettenglut könnte den Beschattern auf der Straße seine Position verraten.

Verdammt, ich muss unbedingt eine rauchen!

Als er die Zigarettenschachtel wieder in die Tasche steckte, sah er eine Riesenmücke, die auf seiner Hand saß und sich an seinem Blut labte.

★ ★ ★

Die mit Türkisen besetzten Silberarmbänder an Esther Cruz' Handgelenken und die Ketten klirrten, als sie sich auf den Nacken schlug und leise über die verdammten Moskitos fluchte, von denen es in diesem Staat nur so wimmelte. Ihr Nacken und ihre Unterarme waren bereits an mehreren Stellen geschwollen. Esther lehnte mit dem Rücken an einer Mauer. Vor ihr standen Müllcontainer, die sie vor neugierigen Blicken schützten. Das Surren der Insekten drang an ihr Ohr. Sie war so müde und verärgert, dass sie sogar ihre Waffe gegen eine Dose Insektenspray getauscht hätte.

»Das ist nur in den ersten Tagen so schlimm«, sagte Agent Liem Ngo, der neben Esther saß. Als er Esther angrinste, entblößte er strahlend weiße Zähne. Agent Calvin Johnson saß mit Agentin Jessica White in dem weißen Pkw, der einen Häuserblock entfernt stand.

Esther Cruz drehte sich zu ihrem Untergebenen um: »Was?«

»Die Moskitos, Mutter. Nach einer Weile stechen sie nicht mehr.«

»Was ist das denn für ein Unsinn, Liem?«

»Das hat etwas mit den Körperausdünstungen zu tun«, erklärte der in Los Angeles geborene Agent, der noch immer lächelte. »Mein Vater hat mal gesagt, dass der Körper automatisch einen Geruch ausströmt, der die Mücken abhält, wenn man oft genug gestochen wurde. Er hat auch gesagt, dass diese Moskitos verglichen mit denen in Vietnam winzig seien und dort niemand Insektenspray benutzen würde. Unser Körper lernt, sie sich vom Leib zu halten. Sehen Sie, ich habe keinen einzigen Stich.«

Esther Cruz untersuchte das Gesicht, den Nacken und die Arme ihres Kollegen und entdeckte tatsächlich keinen einzigen Stich. *Verdammt!* Sie zuckte mit den Achseln und wandte ihre Aufmerksamkeit wieder dem Hotel auf der anderen Straßenseite zu.

Kurz darauf griff sie nach dem Funkgerät. »Beobachter eins an Beobachter zwei«, flüsterte sie in das kleine Handgerät.

Ehe Jessica antwortete, rauschte es im Gerät. »Beobachter zwei hat nichts zu berichten.«

Esther blickte zu Liem und fragte: »Schläft Calv?«

Auf kurze Störungen folgte ein »Ja«.

»Wecken Sie ihn in zwei Stunden auf. Dann soll er die Wache übernehmen.«

»Okay.«

Esther schaltete das Funkgerät aus und schaute dem Vietnamesen ins Gesicht. »Sie übernehmen die erste Wache«, sagte sie. »Wecken Sie mich in zwei Stunden.«

»Okay, Mutter.«

Esther legte sich auf die Straße und verschränkte die Arme. Es stank hier, aber sie hatte schon an schlimmeren Orten geschlafen. Zumindest war es trocken und warm.

In dem dunklen Licht der Gasse starrte Mutter Cruz auf den verrosteten Boden des Müllcontainers, schloss die Augen und schlief ein.

Nick DeGeaux richtete sich im Bett auf und schaute aus dem Fenster auf den Swimmingpool hinter dem Hotel. Sein Bruder saß auf der Couch und sah fern.

Zehn Riesen. Auf dem Tisch neben dem Bett lag ein Umschlag mit zehn großen Scheinen. *Einfach so.* Und wenn er den Auftrag erfolgreich ausführte, würde er noch zehn Scheine bekommen. Um das jedoch zu schaffen, musste er die verdammte Diskette finden, die nicht in der Diskettenbox war, die er in der Wohnung der Frau gefunden hatte. Sinclaire hatte sie zur Wohnung zurückgeschickt, damit sie die Verfolgung der Frau aufnahmen und auf neue Instruktionen warteten.

Nick schaute auf das Handy neben dem Umschlag. Sinclaire hatte es ihm vor ein paar Stunden gegeben. Der Präsident von Microtel könnte jeden Moment anrufen und ihm befehlen, Pamela Sasser zu kidnappen. Sollte es dazu kommen, hatte Sinclaire Nick zusätzliche fünfzehntausend Dollar versprochen, wenn er den Auftrag sauber und ohne Zeugen erledigte.

Lautes Lachen riss ihn aus seinen Gedanken. Sein Bruder, der sich einen Zeichentrickfilm ansah, hielt sich den Bauch vor Lachen.

Die verdammten Looney Tunes!

Nick nahm die Fernbedienung und schaltete den Fernseher aus.

»He! Ich wollte ...«

»Morgen ist ein langer Tag, kleiner Bruder. Wir sollten jetzt schlafen.«

»Scheiße.« Tom DeGeaux lehnte sich auf dem Sofa zurück und bohrte in der Nase. »Eh, das war echt klasse.«

Nick schaltete das Licht aus. »Halt die Klappe und schlaf jetzt. Wenn du anfängst zu schnarchen, schmeiß ich dich raus.«

Esther Cruz presste den Schirm an ihren Körper und sah den Regen, der auf den Bürgersteig fiel. Sie winkte dem Mann zu, der hinten in dem gelben Taxi saß, und er winkte zurück. Esther konnte sein Gesicht durch den Regen sehen. Sie wusste nicht, ob die Tropfen, die über seine Wangen rannen, Tränen waren oder Regenwasser, aber die Traurigkeit in seinen Augen war nicht zu übersehen. Einen Moment hatte sie den Drang, zu dem Taxi zu laufen und ihn da herauszuholen, ehe es zu spät war, doch sie hatte es schon oft versucht und es nicht geschafft. Sie schien das abfahrende Taxi, das mit ihrem Ehemann Arturo davonfuhr, niemals einholen zu können.

Die Räder des Taxis drehten sich und spritzten Wasser auf den Bürgersteig. Esther schaute durchs Heckfenster auf die Rückbank, als das Taxi die Straße hinunterfuhr. Arturo schlug gegen die Scheibe, und seine Lippen bewegten sich. Sie konnte nichts verstehen, aber sie hätte schwören können, dass der Donner, der den Blitz am Himmel begleitete, ihren Kummer hinausschrie.

Esther hielt es nicht mehr aus. Sie hörte die Liebesschwü-

re ihres Mannes und lief los, ohne Arturo näher zu kommen. Ihre Beine waren bleischwer.

Esther rief dem Fahrer zu, er solle anhalten. Ihre Worte verhallten ungehört, und der Fahrer fuhr weiter. Als der Wagen um die Ecke bog, konnte sie noch einen letzten Blick auf ihren Gatten werfen, ehe der Wagen in Flammen aufging.

Mutter Cruz erwachte aus ihrem unruhigen Schlaf und öffnete die Augen. Ihr Blick fiel sofort auf den verrosteten Müllcontainer. Sie schaute neugierig und überrascht auf eine Ratte, die auf den Hinterbeinen stand und sie beobachtete. Zwei winzige rote Augen starrten aus dem Schutz der schmalen Lücke zwischen dem Müllcontainer und der Mauer auf die FBI-Agentin.

Esther griff vorsichtig in ihre Tasche und zog den letzten gepökelten Rindfleischstreifen hervor. Sie entfernte die Folie und warf der Ratte das Fleisch hin.

Das Nagetier stellte sich auf alle viere, streckte den Kopf vor und schnupperte an dem vertrockneten Rindfleisch. Dann biss es mit seinen scharfen kleinen Vorderzähnen hinein und lief davon.

Als Esther tief einatmete und die Augen schloss, sah sie Arturo und das neue Haus in Bethesda, Maryland, im Geiste vor sich. Die Explosion einer Autobombe hatte ihr neues Leben beendet. Sie erinnerte sich an die ohrenbetäubende Explosion, die Gedenkfeier, die Beerdigung und ihre Trauer, die sich schnell in unkontrollierbare, blinde Wut verwandelt hatte.

Ich werde diese Schweine kriegen, Arturo, mi amor. Ich werde sie für dich zur Strecke bringen!

Mit Bildern eines Lebens vor Augen, das sie nie mehr führen würde, schlief Esther Cruz langsam wieder ein.

Auf dem Dach des China-Restaurants auf der anderen Straßenseite hatte noch jemand einen Albtraum. Auch Harrison

Beckett sah ein Taxi, doch es regnete nicht. Er sah den kleinen roten Fiat, der vor dem Kolosseum herumfuhr, als mehrere Touristen ihre Wagen verließen und das antike Gebäude betraten. Fetzen verschiedener Sprachen drangen an sein Ohr, und die Brise, die durch die großen Öffnungen in dem steinernen Bau und über die Straße fegte, zerzauste sein braunes Haar, als sein Blick über die männlichen Touristen in der Arena glitt.

Die Erinnerung an Layla Shariffs erloschene Augen war noch genauso frisch wie die an die glänzende Farbe der luxuriösen Wagen auf der anderen Straßenseite. Der gehetzte DIA-Agent hatte sich vor den Blicken der anderen gut versteckt. Er stand in einer Nische zwischen zwei kleinen Souvenirshops, und sein Gesicht lag im Schatten der rot-grünen Markise, die sich über den ganzen Block gegenüber vom Kolosseum erstreckte.

Mit verschränkten Armen, einer dunklen Sonnenbrille und einem Dreitagebart, der die Gesichtszüge verdeckte, die jeder amerikanischen Botschaft auf der ganzen Welt übermittelt worden waren, musterte Harrison Beckett langsam die Menge und schaute sich jeden Mann genau an. Einige kamen schon auf den ersten Blick nicht in Frage. Zu groß. Zu klein. Zu alt. Zu dick. Bis sein Blick auf jemandem hängen blieb, einem Touristen, der ihm von der Größe, dem Gewicht, der Statur und dem Alter her ähnelte.

Beckett verfolgte den Mann stundenlang durch Straßen und an Sehenswürdigkeiten vorbei. Mal sah er sich in einem Souvenirshop um, mal hielt er in einem Straßencafé an, und dann wieder machte er eine Pause, um vor dem Trevi-Brunnen oder dem Vatikan ein Foto zu schießen.

Beckett folgte ihm, überprüfte die Örtlichkeiten, zog verschiedene Möglichkeiten in Betracht und dachte über den richtigen Zeitpunkt nach, um zuzuschlagen.

Schließlich brach die Nacht herein. Die Dunkelheit verschlang ihn, als er sich dem Fremden in der schmalen Gasse von hinten näherte und seine Hände ausstreckte, um sie ihm um die Kehle zu schlingen. Sein Opfer drehte sich um und schaute ihn mit vor Angst geweiteten Augen an.

Bitte ... nein ... nein ... nein ...

Beckett hörte den Schrei, sah das Gesicht seines Opfers, hörte dessen Bitten, spürte den Druck seiner Finger auf dessen Nacken, den würgenden Druck, als sich seine Finger in das Fleisch des Opfers gruben und den Kehlkopf zerquetschten.

Bitte ... nein ... nein ... nein ...

Beckett zuckte zusammen und wachte verkrampft und verschwitzt auf. Er griff sich mit den Händen an den Nacken und atmete schwer, als er sich mit weit aufgerissenen Augen umschaute und wie in Trance die Sterne erblickte. Seine Kehle war wie zugeschnürt, und er hatte das Gefühl, Blei verschluckt zu haben.

Rom.

Es begann alles in Rom, der Stadt, in der sich sein Leben ändern sollte, aber dafür hatte er einen hohen Preis zahlen und einen Fluch auf sich laden müssen.

Beckett richtete sich auf und rieb den kalten Schweiß von seinen Wangen, ehe er auf die Uhr schaute. Neun Uhr abends. Er hatte fast fünfundvierzig Minuten geschlafen, und er war sicher, dass er jetzt keinen Schlaf mehr finden würde. Das Adrenalin putschte ihn auf, und die Bilder der Vergangenheit quälten seine rastlose Seele.

Vorsichtig spähte er auf die Straße, um sich zu überzeugen, dass sich nichts verändert hatte. Harrison Beckett wischte sich den Schweiß vom Nacken und legte sich wieder hin. Er griff gedankenlos zur Zigarettenschachtel, doch hier konnte er nicht rauchen. Hätte er doch nur den Auftrag nicht angenommen und den Vorschlag der DIA abgelehnt!

Zu spät, Harrison. Jetzt musst du den Auftrag erledigen.

Der ehemalige DIA-Agent verschränkte die Arme, atmete tief ein und starrte auf die Sterne.

7

Profis und Stümper

Wissen ist Macht.

Francis Bacon

BATON ROUGE, LOUISIANA *Dienstag, 17. November*

Pamela Sasser, die dieselbe Jeans wie gestern und das neue T-Shirt mit dem Uni-Logo trug, verließ ihr Zimmer und steuerte auf die Aufzüge zu. Ihr kurzes blondes Haar, das dunkle Make-up und die schmalen Augenbrauen über den blaugrünen Augen hatten ihr Aussehen vollkommen verändert. Auf halbem Wege blieb Pamela stehen, drehte sich um und beschloss, die Treppe zu nehmen. Dreißig Sekunden später stand sie im Foyer, legte ihre Schlüssel auf die Theke und ging hinaus.

Sie überquerte den Parkplatz. In der Nacht war sie mehrmals aufgewacht und hatte ihre Situation überdacht. Immer wieder hatte ihr Verstand ihr geraten, Louisiana sofort zu verlassen, sich so weit wie möglich von Microtel zu entfernen und das Unternehmen dann anzuzeigen.

Aber alles der Reihe nach.

Sie musste zuerst zur Bank gehen, ihr Konto auflösen und mit dem Taxi zum Flughafen fahren. Dort wollte sie die erste Maschine nehmen, um Baton Rouge zu verlassen.

Vereinzelte Wolken, denen die aufgehende Sonne einen fahlen orangegelben Schimmer verlieh, glitten träge über den blauen Himmel. Der morgendliche Verkehr zur Universität verstopfte den Nicholson Drive, als die ehemalige

Dozentin ihren Blick misstrauisch über den Parkplatz gleiten ließ. Die rote Sonne trat zwischen den Wipfeln der Magnolien und Eichen neben der vierspurigen Straße hervor.

Trotz der heiklen Lage freute sich Pamela über ihr neues Aussehen, und vor allem über ihr kurzes Haar. Es war auf jeden Fall pflegeleichter als das schulterlange Haar. Ihr gefiel auch die Farbe, die sie an die ersten Semester erinnerte, als sie die Gewohnheit hatte, ihre Haare laufend zu färben. Ein Freund von ihr hatte mal gesagt, blond würde ihr am besten stehen. Er meinte, diese Farbe verleihe ihr eine radikale, etwas unmoralische Note, der er kaum widerstehen könne ...

Plötzlich umklammerte jemand von hinten ihren Nacken und riss sie vom Boden hoch. Pamela musste würgen, als eine Hand auf ihren Kehlkopf drückte, doch sie versuchte verzweifelt, zu schreien und um sich zu treten. Ehe sie reagieren konnte, kam von hinten eine andere Hand mit einem weißen Taschentuch.

Die Sonne, der Himmel und der starke Verkehr auf dem Nicholson Drive verschwammen vor ihren Augen, als sich der weiße Stoff auf ihr Gesicht legte.

Sie atmete ein und bedauerte es sofort. Ihre Kehle und ihre Lungen brannten. Pamela hob die Hände, riss an dem Arm, der ihren Hals wie ein Schraubstock umklammerte, und grub ihre langen roten Fingernägel in die Haut des Angreifers.

»Blöde Schlampe!«

Der Druck auf ihren Kehlkopf wurde immer stärker. Sie fühlte sich schwach, und ihr wurde schwindelig. Die Schreie und Flüche des Mannes hinter ihr wurden schwächer. Ihre Hände zitterten, und in ihren Beinen kribbelte es. Nachdem Pamela noch einmal tief Luft geholt hatte, trat sie nicht mehr um sich, denn der Körper war erschlafft. Ihr Verstand funktionierte noch. Er wehrte sich noch ein paar Sekunden und versuchte, sich zu konzentrieren und über einen Ausweg nachzudenken. Dann verlor sie langsam die Besinnung.

»Verdammt!«, schrie Nick DeGeaux, als sich Pamelas Hände langsam von seinem Arm lösten. Zehn lange Kratzer zierten seinen Unterarm. Er verfluchte nicht nur Pamela Sasser, sondern auch Preston Sinclaire, der ihm vor fünfzehn Minuten befohlen hatte, sie zu kidnappen.

Er legte einen Arm unter ihre Achseln, den anderen unter ihre Knie und hob die junge Frau hoch. Sie war ziemlich leicht. Tom holte inzwischen den Wagen.

Als Nick Geräusche hinter sich hörte und sich umdrehte, traf ein Ellbogen genau auf seine Nase. Der stechende Schmerz trieb ihm die Tränen in die Augen. Das Schwein hatte ihm die Nase gebrochen. Blut schoss aus den Nasenlöchern und floss über seinen kurzen Bart.

Scheiße!

Der fünfundvierzigjährige Ex-Marine, der Pamela fallen ließ und beide Hände vors Gesicht schlug, sah das verschwommene Bild einer seltsamen, einbeinigen Gestalt. Keine Sekunde später erhielt er einen gewaltigen Schlag auf den Kopf und sank auf die Knie. Ehe Nicks Knie den kalten Asphalt berührten, kam noch ein Knie auf ihn zu und traf mit voller Wucht sein blutendes Gesicht. Er verlor die Besinnung.

Harrison Beckett nahm Pamela in seine Arme. Ihm stieg sofort der starke Chloroformgeruch in die Nase, und ihm fiel auf, dass sie für ihre Größe sehr leicht war. Ihr ehemals langes schwarzes Haar war nun fast so kurz wie seins und roch nach Shampoo, Haarfärbemittel und natürlich nach Chloroform. Sie war sehr stark geschminkt, aber Beckett sah darüber hinweg, da sie wahrscheinlich auf diese Weise versucht hatte, ihr Aussehen zu verändern. Das bewies, dass sie nicht nur ein hübsches Gesicht, sondern auch Grips hatte.

Beckett dachte an den zweiten Verfolger, der zu dem dunklen Pickup mit den getönten Scheiben gelaufen war. Als er seinen Blick über den Parkplatz schweifen ließ, sah er den zweiten Mann hinterm Lenkrad sitzen. Er startete soeben den Motor.

Der Pickup schoss aus der Lücke heraus, hinterließ eine zehn Meter lange Reifenspur und steuerte direkt auf ihn zu. Beckett warf Pamela über seine rechte Schulter, drehte sich um und rannte zwischen den Wagen hindurch auf die Bäume zu. Neben dem Hotel wuchsen Eichen, Zypressen und Magnolien, die den Blick auf den Swimmingpool hinter dem dreistöckigen Gebäude zum Teil verdeckten.

Sekunden später blieb der Verfolger mit quietschenden Reifen stehen und nahm die Verfolgung auf. Beckett hörte, wie er in seinen Cowboy-Stiefeln über den Asphalt rannte. Um den Abstand zwischen ihm und dem zweiten Verfolger zu vergrößern, lief Beckett in den Wald hinein. Pamela behinderte ihn in seiner Bewegungsfreiheit, und er hatte keine Ahnung, wie gut dieser Typ war. Obwohl der Erste nur ein Muskelprotz mit einem schlechten Reaktionsvermögen war, wusste Beckett aus Erfahrung, dass man bei einem Verfolger stets von einem gut ausgebildeten Profi ausgehen musste.

Ein Schuss hallte wie ein Peitschenschlag durch den Morgen. Die Kugel schlug nur wenige Zentimeter zu seiner Linken ein. Borke platzte vom Baum und rieselte auf seinen Körper. Ein zweiter Schuss drang an sein Ohr, die Kugel schlug im Boden neben seinen Füßen ein.

Er bog links ab, versteckte sich hinter einer Magnolie, während Pamela noch immer erschlafft über seiner rechten Schulter hing, und zog die Beretta mit der linken Hand aus seiner Jeans.

Beckett wartete. Keine Schüsse mehr, nur ferne Schreie und Rufe. Und noch keine Sirenen ...

»Ich bring dich um, du Arschloch!«

Beckett schüttelte den Kopf, als er das hörte. *Ein Dilettant. Niemals seinen Standort preisgeben.*

Obwohl er erleichtert hätte sein müssen, dass sein Angreifer kein Profi war, wusste es der erfahrene Agent besser. Profis hielten sich immer an bestimmte Verhaltensregeln, auf die Beckett reagieren konnte. Bei Dilettanten lag der Fall anders. Ein Profi hasste nichts mehr, als es mit unberechenbaren Stümpern zu tun zu haben, die manchmal gefährlicher sein konnten als ausgebildete Killer.

»Du hast dich mit den Falschen angelegt, du Arschloch!«, schrie der Verfolger, der auf den Baum zulief, hinter dem sich Beckett mit Pamela versteckt hielt.

Hatte er gesehen, dass Beckett sich hier versteckt hatte, oder lief er ziellos umher und brüllte auf gut Glück? Beckett wusste es nicht.

Diese verdammten Dilettanten!

Ganz vorsichtig lugte Beckett hinter dem Baum hervor, ohne den Schutz der Magnolie aufzugeben. Er hob seine Beretta über die linke Schulter, umklammerte mit den Fingern den Metallgriff und legte den Zeigefinger auf den Abzug.

»Komm raus und zeig, was du kannst, du Arsch!«

Beckett konnte ihn jetzt sehen. Es war ein dürrer, mittelgroßer blonder Mann, der langsam an der Magnolie vorbeiging und einen großen Revolver in der Hand hielt. Der ehemalige DIA-Agent lief ein Stück in die entgegengesetzte Richtung, um mit der freien Hand sauber auf den Verfolger zielen zu können.

»Das war's, du Arsch. Keine ...«

Pamela lastete allmählich schwer auf Becketts rechter Schulter. Er spreizte die Beine, um das Gleichgewicht nicht zu verlieren, nahm ihn ins Visier und feuerte einmal. Die

Kugel traf den rechten Arm des Stümpers am Ellbogen. Das Blut schoss aus der Wunde. Becketts Verfolger schrie qualvoll auf und sank auf die Knie, während er auf seinen verletzten Arm starrte. Noch immer umklammerte er die dunkle Waffe. Knorpel und Knochensplitter ragten aus dem Ellbogen hervor.

Er schrie wie am Spieß und verzog vor Schmerzen das Gesicht. In seinen aufgequollenen Augen spiegelten sich Wut und Fassungslosigkeit. Als er zu Boden sank, griff er mit der linken Hand nach der blutverschmierten Waffe.

Beckett drückte noch einmal ab. Die Kugel traf den Dilettanten zwischen den Augen. Er fiel der Länge nach hin, ohne noch einen einzigen Laut auszustoßen. Beckett hatte keine Zeit, lange zu überlegen. Er warf Pamela über seine linke Schulter und rannte zu dem Zaun, hinter dem der Swimmingpool lag. In dreißig Sekunden hatte er ihn erreicht. Der gemietete Escort stand auf der anderen Straßenseite hinter dem China-Restaurant.

Mutter Cruz erreichte den großen Mann mit dem zertrümmerten Gesicht ein paar Sekunden vor Agent Liem Ngo. In all ihren Jahren beim FBI hatte sie noch nie jemanden gesehen, der einen so blitzschnellen, effizienten Schlag ausgeführt hatte wie der Fremde, der mit Pamela Sasser abgehauen war, nachdem er den Typen ausgeschaltet hatte.

Sein Freund in dem Pickup war dem Fremden, der sich mit Pamela zwischen den Bäumen neben dem Hotel versteckt hatte, hinterhergelaufen. Esther wandte sich an ihren Kollegen, auf dessen Gesicht sich das Erstaunen und die Erregung seines ersten richtigen Auftrags spiegelten.

»Sie bleiben hier und sichern den Parkplatz.«

Liem zeigte auf die Bäume neben dem Hotel. »Aber was ist denn ...«

»Darum kümmere ich mich! Sie bleiben hier und warten

auf Jessica und Calv! Und rufen Sie einen Krankenwagen. Dieser Typ ist übel zugerichtet.«

Esther stand auf und rannte auf die Bäume zu. Sie atmete schnell und fing an zu schwitzen, als der erste Schuss fiel. Ihr Schmuck klirrte bei jedem Schritt, und ihr grau meliertes Haar flatterte im Wind. Die erfahrene FBI-Agentin umklammerte ihren .45er Automatik-Colt unter dem großen T-Shirt, entsicherte die Waffe, fasste sie mit beiden Händen und richtete den Lauf nach oben.

Sie hörte Rufe und Schreie und dann einen weiteren Schuss. Als sie die Bäume erreichte, sah sie die Umrisse eines Mannes mit einer Waffe in der Hand, der etwa dreißig Meter entfernt war. Sofort darauf donnerte ein weiterer Schuss durch die Luft, der den Ellbogen des Mannes zertrümmerte. Es folgten Schmerzensschreie. Als der bewaffnete Mann zu Boden sank und versuchte, mit seiner unverletzten Hand die Waffe zu ergreifen, dröhnte ein weiterer Schuss durch den Wald. Dann folgte Stille.

Mutter Cruz schlich vorsichtig weiter. Sie hatte den zweiten Schützen nicht gesehen, aber sie vermutete, dass es der Fremde war, der Pamela Sasser aus den Klauen des Kidnappers befreit hatte. Esther huschte von Baum zu Baum, presste ihren Rücken gegen die Borke und starrte über die linke Schulter auf das Gebiet vor sich, während sie den Colt nach oben richtete.

Nichts.

Langsam huschte sie von Baum zu Baum, immer darauf bedacht, die Deckung nicht aufzugeben und sich dem Schützen dennoch zu nähern. Alle Sinne arbeiteten im Einklang. Mit wachsamem Auge blickte sie auf den mit Blättern übersäten Waldboden und suchte nach Schatten, die dort nicht hingehörten. Sie spitzte die Ohren, damit ihr nicht das geringste Geräusch entging. Wendig wie eine Katze drang sie Meter für Meter tiefer in den Wald ein.

Esther schaute sich den am Boden liegenden Mann genau an, um zu erfahren, aus welcher Richtung die Schüsse abgefeuert worden waren. Das fand sie schnell heraus, als sie das Loch zwischen seinen Augen sah und sich daran erinnerte, wohin der Mann gesehen hatte, ehe er niedergeschossen wurde.

Esther Cruz bog rechts in den Wald ein und nahm die Verfolgung des Schützen auf. Der Fremde musste ganz in der Nähe sein. Die Spuren auf der Laubdecke wiesen ihr den Weg zur Rückseite des Swimmingpools und zum Parkplatz eines China-Restau ...

Ein Motor heulte auf, und sofort darauf raste ein weißer Ford Escort schlingernd davon. Der Wagen bot eine gute Zielscheibe, aber um Pamela Sassers Leben nicht zu gefährden, beschloss Esther, nicht zu schießen. Ihre Aufgabe beschränkte sich darauf, Pamela Sasser zu verfolgen, damit das FBI möglicherweise näher an den Verbrecherring herangeführt wurde.

Der Wagen fuhr um das Restaurant herum und dann auf dem Nicholson Drive Richtung Norden zur Interstate 10. Esther zog das Funkgerät aus der Gesäßtasche ihrer Jeans.

»Ein weißer Ford Escort. Verliert ihn nicht!«

»Okay!«, erwiderte Jessica White, die im Wagen auf Instruktionen wartete.

Mutter Cruz steckte die Waffe in das Schulterholster, rannte zwischen den Bäumen hindurch zurück und warf noch einen Blick auf den Mann, der blutend auf dem Laub lag, ehe sie den Hotelparkplatz erreichte. Sie riss Liem Ngo aus der Menge, die den bärtigen Mann umringte. Eine Frau beugte sich über ihn und überprüfte seinen Puls.

»Kommen Sie«, sagte Esther.

»Und was ist mit dem?«, fragte Liem, der Esther verwirrt anschaute.

»Haben Sie einen Krankenwagen gerufen?«

»Hat das Hotel schon gemacht.«

Esther wischte sich den Schweiß von Stirn und Augenbrauen und ging davon, als in der Ferne die Sirene eines Krankenwagens zu hören war.

»Kommen Sie. Wir müssen den Wagen holen.«

»Warten Sie«, sagte Liem, der versuchte, Esther einzuholen. »Sollten wir nicht erst in Erfahrung bringen, was er weiß?«

»Jetzt nicht«, erwiderte Esther keuchend, die ihr Tempo verlangsamte. Ihr Herz pochte, ihr Mund war trocken und klebrig, und sie fluchte im Stillen, dass ihr der Fremde entwischt war und sie ein paar Kilo zu viel auf den Rippen hatte. »Wir müssen uns der Sasser ... und diesem mysteriösen Supermann an die Fersen heften. Und außerdem soll niemand erfahren, dass das FBI ... überhaupt hier war. Wenn wir Glück haben, wird es verborgen bleiben, dass diese Frau ... Pamela Sasser war. Und jetzt geht mir langsam die Puste aus, und darum ersparen Sie mir bitte weitere Erklärungen.«

Special Agent Jessica White fädelte sich in den morgendlichen Verkehr auf der I-10 in Richtung New Orleans ein. Sie fuhr absichtlich unter fünfzig, um den Escort, der einen Vorsprung von einer halben Meile hatte, nicht einzuholen. Ihr Blick wanderte über die Straße und suchte nach Wagen, hinter denen sie sich kurzfristig verstecken konnte, ohne den Zielwagen aus den Augen zu lassen.

»Sie bleiben zu weit zurück«, sagte Agent Calvin Johnson, der sich anschnallte und eine Sonnenbrille aufsetzte.

Jessica musterte den unerfahrenen Agenten und schüttelte herablassend den Kopf. »Wenn man der Zielperson zu Beginn einer Verfolgung zu nahe kommt, riskiert man, entdeckt zu werden. Hat man Ihnen das in Quantico nicht beigebracht?«

Der Beginn einer Verfolgung war die kritischste Phase, besonders wenn die Zielperson mit einer Verfolgung rechnete. Sie musste dem Escort auf den Fersen bleiben, ohne dass der Fahrer sie in dem dichten Verkehr Richtung New Orleans entdeckte.

Derartige Jobs beherrschte Jessica White aus dem Effeff. Nachdem die erfahrene Agentin mehrere Jahre Drogendealer in Los Angeles beschattet hatte, wusste sie ganz genau, wie sie fahren musste, um die Zielperson nicht aus dem Auge zu verlieren und nicht entdeckt zu werden. Ihr gutes Gespür, das durch die vielen Jahre beim FBI geschärft worden war, wurde in kritischen Situationen automatisch aktiviert und sagte Jessica White, wann sie beschleunigen, das Tempo drosseln oder die Spur wechseln musste. Der Wagen verschmolz mit ihrem Körper zu einer Einheit. Bei einer Verfolgungsjagd war das Auto nur das Handwerkszeug, das ihren Sinnen blind gehorchte. Jessica nutzte das starke Verkehrsaufkommen, um ihre Position beständig zu wechseln, damit die Zielperson nicht auf sie aufmerksam wurde. Dabei trat alles andere in den Hintergrund.

»Ich finde trotzdem, dass wir zu weit zurückbleiben«, beharrte Calvin Johnson.

Jessica gab dem jungen Agenten fast Recht. Der Mann in dem Escort erschwerte ihre Aufgabe erheblich, indem er stärker beschleunigte als der übrige Verkehr und sich schnell entfernte. Jessica hatte ein ungutes Gefühl.

Die FBI-Agentin drückte mit dem rechten Fuß aufs Gaspedal und erhöhte auf siebzig Meilen, obwohl nur fünfzig erlaubt waren, blieb aber weiter hinter dem Escort zurück.

»Fahr langsamer, verdammt!«, zischte sie. Sie war wütend, denn die Zielperson zwang sie, ihre Deckung zwischen den etwa ein Dutzend Wagen, die sie trennten, aufzugeben. Jessica White betete, dass die Zielperson wieder zu Verstand kommen und das Tempo drosseln würde. Anderenfalls würde es nur noch ein oder zwei Minuten dauern, bis der Fremde sie entdeckt hätte.

* * *

Als Harrison Beckett bemerkte, dass er die vorgeschriebene Höchstgeschwindigkeit um fast zwanzig Meilen überschritt, drosselte er das Tempo und stellte den Tempomat auf fünfundfünfzig. Er wollte auf gar keinen Fall mit einer bewusstlosen Frau auf der Rückbank von einem Streifenwagen gestoppt werden. Da das Chloroform in seinen Augen brannte, war er gezwungen, die Fenster ein Stück zu öffnen.

Dilettanten! Heutzutage benutzte niemand mehr Chloroform. Diese Idioten bedienten sich antiquierter Methoden. Chloroform war nicht nur durch den starken Geruch zu auffällig und konnte das Opfer dadurch vor einem nahenden Angriff warnen, sondern es hinterließ mitunter auch bleibende Lungenschäden. Außerdem konnte Beckett nichts tun, damit Pamela wieder zu sich kam. Das Opfer blieb bewusstlos, bis die Wirkung des Chloroforms nachließ. Im Gegensatz zu den Chemikalien, die Beckett benutzte, um seine Zielpersonen außer Gefecht zu setzen, legten die aggressiven Bestandteile des Chloroforms die für alle Sinne verantwortlichen Gehirnzellen zeitweilig lahm. Beckett musste jetzt mindestens zwölf Stunden warten, bis Pamela Sasser aus der Bewusstlosigkeit erwachte.

Auch gut, murmelte er, als er über seine Möglichkeiten nachdachte. Während seiner gestrigen Observierung vom Dach des China-Restaurants aus hatte er beschlossen, zuerst alle Verfolger auszuschalten, ehe er sich Pamela näherte. Der unerwartete Angriff von zwei Verfolgern hatte den ehemaligen DIA-Agenten gezwungen, seine Deckung aufzugeben und Pamela zu retten.

Er seufzte. Die ganze Situation war paradox. *Gerettet!*
Verdammt, und dabei soll ich sie töten!

Beckett dachte über Pamela Sassers Schicksal nach. Er
konnte sie nicht töten, auf jeden Fall nicht sofort. Ein Ge-
richtsmediziner würde die große Menge an Chloroform feststellen, aber im Grunde war es egal, wie Pamela Sasser
starb. Doch Becketts Neugier wuchs. Er wollte wissen, inwiefern sie in die Sache verstrickt war. Welche Verbindung
gab es zwischen Laylas Mörder in dem Restaurant und dieser Frau?

Zu beiden Seiten der Autobahn lagen Sümpfe, die immer
wieder von ausgedehnten Zuckerrohrfeldern unterbrochen
wurden. Becketts Gedanken wanderten zu Jackson Brasfield
und seinem mysteriösen Begleiter. Sein Gefühl sagte ihm,
dass es eine Verbindung gab, aber er wusste nicht, welche.
Warum sollte diese Frau sterben? War Pamela Sasser wirklich eine Verräterin? Verkaufte sie streng geheime Computerprogramme an die andere Seite? Und was war mit Dr. Eugene LaBlanche? Beckett erinnerte sich an die Beweise, die
Brasfield ihm gezeigt hatte, und er hatte ihm geglaubt. Aber
dennoch ... Warum wollte die DIA, dass ein offensichtlich
harmloser alter Mann beseitigt wurde? Oder waren all das
Puzzlestücke einer viel größeren Affäre, von der er im Moment einfach noch zu wenig wusste? Da er nicht einen einzigen Anhaltspunkt hatte, um diese Theorie zu widerlegen,
musste der Profi zunächst von dieser Möglichkeit ausgehen:
Dr. Eugene LaBlanche und Pamela Sasser mussten sterben,
weil sie entweder etwas wussten oder etwas produziert hatten, und Beckett diente der DIA als Skalpell, um die Tumore
zu entfernen, ohne die Sicherheit des ganzen Systems zu gefährden.

Es bestand natürlich auch die Möglichkeit, dass General
Jackson Brasfield über Becketts Vergangenheit im Bilde war
oder zumindest einen Verdacht hegte. Um Beckett zu testen,

hatte er daher einem seiner Männer das Aussehen des Kairoer Mörders verliehen. Doch auch das war keine plausible Antwort auf seine Frage. Warum *tötete* Brasfield Beckett nicht ganz einfach, als sich ihm die Gelegenheit bot? Oder Brasfield wollte, dass Beckett zuerst seinen Auftrag ausführte. Vielleicht wollte die DIA einen guten, entbehrlichen Mörder für diesen Job, der anschließend aus Sicherheitsgründen sterben sollte. Die zahlreichen Verfolger von Pamela Sasser unterstützten diese Theorie.

Beckett verdrängte den Gedanken und konzentrierte sich wieder auf die Straße. Von Zeit zu Zeit schaute er in den Rückspiegel. Sein Tank war halb voll. Das reichte auf jeden Fall für die achtzig Meilen bis New Orleans. Diese Strecke von Baton Rouge nach New Orleans bot gute Sichtverhältnisse. Die Gegend war so flach wie ein See an einem windstillen Tag, und die Straße verlief meilenweit schnurgerade, was ihm einen ausgezeichneten Blick auf den Verkehr vor und hinter ihm ermöglichte. Heute Morgen hatte er nur ein paar Dutzend Pkws und ein Dutzend mit Zuckerrohr beladene Lastwagen gesehen. Es war November, die Hochsaison für die Zuckerrohrernte, die Ende September begann und Weihnachten zu Ende ging. Zuckerrohrfarmer schnitten das Zuckerrohr und fuhren es zu den Zuckermühlen überall im Süden des Staates. Dort wurde es in braunen Zucker verwandelt und dann zu einer Raffinerie gebracht, um den feinen Zucker herzustellen, den Beckett immer in seinen Kaffee schüttete. Leider hatte er seit vierundzwanzig Stunden keinen mehr getrunken. Da ihm seine tägliche Ration Koffein fehlte, wurde er allmählich nervös. Jetzt konnte er wenigstens rauchen, ohne seine Position zu verraten. Er zog die Packung Marlboro Golds und das Feuerzeug aus der Tasche, steckte sich eine Zigarette an und inhalierte den Rauch. Dank des Nikotins entspannte er sich und konnte sich wieder besser konzentrieren.

Ein Straßenschild wies auf die nächste Abfahrt hin. Vielleicht könnte er dort etwas zu essen und zu trinken bekommen. Aber eine innere Stimme flüsterte ihm zu: *Fahr weiter!*

Seine Selbstdisziplin gewann die Oberhand, und er blieb auf der Autobahn. Bis er New Orleans erreicht hatte, war es zu gefährlich, sich den Blicken möglicher Verfolger auszusetzen. In New Orleans würde er tausend Orte finden, an denen er sich verstecken konnte. Hier gab es keine Verstecke, sondern nur Sümpfe, Zuckerrohrfelder und die Straße.

Harrison Beckett, der immer wieder in den Rückspiegel schaute, fuhr weiter bis New Orleans.

Liem Ngo schaltete und raste in Richtung Interstate. Esther Cruz seufzte. Sie hatten genau zwölf Minuten verloren, als sie durch den nördlichen Teil des Universitätsgeländes zum Parkplatz gelaufen waren, auf dem sie den Wagen gestern Abend abgestellt hatten. Nachdem sich Esthers Pulsschlag normalisiert und sie sich den Schweiß vom Nacken und vom Gesicht gewischt hatte, griff sie nach dem Handy und wählte Jessicas Handy-Nummer.

»Ja?«, meldete sich Calvin Johnson.

»Wo seid ihr?«

»Etwa zehn Meilen östlich von Baton Rouge. Die Zielperson fährt mit Höchstgeschwindigkeit, die jetzt fünfundsechzig beträgt, nach New Orleans.«

Zehn Meilen entfernt. Wenn Jessica fünfundsechzig fuhr, könnte Esther sie möglicherweise einholen, ehe sie New Orleans erreichten.

»Okay. Bleibt ihm auf den Fersen, aber seid vorsichtig. Diese Typ ist ein Profi. Passt auf, dass ihr nicht entdeckt werdet.«

»Okay.«

Esther legte auf und warf Liem Ngo einen Blick zu, als sie die Auffahrt zur I-10 erreichten.

»Geben Sie Gas, Liem. Wir müssen sie einholen.«

Harrison Beckett nahm die erste Ausfahrt nach New Orleans, Veterans Boulevard, und fuhr sofort zur Texaco-Tankstelle. Er setzte Pamela so auf den Beifahrersitz, dass es aussah, als schliefe sie nur, stieg aus und schloss den Wagen ab. In dem kleinen Shop kaufte er einen großen Becher Kaffee, drei Schokoladen-Doughnuts, einen Stadtplan und zwei Pakete Marlboro Golds. Die letzte Schachtel hatte er in der vergangenen Stunde aufgeraucht, und seine Kehle brannte. Doch das interessierte Beckett im Moment herzlich wenig. Das Nikotin, das durch seinen ganzen Körper strömte, beruhigte ihn, aber dafür fröstelte er.

Fünf Minuten später war er wieder auf der Hauptverkehrsstraße. Der Kaffee belebte seine Sinne, und da er seit gestern Mittag nichts mehr gegessen hatte, schmeckten die mittelmäßigen Tankstellen-Doughnuts himmlisch. Als er nach fünf Meilen den Causeway Boulevard erreichte, knurrte sein Magen nicht mehr, und sein Verstand arbeitete dank des Koffeins auf Hochtouren. Er riss eine Schachtel Zigaretten auf, zog eine mit den Lippen heraus und zündete sie an. *Diese verdammte Sucht!*

Der Rauch breitete sich im Wagen aus, als Beckett vom Causeway Boulevard abbog und die nördliche Richtung einschlug. Er fuhr unter der erlaubten Höchstgeschwindigkeit auf der rechten Seite der vierspurigen Straße, bis er fand, was er suchte: einen Wal-Mart mit einem großen, vollen Parkplatz.

Langsam fuhr er auf der Suche nach dem passenden Fahrzeug zwischen den Reihen hindurch. Höchste Zeit, den Wagen zu wechseln. Das hätte er im Grunde schon in Baton Rouge machen müssen, aber die Gefahr, von weiteren unberechenbaren Dilettanten verfolgt zu werden, war zu groß.

Nachdem er die ganze Fahrt nach New Orleans in den Rückspiegel gesehen hatte, verstärkte sich die Gewissheit des Profis, nicht verfolgt zu werden. Dennoch war der Mietwagen ein Risikofaktor und musste daher schnellstens abgestoßen werden, ehe er an seinem Zielort ankam: das zwei Quadratmeilen große französische Viertel mit den vielen Hotels, Clubs und Restaurants. Das ideale Versteck.

Beckett fand schnell, was er suchte: einen alten, verbeulten Chevrolet Caprice, den er problemlos stehlen konnte und der sicher nicht über eine Alarmanlage verfügte.

Er parkte zwei Reihen vor dem Caprice, schloss die Tür ab und ging langsam auf das Zielfahrzeug zu, wobei er ein wachsames Auge auf den großen, sonnenbeschienenen Parkplatz hatte.

Alles klar.

Beckett zog das Jagdmesser aus dem Gurt an seinem Unterschenkel und schob die Klinge zwischen die Glasscheibe und das Türschloss auf der Fahrerseite. Das Schloss sprang auf, und er öffnete die Tür. Keine Alarmanlage.

Nachdem er den Chevy kurzgeschlossen hatte, mit dem Escort dorthin gefahren war und Pamela auf die größere Rückbank gelegt hatte, fuhr Beckett fünf Minuten später zurück zur Interstate. Der aufgeklappte Stadtplan auf seinem Schoß wies ihm den Weg zum City Park, einem großen bewaldeten Park mit Golfplatz mitten in der Stadt. Dort wollte Harrison Beckett den Chevy stehen lassen, den Rest des Tages Zigaretten rauchen und auf den Einbruch der Dunkelheit warten.

Mutter Cruz lächelte. Die clevere FBI-Agentin hatte damit gerechnet, dass der Fremde den Wagen wechseln würde. Sie wunderte sich, dass er so lange damit gewartet hatte. Normalerweise ließ der Täter den Fluchtwagen in der Nähe des Tatortes stehen, ehe er floh. Auf diese Weise bot er seinen Verfolgern keine Anhaltspunkte für die Fluchtrichtung. Der Fremde hatte sich nicht an diese Grundregel gehalten, obwohl er in Baton Rouge wie ein Profi agiert hatte.

War er vielleicht doch kein Profi und hatte lediglich eine gute Nahkampfausbildung absolviert? Esther Cruz glaubte nicht daran. Dieser Typ hatte sich die ganze Nacht versteckt gehalten und seine Deckung erst aufgegeben, nachdem die beiden Typen ihn durch ihren stümperhaften Kidnappingversuch von Pamela Sasser dazu gezwungen hatten. Wer waren eigentlich diese beiden Trottel? Diese Frage schoss ihr auf der Fahrt nach New Orleans immer wieder durch den Kopf. Hatte sie die richtige Entscheidung getroffen, indem sie Pamela und dem Fremden auf den Fersen blieb? Ihr Gefühl sagte ihr, dass der bärtige Mann mit dem übel zugerichteten Gesicht sie nicht weiterbringen würde. Ihr siebter Sinn hatte sie schon oft durch gefährliche Situationen geschleust und sie nie im Stich gelassen. Dennoch wollte sie wissen, wer die beiden waren und warum sie Pamela Sasser verfolgt hatten. Sie hatten nicht schnell genug gehandelt und sich einfach zu dämlich angestellt, um einem Geheimdienst oder einer Terrororganisation anzugehören.

Auch der Supermann hatte Esther verblüfft. Wer war er? Wie passte er ins Bild? Wenn er ein Auftragskiller Brasfields war, der Pamela Sasser beseitigen sollte, stellte sich die Frage, warum er sie stattdessen *rettete*. Warum beschützte er sie? Um sicherzustellen, dass sie auch wirklich starb? Plante er einen inszenierten Unfall? Könnte es derselbe Mörder sein, der LaBlanche, der angeblich an einer Herzattacke gestorben war, beseitigt hatte?

Esther Cruz schüttelte den Kopf und kaute wieder an ihren schon arg mitgenommenen Fingernägeln. Zu viele Fragen, und es war schwierig, mit leerem Magen nachzudenken. Liem Ngo lächelte bereits über das laute Knurren, das von Zeit zu Zeit aus ihrem Magen drang.

Esther Cruz warf ihrem Kollegen am Lenkrad schnell einen Blick zu, während sie an ihrem Daumen knabberte. »Wenn Sie nicht bald aufhören zu lachen, übernehmen Sie die Wache heute Nacht«, sagte sie, und dann schaute sie wieder auf den morgendlichen Verkehr auf der Interstate.

MICROTEL-ZENTRALE.
BATON ROUGE, LOUISIANA *Dienstag, 17. November*

Preston Sinclaire schlug mit den geballten Fäusten auf den Mahagonitisch in seinem geräumigen Konferenzzimmer. Die schwarzgraue Krawatte hing wie ein Pendel an seinem Hals. Es hatte verdammt lange gedauert, um es bis zum Präsidenten eines so riesigen Unternehmens zu bringen, und er fühlte sich einfach zu alt, um derartig gravierende Probleme aus dem Weg zu räumen.

»Dieser verdammte DeGeaux! Verdammter Mist!«

Maria Torres erstarrte, und ihre gebräunte Haut erblasste, als sie auf den dunkelgrauen Teppich starrte.

Der Präsident von Mircrotel setzte sich seufzend hin und rieb sich mit der Hand übers Kinn. Er warf seiner Sekretärin einen Blick zu. Seit sie ihrem Boss von der Schießerei vor dem *Residence Inn* erzählt hatte, wohin Nick DeGeaux Pamela Sasser gefolgt war, hatte sie kein Wort mehr gesagt. Am Morgen war auf allen Sendern über die Schießerei berichtet worden. Ein Mann war tot, und der andere war lebensgefährlich verletzt. Ein Augenzeuge berichtete, dass ein bisher nicht identifizierter Mann möglicherweise eine Person gekidnappt habe. Dieser Mann wurde jetzt wegen Mordes und Totschlags gesucht.

Maria hatte die Nachricht auf dem Weg zur Arbeit im Ra-

163

dio gehört und es ganz nebenbei erwähnt, als sie ihrem Chef den Kaffee brachte. Namen wurden nicht genannt. Preston Sinclaire fürchtete, dass das nur eins bedeuten konnte: Pamela Sasser war mit der Diskette auf der Flucht. Er musste schnellstens etwas unternehmen.

»Maria?«, sagte Sinclaire in krächzendem Ton.

»Ja, Sir?« Sie schaute ihren Chef sichtlich betrübt an. Sinclaire verzog keine Miene.

Er stand auf und versuchte, einen Hauch des Bedauerns auf sein Gesicht zu zaubern, was nicht ganz gelang. »Es tut mir Leid, dass ich so laut geworden bin. Es war eine sehr anstrengende Woche. Das Unternehmen hier und dann noch der Wahlkampf. Es war einfach zu viel. Gehen Sie wieder an Ihre Arbeit. Ich rufe Sie, wenn ich Sie brauche.«

»Ja, Sir«, erwiderte sie, ehe sie sich umdrehte.

»Ach, Maria? Würden Sie mich bitte mit Sheriff Laroux verbinden?«

»Sofort, Sir.«

Sinclaire starrte in die Ferne, nachdem Maria das Büro verlassen hatte. Jason Laroux, der Sheriff von West Baton Rouge, war dank der großzügigen Wahlkampfspenden und der Unterstützung von Microtel kürzlich wiedergewählt worden.

Nach einem kurzen Gespräch hatte Sinclaire den Rest der Geschichte von Laroux erfahren. Sinclaires Vermutung hatte sich bestätigt. Nick DeGeaux war mit einer gebrochenen Nase und zahlreichen Schädelfrakturen ins Our Lady of the Lake Hospital eingeliefert worden. Der Tod seines Bruders Tom wurde noch am Tatort festgestellt. Augenzeugen und der Hotelangestellte des *Residence Inn,* in dem Nick und Tom die Nacht verbracht hatten, berichteten, dass ein Unbekannter Nick angegriffen, bewusstlos geschlagen und anschließend eine Frau gekidnappt habe. Tom DeGeaux war dem Unbekannten gefolgt und getötet worden. Der Unbekannte wurde jetzt wegen Mordes, Totschlags und Kidnappings gesucht.

Sheriff Jason Laroux hatte eingewilligt, umgehend in die Microtel-Zentrale zu kommen, nachdem Preston Sinclaire angedeutet hatte, dass er die Identität der gekidnappten Frau möglicherweise kenne. Sinclaire hatte Jason Laroux gebeten, allein zu kommen. Dieser hatte zugestimmt.

Als der stattliche, in Shreveport geborene Sheriff in seiner hellbraunen Uniform stolz in Prestons Büro schritt, erinnerte sich der Präsident von Microtel an die Zeit, da der Sheriff den Kopf nicht so hoch getragen hatte. Vor fast acht Jahren hatte Preston Sinclaire auf seiner Plantage nördlich von Baton Rouge ein Fest gegeben. Damals war Jason Laroux zum ersten Mal zum Sheriff gewählt worden. Die Jubiläumsfeier aus Anlass des zehnjährigen Bestehens von Microtel, zu der fast tausend Personen geladen worden waren, zog sich über vierundzwanzig Stunden hin. Sinclaire hatte keine Unkosten gescheut und die besten Musikgruppen des Landes engagiert, um seine Gäste zu unterhalten. In sechs riesengroßen Zelten, die im Kreis auf den ausgedehnten Rasenflächen vor Sinclaires Landhaus aufgestellt worden waren, wurde Essen vom Feinsten serviert. Das Fest begann am frühen Morgen mit einem bunten Unterhaltungsprogramm: Reiten, Angeln, Kanufahren und einer Reiterschau. Unter anderem wurde gegrillt, und über Lagerfeuern wurden Langusten gekocht. Nachdem sich die Familien mit Kindern am frühen Abend verabschiedet hatten und die Erwachsenen unter sich waren, wurde die Feier etwas ausgelassener. Bier und Schnaps flossen in Strömen, und die Musik wurde lauter. Sheriff Jason Laroux, der zu den Ehrengästen des Festes gehörte, hatte schon ziemlich viel getrunken. Es stellte sich heraus, dass er eine alte Freundin getroffen und versucht hatte, sich ihr zu nähern. Die ehemalige Freundin, die jetzt mit einem anderen Mann verlobt war, ließ ihn abblitzen. Eine Stunde später bat der betrunkene, aufgewühlte Sheriff Laroux Preston Sinclaire um ein Gespräch unter vier Augen. Nach den Worten des Sheriffs hatte seine Ex ihre Meinung geändert und war mit ihm in eines der Schlafzimmer in dem Landhaus gegangen. Mitten im Vollzug des Aktes hatte sie ihre Meinung erneut geändert und ihn der Vergewaltigung bezichtigt. Der Sheriff wollte ihr nicht wehtun, sondern sie lediglich ruhig stellen. Als Sinclaire mit Laroux in dem Schlafzimmer ankam, lag die Frau splitternackt auf dem Bett. Aus der Vagina floss Blut, ihr Genick war gebrochen und ihr Kopf unnatürlich verdreht.

Preston Sinclaire hätte seinen Sicherheitsdienst und die Polizei rufen können. Nach der Autopsie hätte der geachtete Sheriff Jason Laroux sich auf dem elektrischen Stuhl wiedergefunden. Sinclaire nutzte diese Tragödie stattdessen für seine Geschäfte. Jason Laroux war Preston Sinclaire jetzt verpflichtet, und Sinclaire kümmerte sich darum, dass der Sheriff bei jeder Wahl wiedergewählt wurde.

Laroux nahm seinen braunen Hut mit der breiten Krempe ab. Der Sheriff, ein beeindruckender Mann von dreiundvierzig Jahren mit einer markanten Nase, kurzem schwarzen Haar und schmalen braunen Augen mit wachsamem Blick, hatte eine arrogante Art, über die sich Sinclaire amüsierte.

Er zeigte kurz auf einen Stuhl neben dem seinen am Kopf des Konferenztisches, schaute den Sheriff mit kühlem Blick an und sagte in sachlichem Ton: »Hören Sie mir bitte gut zu, Mr. Laroux. Die Frau heißt Pamela Sasser. Sie hat etwas, das mir gehört, und zwar ein auf einer Diskette gespeichertes Computerprogramm. Haben Sie mich soweit verstanden?«

Der große Kopf, der auf einem Nacken saß, um den ihn jeder Footballspieler beneidet hätte, nickte. Sheriff Laroux sah Sinclaire genau in die Augen, als er sagte: »Ja, Mr. Sinclaire. Fahren Sie bitte fort.«

»Zwei meiner Männer haben gestern ihre Wohnung durchsucht. Sie haben nichts gefunden. Ich habe sie beauftragt, diese Frau zu verfolgen, um vielleicht zu der Diskette geführt zu werden. Offensichtlich hat sie einen Freund gefunden, der nicht nur einen meiner Männer getötet und den anderen schwer verletzt hat, sondern sie jetzt auch beschützt.«

Preston Sinclaire stand auf und blickte Laroux mit durchdringendem Blick an. »Sie hat mein Computerprogramm, Mr. Laroux. Ihr Foto muss überall in diesem verdammten Staat veröffentlicht werden. Klar? Ich will ihr Gesicht noch heute in den Fernsehnachrichten sehen. Ich will ihr Gesicht morgen auf der ersten Seite in der Zeitung sehen. Sie hat mich bestohlen und ist mit einem Mörder auf der Flucht. Sie werden diese Frau für mich schnappen. Sie werden Pamela Sasser hierher bringen. Haben wir uns verstanden?«

»Ja, Sir.«

»Und sorgen Sie dafür, dass sie sich nicht an die Presse wendet. Bevor das passiert, werden Sie sie und ihren Freund *umbringen.* Kapiert?«

Sheriff Jason Laroux nickte und verließ das Büro.

Als die Tür geschlossen war, führte Preston Sinclaire ein weiteres Telefonat. Diesmal mit Washington, D. C.

NEW ORLEANS, LOUISIANA *Dienstag, 17. November*

Um neun Uhr abends fuhr ein Taxi vor dem *Cornstalk Hotel* im französischen Viertel von New Orleans vor. Harrison Beckett hatte vor ein paar Stunden, als er sich im City Park herumgetrieben und eine Zigarette nach der anderen geraucht hatte, vor einer Telefonzelle gehalten und mittels einer Visa-Card unter einem falschen Namen hier ein Zimmer für eine Nacht reserviert. Da es Mitte November war, gab es im historischen *Cornstalk* noch ein paar freie Zimmer zum Sonderpreis von fünfhundert Dollar pro Nacht.

Nachdem der ehemalige DIA-Agent ausgestiegen war, schaute er sich das wunderschöne Hotel an. Ein schwarzer, schulterhoher Zaun aus Schmiedeeisen, der mit gelb gestrichenen Getreideähren abschloss, zierte die Front des Hotels. Über einen Hof erreichte man das kleine Hotel. In den Gelben Seiten, die in der Telefonzelle hingen, hatte er erfahren, dass das Hotel über fünfundzwanzig Zimmer verfügte. Vier geriffelte Säulen ragten auf der Holzveranda in die Höhe und stützten den Balkon im ersten Stock, der mit einer schmiedeeisernen Brüstung umgeben war. Das sanfte gelbe Licht hinter einem Dutzend Fenstern, die vom Boden bis zur Decke gingen und alle mit schwarzen Fensterläden versehen waren, verlieh dem Hotel aus Holz und Stein ein elegantes, gemütliches Aussehen.

Beckett bezahlte den Taxifahrer und öffnete die hintere Tür. Pamela Sasser saß im Dämmerschlaf auf der Rückbank. Obwohl sie ihre Augen ab und zu öffnete, war sie noch immer ohne Bewusstsein.

»Hoffentlich erholt sich Ihre Frau schnell wieder«, sagte der Fahrer.

»Danke«, erwiderte Beckett, der einen Arm unter Pamelas Schultern legte. Obwohl sie nicht wusste, was vor sich ging, konnte sie mit Becketts Unterstützung ein Bein vor das andere setzen. Das Pärchen, das offenbar zu viel getrunken hatte, taumelte über den Hof in das kleine Foyer.

Große Kristallleuchter hingen an den hohen Decken, die mit verzierten Holzleisten abschlossen. Das lange, schmale Foyer war mit einem glänzenden dunklen Holzboden ausgestattet und endete vor der Rezeption, die im Moment nicht besetzt war. Die Luft war verbraucht. Links von der Rezeption standen zwei burgunderrote antike Sofas mit goldgezwirnten Kissen vor einem kleinen Tisch mit einer Kristalllampe. Beckett setzte Pamela vorsichtig neben die Armlehne eines der Sofas, damit sie nicht zur Seite kippte. Auf der anderen Seite der Rezeption führte eine runde Treppe in den ersten Stock.

Beckett ging zur Rezeption und drückte auf die kleine Klingel, die auf der Theke stand. Kurz darauf tauchte ein junger Mann auf.

»Ich habe vorhin angerufen«, sagte Beckett. »Mein Name ist Justin Fergusson.«

Der dürre junge Mann, der allerhöchstens fünfundzwanzig Jahre alt war, hatte blondes Haar und ein schmales Gesicht. Er lächelte: »Wir haben das Zimmer zwei-null-drei mit Balkon für Sie vorbereitet.«

»Großartig. Wir hatten heute einen langen Abend hier im Viertel und sind jetzt ziemlich k.o.«

Der Spargeltarzan schaute auf die Uhr. »Der Abend fängt doch gerade erst an, Sir.«

Beckett neigte seinen Kopf erstaunt zur Seite. »Tatsächlich? Es ist doch schon nach neun. Bei uns in Bristow, Oklahoma, ist ab zehn nichts mehr los. Darum trinken wir schon am frühen Abend.«

»Ja, Sir, hier bei uns geht die Party jetzt erst richtig los.«

Nachdem Beckett das Anmeldeformular unterschrieben hatte, gab der Spargeltarzan ihm den Schlüssel. »Erster Stock, drittes Zimmer auf der linken Seite.«

Beckett ging zurück zu Pamela, umklammerte sie fest und zog sie fast die Eichentreppe hinauf, die bei jedem Schritt knarrte. Die Treppe führte zu einem langen, breiten Korridor, der mit burgunderrotem Teppich ausgelegt war. Auf der linken Seite befanden sich sechs Hotelzimmer. Sie hatten große Türen, die mit einem Oberlicht aus Rauchglas und markanten goldenen Zahlen auf Augenhöhe versehen waren. Auf der rechten Seite waren drei Türen ohne Nummern. Mit Pamela im Arm taumelte Beckett zu ihrem Zimmer, das etwa in der Mitte des Korridors lag. Er zog den Schlüssel aus der Tasche und schloss die schwere Holztür auf.

Mondlicht drang durch die beiden deckenhohen Fenster ins Zimmer. Zwischen zwei Doppelbetten stand ein Nachttisch mit einer Kristalllampe, deren sanfter Schein auf den Holzboden fiel. Beckett legte Pamela auf ein Bett, ehe er die stabile Eichentür abschloss und verriegelte.

Gott, war er müde! Noch nie hatte ein Bett so einladend ausgesehen, und dennoch konnte er nicht abschalten. Seit längerer Zeit hatte er nichts Vernünftiges mehr gegessen. Sein Körper verlangte nach Ruhe, doch er brauchte auch Nahrung, um den Ereignissen, die auf ihn zukamen, standzuhalten.

Beckett setzte sich auf das freie Bett und schaltete die Lampe aus, damit von der Straße aus niemand in das Zimmer sehen konnte. Die burgunderroten Vorhänge zog er nicht zu, um keinen Hinweis darauf zu liefern, dass das Zimmer belegt war.

Seine Augen brauchten eine Minute, um sich an das fahle Mondlicht, das ins Zimmer schien, zu gewöhnen. Er nahm das Telefon vom Nachttisch und rief die Rezeption an.

Nachdem er die Nummer eines Tag und Nacht geöffneten Feinkostgeschäftes zwei Häuserblocks entfernt erfahren hatte, bot er Spargeltarzan zehn Dollar, wenn er ihm dort ein paar Sandwichs und Chips besorgen würde. Spargeltarzan willigte erst ein, als er das Trinkgeld auf fünfzehn Dollar hochgehandelt hatte. Nach dreißig Minuten kehrte er zurück, nahm sein Trinkgeld entgegen und ging wieder an die Arbeit. Beckett verschlang zwei Sandwichs mit Roastbeef und drei kleine Tüten pikante Kartoffelchips und trank dazu eine große Flasche Mineralwasser. Anschließend kümmerte er sich um Pamela. Sie regte sich nicht mehr, seitdem sie sich wie ein Baby auf dem Bett zusammengerollt und die Hände unter dem Kinn gefaltet hatte. Ihr gleichmäßiger Atem und das fahle Mondlicht, das auf ihren schlanken Körper fiel, weckten die Erinnerung an seine Nächte mit Layla

Shariff. Nach all den Jahren bekümmerte ihn noch immer ihr gewaltsamer Tod.

Wer bist du, Pamela Sasser? Was hast du mit der ganzen Sache zu tun?

Er musste dieser hübschen Fremden, die er beseitigen sollte, alle Informationen, die er bekommen konnte, entreißen. Harrison Beckett wusste bereits, dass er ihr kein Haar krümmen würde, und das nicht nur, weil Brasfield ihn möglicherweise nur benutzte. Als er auf die friedlich schlafende Pamela Sasser schaute, erwachten in ihm Gefühle, die seit der Nacht in Kairo, als ein Teil von ihm auf dem Bahnsteig gestorben war, tief in seinem Herzen schlummerten.

Die Nachrichten, die Beckett am frühen Abend im Radio gehört hatte, als er durch den City Park gefahren war, hatten der Situation eine ganz neue Dimension verliehen. Es war bereits über die Schießerei berichtet worden. Pamela Sasser – der Nachrichtensprecher hatte tatsächlich ihren Namen genannt – war mit dem bisher nicht identifizierten Mörder eines unschuldigen Bürgers auf der Flucht. Ein aktuelles Foto von Pamela war an alle Polizeidienststellen des Landes gefaxt worden.

Offenbar wollte jemand, der über die richtigen Beziehungen verfügte, Pamela Sasser um jeden Preis in die Finger kriegen. Aber wer? Zog Jackson Brasfield jetzt andere Saiten auf? War der inszenierte Autounfall, bei dem Pamela Sasser sterben sollte, nach den Ereignissen vor dem *Residence Inn* nicht mehr in seinem Sinne? Nutzte er jetzt den langen Arm des Gesetzes für seine Drecksarbeit, und wollte er Harrison Beckett gleichzeitig ausschalten, weil er zu viel wusste?

Beckett hatte das Gefühl, nicht mehr klar denken zu können. Er brauchte mehr Informationen, und sein Körper verlangte nach Schlaf.

Zuerst musste er eine Zigarette rauchen.

Als er das silberne Feuerzeug und eine Schachtel Marlboro aus der Tasche zog, sah er den Rauchdetektor an der Decke. Dies war ein Nichtraucherzimmer.

Er stellte sich aufs Bett, zog den Deckel vom Rauchdetektor, entfernte die Batterie und legte sich aufs Bett. Dreißig Sekunden später nahm er einen tiefen Zug, schloss die Augen, kreuzte die Beine und versuchte, sich zu entspannen.

Zuerst schlafen und dann nachdenken.

Seine Jahre bei der DIA hatten ihn gelehrt, dass Essen und Schlaf ausgezeichnete Waffen waren, die man nicht unterschätzen durfte. Sie hatten einen ebenso hohen Stellenwert wie die Beretta 92F, die Beckett hinten aus seiner Jeans zog und auf den Nachttisch legte. Ohne Essen und Schlaf funktionierte der Verstand nicht mehr richtig, und man wurde unsicher und paranoid. Während der DIA-Ausbildung in Fort Bragg hatte Beckett an einem Überlebenstraining teilgenommen und vier Tage nicht geschlafen. Alle anderen hatten nur zwei Tage durchgehalten. Nur Beckett hatte noch einen dritten Tag geschafft, aber danach konnte er sich kaum noch an etwas erinnern. In seinem Leistungsbericht stand, dass er etwa ab der fünfundsiebzigsten Stunde hochgradig paranoid und unfähig geworden sei, die einfachsten Entscheidungen zu treffen. Das war nach nur drei Tagen gewesen. Beckett hatte seit achtundvierzig Stunden nicht mehr geschlafen. Daher war er von diesem Zustand nur noch vierundzwanzig Stunden entfernt.

Ohne weiter darüber nachzudenken, nahm der ehemalige DIA-Agent einen letzten Zug, drückte die Kippe auf dem Holzfußboden aus, legte sich das Kissen unter den Kopf und schlief ein.

Vor dem *Cornstalk Hotel* schlich ein bärtiger Mann in zerrissenen Klamotten über den Bürgersteig. Ein Flaschenhals ragte aus einer Papiertüte, die er in der rechten Hand hielt.

Mit der linken schob er einen kleinen Einkaufswagen, in dem schmutzige Decken, Blechdosen und ein paar Schuhkartons lagen. Der zerknitterte schwarze Hut und die zerkratzten Unterarme passten perfekt zu seinem verfilzten langen Haar und dem Bart. Seinen Körpergeruch konnte er fast als Waffe einsetzen.

Doch dieser Mann brauchte nur eine Waffe, um einem Menschen das Leben zu nehmen: das Stilett, das unter seinem schmutzigen schwarzen Hemd steckte. Seitdem er für das Verteidigungsministerium arbeitete, hatte er schon zahlreiche Morde begangen. In früheren Jahren, als Offizier der ägyptischen Armee, hatte er noch mehr Menschen getötet. Bei der DIA war er als Hamed Tuani bekannt. Man sah ihn selten und hörte nur von ihm, wenn er wieder zuschlug, und das tat er mit der Schnelligkeit und Effektivität einer Klapperschlange. Nachdem er die scharfe Klinge des Dolches in das Herz des Opfers gestoßen hatte, zog er sich blitzschnell zurück.

Hamed war auch ein ausgezeichneter Beobachter, der sich immer so verkleidete, dass die Menschen kaum Notiz von ihm nahmen. In dieser windigen Nacht im französischen Viertel mit den Jazzklängen, den Schreien und dem Lachen der betrunkenen Touristen und dem Uringestank, den seine zerfetzte Hose ausströmte, beobachtete Hamed das Hotel. Er hatte vor zwei Stunden gesehen, dass Harrison Beckett und Pamela Sasser vor dem Hotel aus einem Taxi gestiegen waren.

Seine grünen Augen hatten jedoch noch mehr gesehen. Hamed hatte auch einen Asiaten und eine Frau in den Vierzigern ins Hotel gehen sehen. Normalerweise hätte er sie für Hotelgäste gehalten, aber diese beiden hatten das *Residence Inn* in Baton Rouge in der letzten Nacht beschattet. Sie waren aus ihren Verstecken gekommen, als die beiden Stümper versucht hatten, Pamela Sasser zu kidnappen.

Jackson Brasfield, der Hamed den Auftrag erteilt hatte, Beckett zu folgen, damit der Mord auch tatsächlich ausgeführt wurde, hatte Hamed erklärt, dass die beiden in dem schwarzen Pickup zu Microtel gehörten. Es waren zwei Schläger, die Preston Sinclaire geschickt hatte, um Pamela zu kidnappen. *Warum beging Sinclaire einen solchen Fehler, wenn Brasfield schon einen Profi angeheuert hatte?* Hamed hatte die Frage nicht gestellt, und Brasfield hatte ihm keine Erklärung für das widersprüchliche Verhalten der beiden hoch gestellten Persönlichkeiten geliefert. Er hatte schon vor langer Zeit gelernt, dass niemand die Entscheidungen von Preston Sinclaire in Frage stellen durfte. Ein Mann, der über eine derartige Macht und einen so großen Einfluss verfügte, machte keine Fehler.

Jetzt lag es in den Händen von Brasfield und Hamed, den Schaden zu begrenzen, bevor die Sache außer Kontrolle geriet. Preston Sinclaires Ruf durfte auf gar keinen Fall Schaden nehmen.

Hamed ging an dem Hotel vorbei auf seinen Lieferwagen zu, mit dem er zu einer gemieteten Wohnung an der Canal Street fuhr. Er musste Brasfield per E-Mail Bericht erstatten.

Im Zimmer 203 des *Cornstalk Hotels* sprang Harrison Beckett schweißgebadet aus dem Bett. Keuchend griff er sich an den Nacken und schaute sich mit angstgeweiteten Augen im Zimmer um. Mit der rechten Hand tastete er über den Nachttisch, umklammerte die Beretta und atmete tief ein.

»Mein Gott!«, flüsterte er seufzend. Dann legte er die Beretta wieder auf den Nachttisch und rieb sich mit seinen feuchten, zitternden Händen übers Gesicht.

In dem dunklen Zimmer herrschte Ruhe. Er hörte nur seinen eigenen Herzschlag und den gleichmäßigen Atem von Pamela Sasser. Becketts Hände zitterten noch immer, als er eine Zigarette und das Feuerzeug aus seiner Tasche zog und versuchte, die Zigarette anzuzünden. Es gelang ihm nicht.

Er verzichtete auf die Zigarette, steckte das Feuerzeug und die Schachtel Marlboro wieder in die Tasche, setzte sich aufs Bett und wischte sich den kalten Schweiß von den Wangen und der Stirn.

Rom 1981. Drei Wochen nach den Ereignissen in Kairo.

Der von der DIA auf die schwarze Liste gesetzte Agent suchte in der Menge der amerikanischen Touristen, die die Straßen von Rom bevölkerten, sein Opfer. Wie ein in die Enge getriebenes Tier verdrängte er alle Gefühle und gehorchte nur noch den Instinkten. Sein Überleben hing von der richtigen Entscheidung ab. Er sah viele amerikanische Touristen, die, aufgrund von Größe, Gewicht und Haarfarbe infrage kamen. Der verzweifelte Agent entschied sich schnell für einen allein reisenden New Yorker. Vorerst würde ihn niemand vermissen. In der nächsten Nacht tötete er den Fremden mit den bloßen Händen. Er erwürgte ihn, während der New Yorker um Gnade flehte. Als Nächstes musste er den Körper entsprechend präparieren. Allein auf der Rückbank eines gemieteten Fiats präparierte der Jäger das Wild. Die Fingerspitzen mussten abgeätzt, die Muttermale und Narben vorsichtig entfernt und die Zähne herausgeschlagen werden. Dann rief der Agent den Militärattaché der amerikanischen Botschaft an und bat um Unterstützung bei der Ausschaltung seines Verfolgers und um sofortige Freistellung vom Dienst. Der verzweifelte Agent, der vorgab, nicht zu wissen, dass die DIA hinter ihm her sei, führte das Team – Beckett wusste genau, dass es ein Killerkommando war – zu dem gemieteten Fiat. Dann folgte eine gewaltige Explosion. Der Körper zerbarst. Der Agent hatte den Sprengstoff so drapiert, dass der Oberkörper verschwinden würde, ohne Spuren zu hinterlassen. Für die DIA existierte der gesuchte

Agent nicht mehr. Der DIA-Agent ging zu einem Chirurgen in Rom, der Becketts Gesicht veränderte und dem Agenten seine Freiheit und ein neues Leben schenkte. Harrison Beckett eliminierte anschließend den Chirurgen, um alle Verbindungen zu seinem früheren Leben zu lösen. Und in Rom hatte alles begonnen.

Rom.

Im Laufe der Jahre hatte Beckett darüber nachgedacht, wieder sein ursprüngliches Aussehen anzunehmen, aber er hatte Angst, erkannt und von einem anderen Killerkommando beseitigt zu werden. Jetzt sah es fast so aus, als wären alle Anstrengungen vergebens gewesen, denn möglicherweise hatte Jackson Brasfield alles aufgedeckt.

Harrison Beckett rieb sich über den Nacken, legte sich wieder aufs Bett und schloss die Augen. Seine Gedanken wanderten zu den Ereignissen, die sich vor langer Zeit in jener Nacht in Rom abgespielt hatten.

8

Gut und Böse

*Wer mit Ungeheuern kämpft, mag zusehen, dass er
nicht dabei zum Ungeheuer wird. Und wenn du lange
in einen Abgrund blickst, blickt auch der Abgrund in
dich hinein.*

Friedrich Nietzsche, Jenseits von Gut und Böse

DAS PENTAGON, WASHINGTON, D. C. *Dienstag, 17. November*

XXXXXXX HB und Zielperson im *Cornstalk Hotel* in
New Orleans. Bisher noch keine Anstrengung zur Beseiti-
gung unternommen XXX HBs Verhalten, seitdem er den
Tatort in Baton Rouge verlassen hat, zeigt seine große Sorge, verfolgt zu werden XXXXX Vielleicht verdächtigt er
die DIA, ihn zu beschatten XXXXX Vielleicht hat er die
Nachrichten über die Zielperson gehört und fürchtet, von
der hiesigen Polizei beschattet zu werden XXX Ein Asiat
und eine Spanierin mittleren Alters, die gestern Nacht das
Residence Inn von der anderen Straßenseite aus beobachtet
haben, sind HB und der Zielperson in das *Cornstalk Hotel*
gefolgt XXXX Zwei weitere Verfolger – eine weiße Frau
und ein dunkelhäutiger Mann – wurden in einem Wagen einen Block vom Hotel entfernt gesichtet XXXX Bitte um
Instruktionen XXXXXX Ende des Berichtes XXXX

Für General Jackson T. Brasfield spitzte sich die
Situation von Minute zu Minute weiter zu. Harrison Beckett
hatte erbärmlich versagt. Obwohl Brasfield Preston Sinclaires impulsiver Art zum Teil die Schuld daran gab, dass

der Auftragskiller auf diese Weise reagiert hatte, wollte der Direktor der DIA die Entscheidung seines Vorgesetzten nicht infrage stellen.

Jetzt konnte nur noch Schadensbegrenzung betrieben werden. Brasfield stellte sich das schlimmste Szenario vor: Beckett und Pamela bleiben zusammen. Beckett erfährt, dass Brasfield ihn in Bezug auf Dr. LaBlanche belogen hat, und der clevere Beckett wagt einen kühnen Schritt. Er geht mit seiner Geschichte zur Presse und zum FBI und verlangt für die Informationen seine Freiheit und die von Pamela Sasser. Eine andere Möglichkeit: Beckett und Pamela werden von der Polizei oder vom FBI ergriffen und gestehen, um Vergünstigungen auszuhandeln. Von welcher Seite Brasfield die Sache auch betrachtete, das Resultat würde Preston Sinclaires Position auf jeden Fall ungeheuer schaden. Er hatte dem wütenden Sinclaire die Situation geschildert, und dieser hatte Brasfield aufgefordert, ihn sofort anzurufen, wenn der DIA-Beschatter, der dem Killer folgte, Bericht erstattete.

Brasfield quälte noch ein anderes Problem: das Team, das Pamela Sasser und Harrison Beckett beschattete. Wer waren sie? Wer hatte sie dorthin geschickt? Wie kamen sie darauf, Pamela Sasser zu beschatten?

Brasfield hatte das ungute Gefühl, die Antwort auf diese Frage bereits zu kennen: Es gab eine undichte Stelle in der Organisation. Er musste sie finden und augenblicklich beseitigen.

General Brasfield, der vor seinem Schreibtisch saß und auf den 19-Zoll-Monitor schaute, griff nach dem Telefon und wählte Sinclaires Handynummer.

»Neuigkeiten?«, meldete sich Sinclaire nach dem dritten Klingeln.

»Hamed hat seinen Bericht abgeliefert. Wir wissen, wo sie sich verstecken. Innerhalb einer Stunde wird ein Team vor Ort sein.«

»Gut. Und mach diesmal keine Fehler, Jackson. Ich will nicht in die Sache verwickelt werden. Das ist dein Job.«

Brasfield schüttelte langsam den Kopf und schloss die Augen. Sinclaire wäre gut zum Politiker geeignet.

»Es gibt noch ein Problem«, sagte Brasfield.

»Welches?«

»Pamela Sasser und der Killer werden nicht nur von uns beschattet.«

»Was sagst du da? Von wem denn noch?«

»Das wissen wir nicht. Könnte das FBI sein.«

Ein paar Sekunden herrschte Stille, und dann seufzte Sinclaire laut.

»Ich glaube, in einer unserer Organisationen gibt es eine undichte Stelle«, fügte Brasfield hinzu.

»Tu, was du tun musst«, sagte Sinclaire. »Sorge einfach dafür, dass Sasser und Beckett ausgeschaltet werden.«

»Ich kümmere mich darum.«

»Ruf mich an, wenn die Sache erledigt ist. Und denk daran, Jackson. Halte mich aus der Sache raus. Wenn ich untergehe, gehen wir alle unter.« Mit diesen Worten legte er auf.

Brasfield legte ebenfalls den Hörer auf, erhob sich und ging zu dem Fenster neben dem Schreibtisch. Er lockerte seine Krawatte, nahm die Schachtel Camel vom Schreibtisch und zündete sich eine Zigarette an. Während er den Rauch tief inhalierte, schaute er auf den großen Parkplatz, auf dem ein paar Hundert Wagen im gelben Schein der Neonlichter standen. Sicherheitsbeamte mit dressierten Hunden überwachten diesen Abschnitt des gesicherten Gebäudekomplexes.

Sinclaire hat uns in diese Situation gebracht. Jetzt gibt es kein Zurück mehr.

Er setzte sich hin, klemmte die Zigarette zwischen Zeige- und Mittelfinger seiner rechten Hand und tippte: »Mit äußerster Dringlichkeit ausführen.«

»Vor Sonnenaufgang«, murmelte Brasfield. »Vor Sonnenaufgang haben wir all unsere Probleme gelöst.«

Jessica White, die einen Häuserblock vom *Cornstalk* ent-
fernt auf dem Fahrersitz des Pkws saß, spürte, dass sich ein
Stück weiter die Straße hinunter etwas tat. Sie stellte den
Rückspiegel richtig ein und ließ ihren Blick über die dunkle
Straße gleiten, ohne ein bestimmtes Objekt im Auge zu ha-
ben. Nachdem sie kurz ihre Augen entspannt und sich an die
Dunkelheit gewöhnt hatte, sah sie zwei dunkle Gestalten
über die schlecht beleuchtete Straße gehen.

Wenige Sekunden später erkannte Jessica, was sie in den
Händen hielten: Automatikwaffen. Als sie ihre kleine 38er
Special Smith & Wesson hervorzog, die im Vergleich zu ei-
ner Automatikwaffe nur eine Art Pusterohr war, wurde ihr
klar, wie schlecht sie bewaffnet war. Um einen derartigen
Angriff zu überleben, brauchte sie stärkere Waffen, doch ihr
Gewehr mit dem abgesägten Lauf lag im Kofferraum. Sie
runzelte die Stirn. Agent Calvin Johnson müsste jetzt am
Ende der Straße stehen und das Hotel überwachen.

Jessica White beschloss, um den Block zu fahren, die
Waffe aus dem Kofferraum zu holen und wieder hierher zu-
rückzufahren. Doch zuvor musste sie Esther und Liem vor
der drohenden Gefahr warnen.

Sie griff nach dem Funkgerät auf dem Beifahrersitz und
runzelte die Stirn, als sie durch das Fenster der Beifahrertür
eine in Schwarz gekleidete Gestalt mit einer Maske und einer dunklen, auf sie gerichteten Waffe sah.

»Steig aus«, sagte der Mann. »Ganz langsam. Und denk
gar nicht daran, das Funkgerät anzufassen. Dein Freund unten auf der Straße hat es versucht, aber nicht geschafft.«

Jessica wusste, dass sie überlistet worden war. Panik stieg

in ihr auf. Die Gestalten auf der Straße sollten sie nur ablenken.

Die FBI-Agentin öffnete die Tür und stieg aus. Sie legte die Hände hinter den Kopf und umklammerte mit den Fingern ein kurzes Wurfmesser, das stets um ihren Unterarm gebunden und von ihrer langärmeligen Bluse verdeckt war.

»Wer bist du?«, fragte der verkleidete Mann, der ihr befahl, von der Straße wegzugehen und in den Schatten des Bürgersteigs zu treten. Jessica kannte die Waffe. Es war ein Heckler & Koch MP5 mit Schalldämpfer, aber das spielte keine Rolle. Sie konnte die Klinge mit tödlicher Genauigkeit so schnell werfen, dass der Mann nicht genug Zeit hätte, zu reagieren und auf den Abzug zu drücken.

Jessica schaute den Mann erstaunt und schockiert an. Sie blieb ruhig und hielt die Hände noch immer hoch. Wie befohlen, ging sie von der Straße weg, doch ehe sie den Bürgersteig erreichte, sprach sie der maskierte Mann wieder an. »Ich hab' dich was gefragt. Wer bist du?«

Jessica ging näher an ihn heran, bis sie nur noch knapp zwei Meter von ihm entfernt war. In wenigen Sekunden würde sie ihn problemlos ausschalten.

Ehe sie noch einen weiteren Schritt machen konnte, spürte sie einen stechenden Schmerz im Magen, genau unter dem Brustkorb. Ihr Kopf fiel nach vorn, und sie ließ die Waffe fallen. Jessica wusste, dass sie gleich sterben würde.

Von hinten legte sich eine Hand auf ihren Mund, sodass kein einziger Laut über ihre Lippen drang. Der Schmerz breitete sich schnell in ihrer Brust und ihrem Herzen aus.

Sie sah einen Lieferwagen, der auf sie zukam. Als er neben ihr hielt, war die Seitentür bereits geöffnet. Mehrere Hände zogen ihren leichten Körper von dem nassen Bürgersteig hoch und warfen sie in den Wagen. Sie landete neben

Calvin Johnson, und das Letzte, was Jessica White sah, ehe sie starb, war seine aufgeschlitzte Kehle.

Der FBI-Special-Agent Liem Ngo stand hinter einer großen Topfpflanze neben der Treppe im ersten Stock des *Cornstalk Hotels*. Er war schon seit fast fünf Stunden hier, seine Beine waren verkrampft, und durch den fehlenden Schlaf wurde ihm schwindelig. Die anfängliche Erregung, mitten im ersten großen Fall zu sein, hatte sich bereits lange vor der Dämmerung gelegt.

Esther Cruz, die leitende Agentin des Falls, versteckte sich in einem leeren Raum auf der rechten Seite des Korridors. Im Gegensatz zu Liem Ngo, der zu seiner Verteidigung nur eine Smith & Wesson-.38er-Special mit kurzem Lauf hatte, die hinten in seiner Hose steckte, standen Esther Cruz schwerere Geschütze zur Verfügung: eine Uzi-Maschinenpistole. Die beiden waren ins Hotel gegangen, hatten dem großen dürren Hotelangesellten ihre FBI-Marken gezeigt, Pamela Sassers Zimmernummer erfahren und Informationen über die Zimmeranordnung im ersten Stock erhalten. Esther hatte entschieden, die Bewachung aufzuteilen. Sie waren mit winzigen Ohrmuscheln und kleinen Mikrofonen im Revers, die mit den Funkgeräten an ihren Brustkörben verbunden waren, ausgestattet. Auf diese Weise waren die beiden Agenten immer in Kontakt und konnten sich gegenseitig decken, falls sich die Situation zuspitzte. Liem deckte die Treppe, und Esther, die sich in einem der unverschlossenen, fast leeren Räume auf der rechten Seite des Korridors aufhielt, deckte Pamela Sassers Suite, die auf den Namen Justin Fergusson gemietet worden war.

Wahrscheinlich ein falscher Name.

Liem drehte sich zur rechten Seite um, wo sich die Treppe weiter nach oben schlängelte. Der über einen Meter große eiserne Blumentopf mit der dicken Palme, die fast bis zur

Decke reichte, behinderte seine Sicht. Dadurch war er gezwungen, die Deckung zum Teil aufzugeben, während er sich den Hals verrenkte, um die Treppe ganz einsehen zu können.

Liem Ngo hörte Geräusche. Er erstarrte und hielt den Atem an. Das Herz klopfte laut in seiner Brust, und sein Mund war plötzlich ganz trocken. Er konnte das Geräusch nicht genau einordnen. War es der Atem eines Menschen? Er strich sich mit der Zunge über die Lippen und wollte gerade noch einen Blick auf die Treppe werfen, als er die dunkle Gestalt sah, die hinter dem großen Blumentopf auftauchte.

Er griff mit der rechten Hand automatisch zur Waffe und trat einen Schritt auf den Korridor, um sich von der bedrohlichen, dunklen Gestalt auf der anderen Seite des Blumentopfes zu entfernen. Statt den kühlen Griff seiner Smith & Wesson zu fassen zu bekommen, spürte Liem Ngo, dass jemand sein Handgelenk ergriff und es fest umklammerte. Ein stechender Schmerz zuckte durch seinen Unterleib. Die Beine gaben nach, und sein Körper fing an zu zittern.

Er versuchte, um Hilfe zu schreien, doch die dunkle Gestalt vor ihm legte ihre Hand auf seinen Mund. Der Schmerz in seinem Magen breitete sich bis in die Brust aus. Er schnappte nach Luft. Seine Brust wurde von innen zerrissen, und die Augen füllten sich mit Tränen. Special Agent Niem Ngo schaffte es, mit der freien Hand dreimal auf das kleine Mikro zu klopfen, ehe er starb.

Hamed Tuani hatte den Dolch genau unter dem Brustkorb in den Bauch seines Opfers gestoßen und ihn dann hinter den Rippen nach oben ins Herz gezogen. Auf diese Weise hatte er schon viele Menschen getötet. Seine Opfer starben innerhalb weniger Sekunden. Die äußere Blutung war minimal, und das einzige Mal auf ihrem Körper war der winzige Einstich des Dolches.

Das Ablenkungsmanöver eines Mitgliedes seines Killerkommandos hatte Hamed die wertvollen Sekunden geliefert, die er brauchte, um die drei Meter, die ihn von seinem vierten Opfer in der heutigen Nacht trennten, zurückzulegen.

Hamed hatte dem dürren Hotelangestellten an der Rezeption die Informationen entlockt, die er benötigte, und ihn dann ausgeschaltet. Er hatte erfahren, dass zwei FBI-Agenten das Zimmer 203 bewachten, in dem Harrison Beckett und Pamela Sasser sich aufhielten. Hamed musste noch die vierte FBI-Agentin ausschalten, ehe er das Zimmer stürmen konnte. Normalerweise müsste der nächste Mord genauso problemlos über die Bühne gehen wie die ersten vier.

Er schaute auf die Uhr. Es war 4.04 Uhr morgens. Die Operation hatte vor vier Minuten begonnen, und in sechs Minuten sollte sie beendet sein. In zehn Minuten würden sie im Lieferwagen sitzen und zum Flughafen fahren. Ihr Flug zurück nach Washington ging um fünf. Bei Sonnenaufgang sollte das Problem gelöst sein.

Die fünf Mitglieder des DIA-Killerkommandos setzten ihre Gasmasken auf und stellten sich in einer Reihe hinter Hamed auf, der ebenfalls den schwarzen Spandex-Anzug und die Standardmaske für diese spezielle Operation trug. Mit den Heckler & Koch MP5 im Anschlag bewegte sich die Gruppe langsam über den Korridor zu dem Raum, in dem sich die letzte FBI-Agentin versteckte.

Im Laufe ihrer fünfundzwanzig Dienstjahre beim FBI hatte Mutter Cruz einen sechsten Sinn entwickelt, wenn Ärger drohte. Bei einer Beschattung war alles von größter Bedeutung, und dazu gehörte auch, dass Liem Ngo plötzlich mehrmals leicht auf sein Mikro gedrückt hatte. Er hatte dreimal gedrückt, und das bedeutete, dass er in Schwierigkeiten war. Und da daraufhin kein anderer FBI-Funkcode oder eine kurze mündliche Erklärung folgten, vermutete Esther das

Schlimmste. Liem war entdeckt worden, und sie schwebte jetzt in großer Gefahr. Esther drückte mit letzter Hoffnung fünfmal auf ihr Mikro und versuchte, eine Antwort von Calvin, Liem oder Jessica zu bekommen. Niemand antwortete. Sie musste alle Hoffnungen begraben.

Der Raum, in dem sie sich aufhielt, war ungefähr acht Quadratmeter groß. Die beiden Fenster gingen auf den hübschen Hof mit einem Springbrunnen in der Mitte, und auf dem Kopfsteinpflaster standen Bänke und Stühle. In dem Raum befanden sich nur wenige Möbelstücke: ein alter Schrank zwischen den beiden Fenstern; ein Stuhl, auf dem sie saß; ein zerbrochener Spiegel, der an der Wand lehnte; eine vergilbte Matratze in der Ecke.

Esther umklammerte die Uzi mit der rechten Hand und schlich zum Fenster.

Hamed Tuani, der die Tür als Erster erreichte, hielt einen kleinen Giftgaskanister mit einem dünnen Plastikschlauch in den Händen. Er kniete sich vor die Tür, schob das Ende des durchsichtigen Schlauches unter die Tür und drehte das Gas auf. Daraufhin strömte das Gas in den Raum.

Hamed, der von seinem Killerkommando flankiert wurde, wartete eine volle Minute, ehe er aufstand, den leeren Kanister zur Seite schob und mit den Fingern der linken Hand von fünf bis null herunterzählte. Dann steckte er den Hauptschlüssel, den er vom Hotelangestellten erhalten hatte, vorsichtig ins Schloss, öffnete die Tür, stieß sie auf und blieb außerhalb der Schusslinie neben der Tür stehen.

Anmutig wie gut trainierte Balletttänzer durchbrachen die Schatten die Dunkelheit und rollten sich geräuschlos ins Zimmer. Sie positionierten sich zu beiden Seiten der Tür, richteten die Waffen auf Brusthöhe ins Zimmer und legten ihre Finger auf den Abzug.

Hamed folgte ihnen und schloss die Tür, während das

DIA-Team seine Blicke durch den leeren Raum schweifen ließ und die Waffen von einer Seite zur anderen schwenkte. Die weißen Vorhänge vor den beiden Fenstern wehten in der Brise.

Wo war sie? Hatten sie das falsche Zimmer erwischt? Hamed glaubte nicht, dass sie im falschen Zimmer waren. Sie hatten vom Hotelangestellten die exakte Position des anderen Agenten erfahren. *Hatte die Agentin sie gehört?* Möglicherweise, aber wohin war sie gegangen? Es gab keine Möglichkeit, das Zimmer zu verlassen, ohne dass Hamed es bemerkt hätte. Es sei denn ...

Hameds Blick wanderte zu dem Holzschrank zwischen den beiden Fenstern. Zu auffällig.

Aber wo konnte die Agentin sonst sein? Das Zimmer lag im ersten Stock. Er ging über den nackten Boden, und als zwei der DIA-Killer ihre Maschinenpistolen auf den Schrank richteten, riss er die Tür auf.

Leer.

Mutter Cruz hing an einer Feuerleiter an der Seite des zweistöckigen Gebäudes genau rechts neben dem Fenster. Sie war aus dem Fenster geklettert, als sie den Plastikschlauch unter der Tür entdeckt hatte. Ihre Knie waren eingeknickt. Mit der rechten Hand umklammerte sie die Feuerleiter und mit der linken die Uzi. Die erfahrene FBI-Agentin lauschte angespannt und schaute aufs Fenster.

Sie war ernsthaft in der Klemme. Am einfachsten wäre es gewesen, die Leiter hinunterzuklettern und wegzurennen, aber das hätte mit Sicherheit zum Tod von Pamela Sasser und ihrem Begleiter geführt. Wenn sie blieb, könnte sie die beiden vielleicht warnen. Dabei riskierte sie allerdings ihr Leben.

Denk nach, verdammt!

Esther Cruz ging im Geiste blitzschnell die wenigen

Möglichkeiten durch, die ihr blieben. Sie entschied sich, ohne Vorwarnung zu schießen, womit sie eine der FBI-Grundregeln verletzte, doch dadurch würde sich ihre Überlebenschance erhöhen, vor allem da sie nicht wusste, mit wie vielen Gegnern sie es zu tun hatte.

Zum letzten Mal hatte sie außerhalb der Schießübungen vor zwei Jahren von ihrer Waffe Gebrauch gemacht. Das war bei einer Razzia am Stadtrand von Washington gewesen, als das FBI das Drogendezernat unterstützt hatte, um den größten Drogenumschlagplatz im Bezirk von Columbia zu zerschlagen. In jener Nacht hatte sie einen Mann getötet.

Esther Cruz wollte gerade den Lauf der Uzi aufs Fenster richten, als sie sah, dass die weißen Vorhänge mit einem schwarzen, sperrigen Schalldämpfer zur Seite geschoben wurden. Dann sah sie eine schwarze Hand oben auf der Waffe. Ein Mann mit einer Gasmaske schaute in ihre Richtung.

Esther Cruz hatte keine andere Wahl. Sie korrigierte die Richtung der Waffe, presste sich gegen die Leiter und drückte ab.

Hamed sah, wie der Kopf eines seiner Männer zerbarst. Eine Kugel hatte die Schädeldecke zerteilt. Er rollte vom Fenster weg, als zwei weitere DIA-Agenten den Schüssen zum Opfer fielen. Der glühend heiße Lauf der Uzi wanderte über die Fensterbank und durchsiebte den ganzen Raum auf Taillenhöhe mit Kugeln. Die beiden Überlebenden krochen hinter Hamed aus dem Raum.

Der ehemalige ägyptische Offizier hörte eine Frau im Zimmer der Zielperson schreien. Er beschloss, sich im Moment nicht um die FBI-Agentin zu kümmern, die noch immer in den Raum feuerte. Stattdessen wandte er sich an seine beiden überlebenden Männer, zeigte auf das Zimmer von Pamela Sasser und rief: »Stürmen! Sofort!«

»Weg von der Tür!«, schrie Harrison Beckett, der gerade

aufgewacht war, Pamela Sasser zu. Sie schaute mit vor Angst geweiteten Augen auf sein Gesicht und auf die Waffe, schlug die Hände vors Gesicht und schrie um Hilfe.

Beckett riss sie an dem schwarz-goldenen T-Shirt, das er ihr gekauft hatte, zu Boden, als das Schussfeuer die schwere Holztür erschütterte. Vorerst hielt sie den Schüssen stand.

Beckett zerrte die erstarrte Frau zum Fenster, warf einen Blick auf den Balkon, presste Pamela mit dem Bauch auf den Boden, kniete sich hin und entsicherte seine Waffe.

»Liegen bleiben!«

Als das Schussfeuer verstummte, waren auch aus anderen Zimmern Schreie zu hören. Sie waren beide durch das erste Schussfeuer geweckt worden. Beckett, der wieder klar denken konnte, begriff, dass die DIA ihm hierher gefolgt war. Die Tatsache, dass die DIA ihn eliminieren wollte, obwohl ihm für seinen Auftrag noch zweieinhalb Tage zur Verfügung standen, setzte Beckett über Jackson Brasfields Absichten genau ins Bild. Jetzt musste er zeigen, was in ihm steckte, um sich und Pamela aus dieser Gefahr zu retten.

»Sie Schwein! Sie Monster!«, schrie Pamela, während sie mit den Fäusten gegen seine Schultern hämmerte. Er schubste sie kurzerhand in eine Ecke des Zimmers, um sie sich vom Hals zu schaffen. Ihre blaugrünen Katzenaugen funkelten ihn wütend an, wobei das kleine Muttermal über den bebenden Lippen zuckte.

»Liegen bleiben!«

»Leck mich am Arsch!«, zischte sie wie ein wild gewordenes Tier, und dann fuhr sie ihre roten Krallen aus und versuchte, ihm durchs Gesicht zu kratzen.

Beckett wich aus, griff mit der linken Hand in ihr kurzes blondes Haar, riss sie zu Boden und presste ihr Gesicht auf den Teppich. Sie trat ihm in den Rücken. Beckett ließ sie los. Sie stand auf und rannte zur Tür.

»Liegen bleiben, verdammt!«

Die Tür sprang auf. Zwei Männer in schwarzen Spandex-Anzügen standen mit Waffen im Türrahmen, die sie sofort auf Pamela richteten. Sie fuhr zusammen und schrie wie am Spieß.

Beckett schoss viermal. Beide Männer taumelten zurück, während sie auf den Abzug drückten und die Decke durchlöcherten, bevor sie rücklings auf den Korridor fielen. Weißer Staub rieselte aus der zerschossenen Decke auf Beckett und Pamela nieder. Beckett riss Pamela am Handgelenk zu sich heran, während er die Beretta noch immer auf die Tür richtete.

»Bleiben Sie bei mir, wenn Sie überleben wollen!«

Sie nickte unmerklich und suchte mit zitternden Gliedern hinter seinem Rücken Schutz. In ihren Augen spiegelte sich unsägliche Angst.

Stille.

Beckett richtete die Waffe mitten auf die Tür und wartete. Der Geruch des Schießpulvers drang in seine Lungen.

»Öffnen Sie das Fenster und klettern Sie raus!«, befahl er.

Pamela stand zitternd da, schlang die Arme um ihren Körper und murmelte etwas, das Beckett nicht verstehen konnte.

»Machen Sie schon!« Beckett rüttelte an ihrer Schulter. »Das Fenster, Pamela! Machen Sie das Fenster auf!«

Sie zuckte zusammen, als der Fremde ihren Namen laut aussprach. *Wer war er? Wo waren sie?*

Beckett kniete sich auf ein Bein und richtete die Waffe noch immer auf die Tür

»Los, verdammt!«

Pamela Sasser atmete tief ein, und während Beckett die Beretta umklammerte, schob sie das große Fenster auf. Die Gardinen wehten in der Brise. Beckett spürte die kalte Luft auf seinem Nacken.

Plötzlich schoss ein birnenförmiger Gegenstand durch die Tür und schlitterte über den Teppichboden.

Eine Granate!

Harrison Beckett wirbelte auf dem Knie herum, sprang hoch, umklammerte Pamela und sprang mit ihr durch das offene Fenster. Mitten in der Luft drehte sich Beckett, sodass er auf dem Rücken landete und Pamela auf ihm zu liegen kam. Er spürte sofort, dass mindestens ein oder zwei Rippen gequetscht waren, als die Luft aus seinen Lungen strömte und ein stechender Schmerz durch seinen Brustkorb schoss. Doch der Schmerz war nichts im Vergleich mit der Granate, die im nächsten Augenblick in ihrem Zimmer explodieren würde. Blitzschnell rollte er sich mit Pamela weiter, ohne auf ihre Schreie zu achten, die sie ausstieß, als sie mit dem Rücken gegen den Holzboden des Balkons knallte. Er musste hier weg, den Abstand vergrößern und die Gefahrenzone verlassen.

Ein ohrenbetäubender Knall hallte durch die Luft, als beide Fenster zerbarsten und Splitter durch die Luft flogen.

Der ehemalige DIA-Agent, der im ersten Moment wie betäubt war, ohne jedoch den Ernst der Lage zu vergessen, riss Pamela hoch, woraufhin sofort ein stechender Schmerz durch seinen Brustkorb schoss. Zusammen sprangen sie über die Brüstung auf das Flachdach des Hotels. Ihnen blieben nur wenige Sekunden, bis derjenige, der die Granate ins Zimmer geworfen hatte, bemerken würde, dass sie geflohen waren.

Als Beckett einen Blick zurückwarf, sah er seine Beretta auf dem Balkon neben dem zersplitterten Fenster liegen, aus dem grauer Rauch in den Himmel aufstieg. Er hatte keine Zeit, die Waffe zu holen.

»Kommen Sie!«, schrie Beckett, der Pamela über ein weiß gestrichenes Dach zur rechten Seite des Hotels zog, wo eine große Magnolie neben dem zweistöckigen Gebäude stand.

»Halten Sie sich an mir fest!«, schrie er, als er noch einmal auf den Balkon schielte. Noch immer drang Rauch aus beiden Fenstern. Beckett fluchte über den Verlust seiner Waffe.

Pamela zögerte.

»Beeilen Sie sich! Wir haben keine Zeit!«

Nachdem Pamela beide Arme und Beine um ihn geschlungen hatte, ergriff Beckett einen dicken Ast und zog sich daran zum Stamm. Als unerträgliche Schmerzen durch seine Brust schossen und sich seine Armmuskeln verkrampften, verlor er fast den Halt. Er spürte Pamelas warmen Atem in seinem Nacken, und Sekunden später landeten sie auf dem Boden des Hofes.

Als Pamela von Becketts Rücken sprang, schaute er sie kurz an. Sie zitterte noch immer, aber ihre Augen waren klar und relativ ruhig. In ihnen spiegelte sich sogar eine Spur Wut.

Sie versteckten sich neben dem Hotel, als ein Mann in einem schwarzen Schutzanzug mit einer Waffe in der Hand auf den Hof rannte.

»Pst!«, flüsterte Beckett ihr ins Ohr. »Kein Wort.«

Pamela nickte keuchend. Sie versuchte, zu Atem zu kommen und sich zu fassen.

Der Killer, der mitten auf dem Hof vor dem kleinen Hotel stand, schaute sich kurz um, ehe er mit der Waffe im Anschlag zur anderen Seite des Hotels ging.

Beckett wartete, bis er außer Sichtweite war. »Kommen Sie. Folgen Sie mir«, sagte er. Dann nahm er sie an die Hand und rannte los.

Vor dem Hoteleingang bildete sich soeben eine kleine Menschenmenge. Pamela passte sich seinem Tempo an, als sie um die Ecke bogen und ihren Schritt verlangsamten. In der Ferne heulten Sirenen.

Beckett atmete schnell. Über seine Schläfen rannen Schweißtropfen, und seine Rippen schmerzten. Er warf Pamela Sasser, deren blondes Haar mit weißem Staub bedeckt war, einen flüchtigen Blick zu. Schnell strich er erst ihr und dann sich durchs Haar, um den Staub zu entfernen, ehe er mit Pamela an der Hand schweigend durch die leeren Straßen lief. Um diese Zeit kurz vor Tagesanbruch konnte man sich das Gedränge in dem Viertel tagsüber kaum vorstellen.

Pamela Sasser war in ihrem ganzen Leben noch nie so verwirrt gewesen wie in diesem Augenblick, als sie an der Hand des Fremden durch dunkle Straßen und enge Gassen lief. Wer war dieser Mann? Warum beschützte er sie? Wie war sie nach New Orleans gekommen? Wer wollte sie umbringen? Microtel? Preston Sinclaire?

Tausend Fragen schossen ihr durch den Kopf, während sie sich anstrengte, mit ihm Schritt zu halten. Sie war schon seit fünf Jahren nicht mehr so gerannt. Damals war sie aus der Laufgruppe der Universität ausgetreten, um sich ganz auf ihre Informatikkarriere zu konzentrieren.

Ihre Waden fingen an zu brennen, als sie mit dem Fremden, der sich permanent umdrehte, an ihr vorbei und über sie hinweg sah, ohne sie je anzuschauen, über nasse Bürgersteige lief.

Sie beobachtete, wie er sich bewegte, bevor er um eine Ecke bog, wenn er einen Schritt zur Seite trat oder stehen blieb, ehe er plötzlich links oder rechts einbog oder zurücklief. Der Fremde kommunizierte mit ihr durch den Druck seiner Hand. Er sprach mit ihr, sagte ihr, wohin sie ihm folgen und wie sie sich bewegen sollte, um am Leben zu bleiben. Sein herrischer Griff und der Hautkontakt zwischen ihnen übermittelten Absichten in einer Sprache, die viel mehr sagte, als jedes Wort je hätte sagen können.

Pamela spürte seine Energie und den Willen zu überleben. Sie hatte seine starken Schultern, die Brust- und Armmuskeln gespürt, als sie sich an ihn geklammert hatte, bevor er den Baum mit ihr hinuntergeklettert war. Im Geiste sah sie vor sich, wie sich diese Muskeln unter dem schwarzen T-Shirt spannten. Sie konnte die Kraft des Fremden fühlen, und sie spürte seine Nähe so deutlich wie noch bei keinem anderen Menschen zuvor.

Als Pamela Sasser durch die Dunkelheit lief, um den Waffen unbekannter Männer, die sie töten sollten, zu entkommen, rannte sie schneller als jemals zuvor in ihrem Leben. Und sie vertraute diesem Fremden mehr, als sie je einem Menschen vertraut hatte.

Hamed Tuani, der gesehen hatte, dass zwei Personen vom Hotel weggelaufen waren, hatte seinen schwarzen Spandex-Anzug und die Maschinenpistole in eine Mülltonne geworfen. Obwohl die Frisur der Frau nicht mit dem Bild übereinstimmte, das Brasfield ihm gezeigt hatte, passte die Beschreibung zu Pamela Sasser. Ihr Begleiter war derselbe Mann, den er im *Giovanni's* gesehen hatte. Harrison Beckett, der Vertragskiller.

Hamed trug jetzt ein lockeres T-Shirt über einer Jeans und rannte ihnen in Turnschuhen hinterher. Mit der rechten Hand umklammerte er die SIG Sauer Neun-Millimeter-Automatik, die in seiner Jeans steckte.

Hamed Tuani, der über die dunklen Bürgersteige lief, auf die der fahle Schein der Straßenlaternen schien, konzentrierte sich darauf, seinen Job zu erledigen. Die Frau durfte ihm nicht entwischen. Sie hatte die Macht in Händen, die ganze Operation zum Scheitern zu bringen.

Er folgte ihnen durch zahllose Straßen und Gassen, verringerte den Abstand und kam seinem Opfer immer näher.

»O mein Gott! Da!« Pamela zeigte auf einen Mann, der auf sie zurannte. Obwohl er nicht wie die anderen in Schwarz gekleidet war, konnte der dunkle Schatten in seiner Hand nur eines bedeuten ...

Beckett verstärkte den Druck auf Pamelas Hand und versuchte, dem Verfolger zu entkommen. An der nächsten Ecke bog er links ab und drang augenblicklich in einen schmalen Durchgang mitten im Häuserblock ein. Der Gestank von verfaulten Nahrungsmitteln und Urin wehte ihm wie eine feuchte Brise ins Gesicht. Auf einer Seite des Durchgangs standen überquellende Mülltonnen. Ratten labten sich an den verfaulten Essensresten.

»Warten Sie«, sagte er und presste sich mit dem Rücken gegen die Mauer, während er über ihre rechte Schulter schaute.

»Wer ... wer sind diese Leute, die ...«

»Pst. Er kommt.«

Beckett hörte Schritte. »Zurück!«, sagte er leise.

Harrison Beckett kauerte sich vor die Mauer und lauschte den Schritten, die durch die Nacht hallten. Er wartete. Kurz darauf tauchte der Schatten eines rennenden Mannes auf. Beckett vermutete, dass er auf ihrer Straßenseite war.

Dann rannte der Mann durch sein Blickfeld.

Beckett stürzte sich gegen ihn und schlug mit der Handkante gegen die linke Schläfe des Mannes, wo ein Nerv und eine Arterie direkt unter der Haut verliefen. Der Angriff traf den bärtigen Mann unvorbereitet, doch er trat schnell zur Seite und konnte Becketts erstem Schlag ausweichen. Als Beckett in Deckung ging, drehte sich der Mann um neunzig Grad, wobei er ein Knie hob, das er Beckett gegen den Solarplexus hämmerte, ein verzweigtes Nervengeflecht gleich unterhalb des Brustkorbes.

Stechende Schmerzen schossen durch Becketts Körper. Sein Oberkörper sackte nach vorn. Er taumelte und verlor fast das Gleichgewicht. Als er sich umdrehte, sah er, dass der Mann die Waffe auf ihn richtete. Es war Layla Shariffs Mörder!

Die geschulten Instinkte zwangen den Profi, den Schmerz

zu ignorieren. Er verlagerte das Gewicht aufs rechte Bein, schwang das linke hoch und schlug dem Gegner mit einem kräftigen Tritt der Ferse die Waffe aus der Hand.

Sein Gegner schrie auf, als die Waffe über den Bürgersteig schlitterte. Im gleichen Moment holte Beckett zu einem Schlag auf den Nacken des Gegners aus, doch der Mann konnte den Angriff mit dem Unterarm abwehren und versetzte Beckett stattdessen einen Faustschlag ins Gesicht.

Beckett schossen Tränen in die Augen, als die Fingerknöchel des Mannes auf seiner Nase landeten. Keine Sekunde später holte sein Gegner aus, um mit hohlen Händen auf seine Ohren zu schlagen. Die Schwingungen des Schlages würden sein Trommelfell zerreißen und zu inneren Blutungen im Gehirn führen. Beckett warf sich rechtzeitig auf die Erde, rollte zur Seite und hörte erleichtert, dass sein Gegner sich ein kleines Stück über seinem Kopf mit voller Wucht in die Hände schlug. Ohne Zeit zu verlieren, zog Beckett sein linkes Bein an, streckte es blitzschnell und trat seinem Gegner in den Magen. Sein Fuß landete auf dem Solarplexus des Mannes.

Aus dem Mund des bärtigen Mannes floss Blut. Er atmete schnell und schaute Beckett ins Gesicht, als er eine lange Klinge hervorzog.

»Ich hätte dich töten sollen ... als ich die Gelegenheit dazu hatte«, zischte Beckett keuchend. Er stand schnell auf und wich der Klinge von Laylas Mörder aus, indem er sich seitlich zu seinem Gegner positionierte.

Der bärtige Mann sah ihn verwirrt an, während er Beckett umkreiste und seine Finger den Holzgriff des Messers umklammerten.

»Kairo ... 1981 ... Layla Shariff«, flüsterte Beckett atemlos.

Der bärtige Mann riss die Augen auf. Sein erstaunter Blick bestätigte Becketts Verdacht.

»Du!«, schrie Hamed. »*Du* bist das!«

»Ja, du Arschloch. Und jetzt bringe ich zu Ende, was ich damals auf dem Bahnsteig begonnen habe!«

Beckett trat zurück, als der Gegner mit dem Messer auf ihn einschlug. Auch dem nächsten Schlag konnte er ausweichen. Als die Hand mit dem Messer ein drittes Mal auf ihn zukam, sprang Beckett vor, packte das Handgelenk des Mannes und drehte es zur Seite, um den Stich abzuwenden. Mit der anderen Hand drückte er mit aller Kraft gegen seinen Ellbogen, während er mit dem linken Fuß gegen seine Füße trat. Der Gegner ließ das Messer fallen und sank zu Boden. Beckett riss ihm den rechten Arm auf den Rücken.

Um den Gegner kampfunfähig zu machen, stellte Beckett einen Fuß auf seinen Nacken, riss dessen Arm hoch und presste sein Handgelenk nach vorn. »Wer bist du? Was willst du von mir?«

Der Mann schaute an Beckett vorbei auf die Sterne, die am blauen Himmel verblassten. Der Morgen dämmerte. Ganz langsam wandte er Beckett sein Gesicht zu und funkelte ihn so hasserfüllt an wie schon einmal viele Jahre zuvor.

»Sag mir, wer du bist und was du mit Brasfield zu tun hast, oder ich reiß dir den Arm aus ...«

»*Halt! Aufhören!*«

Beckett blickte in die Richtung, aus der die laute Stimme gekommen war. Zwei Polizisten in dunkelblauen Uniformen rannten mit gezogenen Waffen auf ihn zu.

»*Sie!* Lassen Sie ihn los! Hände über den Kopf!«, schrie einer der Polizisten vom anderen Ende des Häuserblocks.

Beckett ließ den Arm los und rannte zu Pamela, die vor Angst wie gelähmt war. Er taumelte zu ihr, umklammerte ihre Hand und sagte: »Kommen Sie. Wir müssen uns verstecken.«

Pamela Sasser gehorchte ihm fast wie in Trance, obwohl sie der blitzschnelle Kampf, dessen Zeuge sie soeben geworden war, schrecklich verwirrt hatte. Sie setzte ein Bein vors andere und fing an zu laufen. Am Ende der Gasse bogen sie um die Ecke.

Mit einem Male haftete ihrer Welt etwas Surrealistisches an, als sähe sie sich in einem Film oder erlebe einen Albtraum, aus dem sie nie wieder erwachen würde. *Kairo. Layla Shariff. 1981.* Die Worte schossen ihr immer wieder durch den Kopf, als sie weiterrannte und seine Körperwärme spürte. *Was bedeutete das? Was war 1981 in Kairo geschehen? Wer war Layla Shariff? Was hatte das mir ihr zu tun? Mit Microtel? Mit Preston Sinclaire? Mit dem Computerprogramm? Welche Verbindung gab es zwischen 1981 und der Gegenwart? Welche?*

Immer mehr Fragen quälten Pamela Sasser. Sie atmete tief durch die Nase ein und langsam durch den Mund wieder aus, wie sie es vor vielen Jahren beim Laufen gelernt hatte. Aber jetzt lief sie um ihr Leben und nicht, um ein Rennen zu gewinnen.

Ein paar Minuten später blieb der Fremde abrupt stehen und ließ ihre Hand los, als sie um die Ecke bogen.

Über seine Stirn rannen Schweißperlen, als er sich keuchend gegen die Mauer eines einstöckigen Hauses lehnte. Er legte einen Finger auf die Lippen und sagte: »Pst ... Stehen bleiben.«

Dann spähte er um die Ecke, um zu überprüfen, ob sie die Polizisten abgehängt hatten. Offenbar war es ihnen gelungen. »Weiter. Wir müssen uns irgendwo verstecken.«

Sie neigte den Kopf zur Seite und blickte ihn mit ihren blaugrünen Augen fragend an. »Sie retten mir das Leben und rennen vor der Polizei davon«, sagte Pamela in erstaunlich ruhigem Ton. »Wer sind Sie? Warum helfen Sie mir?«

Der Fremde schaute ihr nicht in die Augen. Stattdessen

wanderte sein Blick in alle Richtungen, als er ein Stück von ihr entfernt an der Mauer lehnte.

»Kommen Sie!«, sagte er, ehe er sich umdrehte und die finstere Straße in Richtung Fluss hinunterging. »Zuerst müssen wir uns in Sicherheit bringen. Dann sage ich Ihnen, was ich weiß.«

Mutter Cruz legte ihre Waffe auf den Boden und kniete sich neben den erschlafften Leichnam von Liem Ngo. Sie nahm ihn in die Arme und wiegte ihn wie einen Säugling.

Schweine!

In ihren Dienstjahren beim FBI hatte Esther schon drei Partner verloren. Der Tod eines Kollegen war immer wieder ein furchtbares Erlebnis. Ihre Schuldgefühle überwältigten sie. Sie war die leitende Agentin des Falls und damit für die jungen Kollegen verantwortlich. Auch für diesen sechsundzwanzigjährigen Agenten trug sie die Verantwortung. Vielleicht hatte sie die falsche Entscheidung getroffen. Sie hatte Liem die Wache auf dem Korridor zugeteilt, wo ihn die große Palme nur ungenügend gedeckt und er keine Fluchtmöglichkeit gehabt hatte. Esther hatte versucht, Kontakt zu Jessica White und Calvin Johnson aufzunehmen, doch leider ohne Erfolg. Das konnte nur das Schlimmste bedeuten. *Drei Agenten waren getötet worden!*

Esther Cruz hatte die Leichen der fünf toten Männer in den schwarzen Schutzanzügen bereits untersucht. Sie hatten alle Maschinenpistolen bei sich, abgeätzte Fingerspitzen und keine Ausweispapiere.

Profis.

Sie verdächtigte die DIA, hatte aber keinerlei Beweise. Der Militärgeheimdienst war nicht die einzige Organisation, die professionelle Killer beschäftigte. Brasfield hatte Pamela Sasser auf die schwarze Liste gesetzt, weil sie dem Verbrecherring schaden könnte, doch Esther Cruz hatte nichts

Konkretes in der Hand, woran sie anknüpfen konnte. Pamela und ihr Begleiter waren verschwunden. Wahrscheinlich konnten sie über den Balkon entkommen, nachdem sie das Schussfeuer gehört hatten, sonst hätte sie ihre Leichen in den Trümmern des Zimmers gefunden.

»Keine Bewegung!«

Esther Cruz, die noch immer den Leichnam von Liem Ngo in den Armen hielt, schaute den jungen Polizisten herablassend an. Sie hatte mit dem schnellen Eintreffen der Polizei gerechnet und ihre Dienstmarke schon aus der Tasche gezogen.

»FBI, mein Junge. Leg die Waffe weg, sonst verletzt du noch jemanden.«

Der junge Polizist richtete die Waffe noch immer auf ihren Kopf, als er die Treppe hinaufstieg und ihre Dienstmarke überprüfte. Kurz darauf tauchten drei weitere Polizisten auf.

Der junge Polizist ging auf Esther zu, die ihre Dienstmarke wieder in die Jeans steckte, die Uzi aufhob, die Waffe sicherte und über ihre Schulter hängte. Die Polizisten vom Polizeirevier New Orleans in den dunkelblauen Hosen und den kurzärmeligen Hemden schauten sie erstaunt an.

»Was, in Gottes Namen, ist denn hier passiert?«, fragte der junge Polizist.

Esther Cruz schloss die Augen, ohne etwas zu erwidern.

Hamed Tuani stand über den beiden Polizisten, die er gerade mit bloßen Händen überwältigt hatte. Dem einen hatte er mit gewölbten Händen auf die Ohren geschlagen. Er blutete aus beiden Ohren, und seine leblosen Augen starrten in den blauen Himmel. Der andere zuckte noch. Hamed hatte ihm sein Messer in den schwächsten Punkt des Rückenmarks etwa fünf Zentimeter über der Taille gestoßen. Er hatte den Polizisten kampfunfähig gemacht, aber nicht getötet. Sein Job verlangte es, ihm einen letzten Schlag zu verpassen, und den führte Hamed eiskalt und wirkungsvoll aus. Er trat mit der Spitze seiner Sneakers gegen die linke Schläfe des Polizisten. Das Zucken hörte auf.

Hamed schaute auf die beiden hinunter und schüttelte den Kopf.

Stümper.

Sie hatten ihre Waffen in dem Glauben in die Halfter gesteckt, Hamed sei das Opfer eines Schlägers geworden. Der DIA-Killer hätte sie leben lassen. Nachdem der eine Polizist darauf bestanden hatte, ihn mit aufs Revier zu nehmen, damit er seine Aussage zu Protokoll gab, war das jedoch nicht möglich gewesen. Mit dieser Aufforderung hatten die beiden Polizisten aus New Orleans ihr eigenes Todesurteil unterschrieben.

Die seltsame Begegnung mit dem DIA-Agenten, der damals mit Layla Shariff in Ägypten gearbeitet hatte und in Italien gestorben sein sollte, warf viele Fragen auf. Hamed hob seine Neun-Millimeter vom Bürgersteig auf, schob sie hinten in die Jeans und ging langsam davon. Er wollte zum New Orleans International Airport, von wo aus ihn eine Privatmaschine zurück nach Washington bringen würde.

★ ★ ★

Kurz vor Sonnenaufgang öffnete Harrison Beckett die Tür zu ihrem Zimmer im elften Stock im *Marriott* an der Canal Street. Obwohl er im *Cornstalk* ein paar Stunden geschlafen hatte, war er nach dem kurzen Nahkampf mit Laylas Mörder ungeheuer erschöpft. Starke Kopfschmerzen und stechende Schmerzen im Nacken, in der Nase und im Brustkorb quälten ihn. Er musste sich um jeden Preis Brasfield nähern, um Antworten auf seine Fragen zu bekommen. Zuerst einmal musste er jedoch schlafen, damit er wieder klar denken und sich einen Angriffsplan ausdenken konnte.

Pamela betrat nach ihm das Zimmer und schob den Riegel vor die Tür. Sie hatte auf dem Weg hierher fast die ganze Zeit geschwiegen, und er hatte sie nicht zum Sprechen ermuntert. Als sie durch menschenleere Straßen gelaufen waren, von der Canal Street zur Esplanade und von der Bourbon zur Clairborne, hatten sie ihre Blicke durch finstere Straßen und dunkle Gassen schweifen lassen. Sie waren den Streifenpolizisten aus dem Weg gegangen und hatten dutzende Heimatloser und Betrunkener beäugt, die auf den Bürgersteigen herumlungerten. Um fünf Uhr erreichten sie den French Market, wo sich zahlreiche Straßenverkäufer auf einem großen Platz und unter den Arkaden zwischen dem Fluss und dem French Quarter versammelten und ihre Ware zum Kauf anboten. Nachdem sie sich davon überzeugt hatten, dass sie nicht mehr verfolgt wurden, waren Beckett und Pamela zum nächsten Hotel gegangen.

Von den großen Fenstern hatte man einen ausgezeichneten Blick auf den Mississippi, den das fahle Licht der aufgehenden Sonne in ein orangerotes Licht tauchte. Boote fuhren flussauf- und flussabwärts. Der breite Fluss beschrieb hier eine Wende von fast einhundertachtzig Grad, als er durch die Stadt floss, was New Orleans den Spitznamen »Crescent City«, Stadt des Halbmondes, eingebracht hatte.

Beckett setzte sich auf eines der großen Betten und beobachtete Pamela Sasser mit neugierigem Blick. Er würde ihr Rede und Antwort stehen müssen, aber im Moment fehlte ihm die Kraft dazu. Er musste unbedingt schlafen, um sich zu erholen, sonst lief er Gefahr, die falschen Entscheidungen zu treffen.

Beckett, der froh war, ein Raucherzimmer verlangt zu haben, packte sein silbernes Feuerzeug aus und zog eine zerknickte Zigarette aus der zerknitterten Schachtel. Er zündete die Marlboro an, nahm ein paar tiefe Züge, legte sich aufs Kissen und schloss die Augen. Die Zigarette klemmte zwischen Zeige- und Mittelfinger der rechten Hand, die auf seiner Brust lag.

»Was haben Sie vor?«, fragte Pamela. Sie stemmte ihre schmalen Hände in die Taille und beugte sich übers Bett. »Sie können jetzt nicht schlafen. Wir müssen reden. Sie haben mir versprochen, dass wir reden, sobald wir in Sicherheit sind. Wer sind Sie? Was waren das für Männer im Hotel? Warum beschützen Sie mich? Warum laufen Sie vor den Bullen davon? Wer war dieser bärtige Mann? Was ist passiert, seitdem ich in Baton Rouge betäubt wurde?«

Mein Gott!

Beckett wusste, dass sie in Sicherheit waren. Sie hatten den ganzen Tag Zeit, darüber zu sprechen. Im Moment wollte er einfach nur seine Zigarette in Ruhe rauchen und ein bisschen schlafen, aber diese Frau würde auf gar keinen Fall Ruhe geben, wenn er nicht wenigstens ein paar ihrer Fragen beantwortete.

»Ich wurde engagiert, um Sie umzubringen«, sagte er in nüchternem Ton. Dann zog er an seiner Zigarette, stieß den Rauch durch die Nase aus, nahm die Fernbedienung vom Nachttisch und schaltete den Fernseher ein. Hotelwände waren in der Regel sehr dünn. Am Ende schnappte noch jemand etwas von dem Gespräch auf und rief die Bullen.

Pamela blieb vor dem Bett stehen und starrte ihn mit aufgerissenen Augen an. Ihr Mund war einen Spalt geöffnet, und als sie die Augenbrauen runzelte, bewegte sich ihr Muttermal. »Wie bitte?«

»Die DIA, der Militärgeheimdienst«, fuhr Beckett fort, der sich mit der zerknickten Kippe zwischen den Lippen, die sich beim Sprechen hin und her bewegte, hinsetzte. Er schaute auf den dunkelblauen Teppich und massierte sich mit den Händen den verkrampften Nacken und die Schultern. »Ich wurde engagiert, um Sie umzubringen. Die obersten Militärs im Pentagon möchten, dass Sie sterben.«

Pamela setzte sich auf das andere Bett und riss ihre blau-grünen Katzenaugen noch weiter auf. »Ich?« Sie schüttelte langsam den Kopf und zeigte auf sich. »Aber ... aber warum denn?«

»Sie und LaBlanche wurden von der DIA auf die schwarze Liste gesetzt. Ihnen wird Hochverrat gegen die Vereinigten Staaten von Amerika zur Last gelegt.«

Pamela stand auf, stemmte die Arme in die Hüften und neigte ihren Kopf zur Seite. »Verrat? Das ist ja *lächerlich*.«

Beckett zuckte mit den Schultern. »Das wurde mir jedenfalls gesagt ... Setzen Sie sich bitte wieder hin«, fügte er hinzu und wies aufs Bett. Sein Nacken schmerzte, und es war äußerst unangenehm, den Kopf zu heben, um sie anzusehen. Pamela kam seiner Bitte nach und setzte sich kerzengerade aufs Bett. Sie faltete die Hände auf ihrem Schoß und schaute ihn ungeduldig an. Offensichtlich wollte sie es genauer wissen. Beckett konnte das gut verstehen. Sie musste wissen, warum jemand versucht hatte, sie zu töten. Erst dann konnte sie sich selbst ein Urteil über diese Situation erlauben und vielleicht begreifen, warum ein Fremder ihr das Leben rettete, vor der Polizei davonlief und sich jetzt hier in diesem Hotel mit ihr versteckte. Je länger sie die Gründe für ihre missliche Lage nicht kannte, desto gereizter und nervöser würde sie werden. Beckett hatte das schon bei vielen Agenten erlebt. Die Militärs nutzten diese menschliche Schwäche bei ihren Verhörmethoden als Waffe, um Gefangenen Informationen zu entreißen, indem sie tagelang isoliert wurden, bis sie zusammenbrachen. Da sie nichts mehr erfuhren und ihr Schicksal nicht mehr in der Hand hatten, verzweifelten sie schließlich. Beckett war beeindruckt, dass sie so lange durchgehalten hatte, ohne zusammenzubrechen.

»Hören Sie«, fuhr Beckett fort, als er seine Zigarette in dem Zinnaschenbecher, der auf dem Nachttisch neben dem Bett stand, ausdrückte. »Nach all den Ereignissen glaube ich persönlich nicht mehr, dass Sie oder LaBlanche Verräter sind.«

»*Da* fällt mir aber ein Stein vom Herzen.«

Beckett schloss die Augen. »Bitte verschonen Sie mich mit Ihrem Sarkasmus. Das hilft jetzt keinem von uns.«

Sie schauten sich ein paar Sekunden in die Augen. »Tut mir Leid«, sagte sie schließlich. Sie stülpte die Lippen, wodurch das kleine Muttermal über ihrer Oberlippe hervortrat.

Beckett schielte auf den vertrauten Schönheitsfleck und sah dann schnell weg. »Nach den Worten der DIA hat LaBlanche Computer-Software-Technologie an Feinde der Vereinigten Staaten verkauft. Die DIA glaubt, dass Sie damit zu tun haben.«

»Das ist absurd«, begehrte Pamela auf. »Ich habe nichts dergleichen getan.«

Beckett stand auf und ging zu den großen Fenstern. Ein Handelsschiff schipperte gemächlich flussaufwärts. »Vermutlich nicht, Pamela. Aber das ist vollkommen unerheblich. Irgendwie sind Sie mitten in eine große Sache geraten – groß genug, um Ihre Eliminierung zu verlangen –, und ich wurde engagiert, um das zu erledigen.«

»Warum haben Sie es nicht getan?«

Beckett drehte sich um. »Darüber sollten wir später sprechen ...«

»Nein. Beantworten Sie meine Frage. Warum haben Sie mich nicht getötet, und woher soll ich wissen, dass Sie es nicht bald tun werden? Und wer hat Dr. LaBlanche getötet?«

Beckett hatte keine Lust, diese Fragen zu beantworten. Er drehte sich wieder zu ihr um. Pamela starrte auf den Fernseher. Auf dem Neunzehn-Zoll-Bildschirm sah sie ihr eigenes Gesicht. Pamela Sasser war zur meistgesuchten Frau Louisianas aufgestiegen. Ihr wurde zur Last gelegt, Technologie von Microtel gestohlen und Beihilfe zum Mord an Tom De-

Geaux und seinem Bruder Nick, der seinen schweren Hirnblutungen einige Stunden später im Krankenhaus erlegen war, geleistet zu haben.

»Aber ... aber ich *kenne* diese Männer noch nicht einmal.« Pamela fiel schluchzend aufs Bett. Sie weigerte sich zu glauben, was sie soeben gehört hatte. Eine Minute später stand sie auf und blinzelte Beckett mit feuchten Augen an. In ihrem Blick spiegelte sich nicht nur ungeheure Angst, sondern auch Wut. Pamela hob den Kopf, öffnete den Mund und atmete tief ein. Das T-Shirt spannte sich ein wenig, und das Muttermal glitzerte in ihrem tränennassen Gesicht.

»Okay«, sagte er, drehte sich wieder um und schaute aus dem Fenster. In der Ferne sah er das glänzende goldene Dach von Louisianas Superdome. »Ich werde Ihnen sagen, was ich weiß.«

Beckett wählte seine Worte sorgfältig aus, als er ihr in groben Zügen berichtete, was er wusste. Er sprach über die verschiedenen Verfolger, die sich an ihre Fersen geheftet hatten, und über die Männer, die in ihre Wohnung eingebrochen waren. In den Nachrichten hatte Beckett soeben ihre Namen erfahren. Nick und Tom DeGeaux hatten auch versucht, sie in Baton Rouge zu entführen. Beckett sprach über die Fahrt nach New Orleans und sagte ihr, dass er ihren Namen im Radio gehört habe. Irgendjemand behauptete, Pamela Sasser sei in Begleitung eines Mannes auf der Flucht, weil sie Technologie gestohlen habe, die Microtel gehöre. Dieser Jemand bezichtigte sie auf einmal noch weiterer Straftaten. Beckett gestand ihr, für den Tod der DeGeaux-Brüder verantwortlich zu sein. Er verschwieg ihr jedoch seine Rolle beim Tod von Dr. LaBlanche und alles, was sein Leben betraf.

»Würde es Ihnen etwas ausmachen, mich über diesen angeblichen Technologie-Diebstahl aufzuklären? Was will Microtel von Ihnen?«

Jetzt war Pamela an der Reihe, Beckett über ihre Rolle in diesem Fall aufzuklären. Sie erzählte ihm alles, was sie wusste. Es begann mit dem Computerprogramm, das sie mit Dr. LaBlanche geschrieben hatte, und endete bei ihrer Entführung in Baton Rouge. Als sie zwanzig Minuten später verstummte, hatte Beckett drei Zigaretten geraucht. Die neuen Informationen lieferten ihm eine zweite Version der Ereignisse, die er mit seiner vergleichen konnte. Er dachte darüber nach. Von dem Zeitpunkt, als Dr. LaBlanche Microtel kontaktiert hatte, bis zu dem Zeitpunkt, als die DIA ihn aufforderte, den Professor zu ermorden, waren nur zwei Tage vergangen. Zufall? Von dem Tag, als der Professor gestorben war und Microtel sich die Daten beschafft hatte, bis Beckett ein zweites Mal von Brasfield engagiert wurde, war kaum ein Tag vergangen. Auch ein Zufall?

Beckett seufzte, als ihm das Ausmaß ihres Problems klar wurde. Erst nachdem Pamela Microtel und Preston Sinclaire erwähnt hatte, begriff er den unglaublichen Zusammenhang. Sinclaire arbeitete an seiner politischen Karriere und dem Einzug ins Weiße Haus, und General Jackson Brasfield war sein stummer Partner. Die Beziehung zwischen der DIA und Microtel machte deutlich, warum die Militärs sich um den Defekt im Perseus-Chip sorgten. Brasfield versuchte, Preston Sinclaire zu schützen. Der DIA und Microtel war daran gelegen, den Funktionsfehler in diesem Computerchip zu verschweigen, weil durch eine Veröffentlichung eine Verbindung zwischen dem Unfall in Palo Verde und Microtel hergestellt werden könnte. Dadurch hätten sie nicht nur ihre Hoffnung, ins Weiße Haus einzuziehen, begraben müssen. Die Folgen wären noch weitreichender gewesen. Vor allem für Sinclaire stand alles auf dem Spiel, da sich sein Unternehmen niemals von solch einem Schlag erholen würde. Beckett wusste jedoch noch immer nicht, wer die ersten Schüsse außerhalb seines Zimmers im *Cornstalk Hotel* abgefeuert und ihn vor der drohenden Gefahr gewarnt hatte. Nur dadurch hatte er genügend Zeit gehabt, sich vorzubereiten. Gab es noch eine Gruppe, die das Killerkommando abgefangen hatte? Hatte er einen Verbündeten, der unbekannt bleiben wollte?

Der ehemalige DIA-Offizier ging ins Badezimmer und spritzte sich kaltes Wasser ins Gesicht. »Wir können hier nicht lange bleiben«, sagte er, als er wieder zurückkam und sich das Gesicht mit einem Handtuch abtrocknete, das er anschließend aufs Bett warf.

»Warum?«

»Weil wir hier wie auf einem Präsentierteller sitzen. Da draußen laufen eine Menge Leute herum, die uns umbringen wollen. Wahrscheinlich haben Sinclaire und Brasfield sie geschickt. Ich vermute, die beiden arbeiten zusammen. Es ist zwecklos, zur Polizei zu gehen. Wenn die Bullen uns in den Knast stecken, können sie uns den Killern auch gleich frei Haus liefern. Außerdem habe ich das ungute Gefühl, dass dieser Preston Sinclaire Polizeibeamte, Politiker und sogar die Presse hier in Louisiana in der Hand hat.«

Pamela hob verzweifelt die Hände. »Sie meinen, wir können mit dieser Information weder zur Presse noch zur Polizei gehen? Wir können Microtel nicht anzeigen? Wären wir bei der Polizei nicht in Sicherheit? Wir könnten dann zumindest unsere Version der Geschichte erzählen. Wir würden uns einen Anwalt nehmen. Mit meinem Wissen und der Diskette hätten wir handfestes Beweismaterial ...«

»Sinclaire und Brasfield würden es niemals so weit kommen lassen, Pam. Das würde sie ruinieren. Preston Sinclaire gehört zu den mächtigsten und einflussreichsten Männern Amerikas. Offenbar hat er so viel Macht, dass die DIA die Drecksarbeit für ihn macht. Mein Gott, und der könnte unser nächster Präsident werden! Wenn wir in den

Knast wandern, wären wir innerhalb weniger Stunden tot. Wir haben eventuell eine Chance, mit unserem Wissen an die Öffentlichkeit zu gehen, wenn wir untertauchen, bis wir genau wissen, was hinter dieser ganzen Sache steckt. Hinter uns sind echte Profis her, Pamela. Wenn wir nicht ganz clever vorgehen, werden sie uns früher oder später aufspüren. Glauben Sie mir, ich war schon einmal in dieser Lage. Es hat keinen Zweck, nach Recht und Gerechtigkeit zu schreien.«

Pamela nickte fast unmerklich. Beckett sah, dass ihre Tränen versiegt waren, als er in ihre leicht geschwollenen Augen sah. »Dann müssen wir eben weitermachen. Diesen Schweinen muss das Handwerk gelegt werden.«

Beckett hätte beinahe gelacht. »Wir müssen die Sache ganz ruhig angehen, sonst werden sie uns töten.«

»Und was machen wir jetzt?«

»Wir bleiben eine Weile hier, und dann überlegen wir uns, wie wir diesen Staat verlassen und vielleicht nach Washington kommen können.«

»Warum Washington? Warum heften wir uns nicht gleich an Sinclaires Fersen?«

Jetzt musste Beckett wirklich lächeln. »Weil Preston Sinclaire dieser Staat Louisiana so gut wie gehört. Nur wenn wir uns auf neutralem Boden befinden, könnte es uns eventuell gelingen, unsere Informationen an die Presse zu geben. Ich denke da an die *Washington Post*. Ja, wir könnten damit sogar zur Nuklearkontrollbehörde gehen. Die Leute werden sich sicher brennend für die Ursache der Katastrophe in Palo Verde interessieren. Ich würde auch gerne Jackson Brasfield zu fassen kriegen und ihm ein paar Fragen stellen.« Beckett erwähnte nicht, dass er über Brasfield näher an Laylas Mörder herankommen wollte.

»Gut. Ich möchte Ihnen noch eine Frage stellen. Wer war der Mann mit dem Bart?«

Beckett schaute weg. »Jemand, dem ich vor langer Zeit einmal begegnet bin.«

»Warum ist er hinter uns her?«

»Gute Frage. Dafür habe ich keine plausible Erklärung.«

»Wer ist Layla Shariff?«

Beckett runzelte die Stirn, warf ihr schnell einen Blick zu und starrte dann auf ihr Muttermal. »Jemand, den ich früher mal kannte. Es ist für uns nicht von Belang.« Er wandte sich von ihr ab, nahm die Schachtel Zigaretten in die Hand, zündete sich eine an, zog daran und stellte sich wieder ans Fenster.

»Wo gehen wir hin?«

»Im Moment nirgendwohin. Es ist zu gefährlich auf den Straßen. In ein paar Stunden wird sich die Lage beruhigt haben.«

Pamela setzte sich mitten aufs Bett, umfasste ihre Knie und nickte langsam. Ihre missliche Lage entmutigte sie und machte sie wütend, aber sie war bereit, sich der Herausforderung zu stellen.

»Wer sind Sie?«, fragte sie.

Er drehte sich um, steckte sich die Zigarette in den Mund und sog den Rauch tief ein. »Das wollen Sie doch gar nicht wirklich wissen. Nennen Sie mich Harrison. Ich bin ein Freund.« Er stieß den Rauch durch die Nase aus.

»Sie haben gesagt ... das Verteidigungsministerium hat Sie angeheuert, um mich zu töten?«

»Die DIA. Ja«, erwiderte Beckett, der noch ein letztes Mal an der Zigarette zog. Dann ging er zum Nachttisch, zog eine neue Marlboro aus der Schachtel und steckte diese an der alten an, ehe er diese auf dem Nachttisch ausdrückte. »Das habe ich gesagt.«

»Dann sind Sie ...«

»Ein bezahlter Killer, Pamela«, beendete Beckett ihren Satz nach einem kurzen Moment des Schweigens. »Das ist mein Job. Und diese Fragerei kann an unserer misslichen Lage nichts ändern, und darum sollten Sie damit aufhören, okay?«

Sie schaute einen Moment weg, und als sie wieder den Kopf hob, sah Beckett, dass sie weinte, ihre Lippen bebten und das Muttermal zuckte. Er nahm einen tiefen Zug und senkte den Blick. Beckett wusste, dass sie nicht aus Angst, sondern aus Wut weinte. Pamela Sasser war sehr wütend. Dieses Gefühl verwirrte Beckett.

»Harrison, beantworten Sie mir noch eine Frage.«

Er nickte. »Okay. Und welche?«

»Haben Sie Dr. Eugene LaBlanche getötet?«

Beckett sah ihr in die Augen und gab ihr die einzige in dieser Situation mögliche Antwort. Er zuckte mit den Achseln und sagte in ungezwungenem Ton: »Nein, Pamela. Ich habe Dr. LaBlanche nicht getötet.« Anschließend schaltete er das Fernsehgerät aus.

Er schaute auf die Uhr. Sechs Uhr morgens. Es müsste möglich sein, noch ein paar Stunden zu schlafen, ehe er sich nach einem Wagen umsah, damit sie Louisiana verlassen konnten. Es war zu gefährlich für sie, sich am Flughafen, Busbahnhof oder Hauptbahnhof aufzuhalten. Er stellte den Wecker seiner Seiko, um in drei Stunden geweckt zu werden.

»Wir sollten ein paar Stunden schlafen, Pamela. Wir haben einen langen Tag vor uns.«

Ohne auf eine Erwiderung zu warten, schloss Beckett die Vorhänge, schaltete das Licht aus und legte sich aufs Bett. Hätte er den Job doch abgelehnt, als dies noch möglich gewesen war!

Könnte er noch aus der Sache aussteigen? Könnte er untertauchen? Wie weit würde der Geheimdienst gehen, um ihn zu finden? Müsste er das Land verlassen? Und wie lange würden sie ihn suchen? Eine Woche? Einen Monat? Ein

Jahr? Müsste Beckett noch einmal die Dienste eines plastischen Chirurgen in Anspruch nehmen?

Pamelas leises Schluchzen riss ihn aus den Gedanken.

Beckett drehte sich zu ihr um und sah ihren schlanken Körper im Halbdunkel des Raumes auf dem anderen Bett liegen. Sie umarmte das Kissen, das ihr Gesicht bedeckte.

Er schloss die Augen und drehte dem leisen Jammern dieser Fremden, die ihn so sehr an Layla erinnerte, den Rücken zu. Layla ...

Nein, Harrison. Tu es nicht. Lass dich da nicht hineinziehen. Sie hat keine Bedeutung. Gar keine.

Er presste die Lippen aufeinander, atmete tief ein und fragte sich, ob er einfach gehen und verschwinden sollte.

Du hast es hier mit der DIA zu tun, Harrison! Sie werden dich zur Strecke bringen, wie sie es vor fünfzehn Jahren schon einmal getan haben!

Beckett öffnete die Augen und starrte auf das blau-grüne Blumenmuster auf den Vorhängen. Es gab nur eine Möglichkeit, der DIA zu entkommen, und das würde bedeuten, noch einmal solch einen Albtraum wie in Rom erleben zu müssen. Oder gab es einen anderen Ausweg? Würde die DIA noch einmal zum Äußersten greifen wie 1981? Oder würde sie die Suche nach ein paar Wochen einstellen?

Beckett schloss die Augen und versuchte, sich dem Schluchzen von Pamela Sasser zu entziehen.

Lass es sein, Harrison. Verschwinde. Sie hat keine Bedeutung. Sie ist so gut wie tot. Jeder kennt ihr Gesicht. Wenn du bei ihr bleibst, wirst du selbst zur Zielscheibe. Die Polizei weiß nicht, wie du jetzt aussiehst. Noch könntest du verschwinden. Fahr nach Süden in ein fernes Land, wo Brasfield dich nicht findet. Versuch, seinen Klauen zu entkommen. Fahr nach Mittelamerika, nach Kolumbien. Such diesen General, dem du geholfen hast, an der Macht zu bleiben, indem du seine Feinde im Kartell getötet hast. Den Ge-

neral mit der Villa oben auf dem Berg über Medellín, den mit der hübschen Tochter. Oder geh noch weiter nach Süden, such Unterschlupf bei deinen Freunden in Rio, die beinahe ihre Zufluchtsstätten am Meer an diesen korrupten General verloren hätten, den du durch einen Flugzeugabsturz über dem Amazonasdschungel vor drei Jahren getötet hast. Suche diese brasilianische Tänzerin, die dir ein paar Dinge über die Liebe beigebracht hat, und lausche ihren Schreien, während ihr beide im Mondschein durch den Sand rollt. Vielleicht solltest du sogar diese Halbkugel verlassen, dich in Hongkong verstecken und die einsame Ehefrau des Geschäftsführers suchen, dessen Unternehmen du retten konntest, indem du den korrupten Regierungsbeamten ertränkt hast. Unterwirf dich ihrem hemmungslosen Verlangen, beschere ihr den Rausch der Liebe, die den Glanz auf ihre seidige Haut zaubert, nachdem ihr Ehemann sie so viele Jahren missachtet hat. Aber lass diese hier gehen. Hau ab, bevor es zu spät ist.

Und was wird aus Laylas Mörder? Was wird aus der Vergeltung?

Layla ist tot! Nichts macht sie wieder lebendig. Geh weg!

Nein. Bleib, Harrison. Bleib und sorg dafür, dass die Verantwortlichen zahlen, die ihr und dir das angetan haben, die dich gezwungen haben, den Albtraum von Rom zu erleben.

Für Rom, Harrison. Für Rom und Layla Shariff. Du musst bleiben.

Die Sache entgleitet dir, Harrison. Du kannst dieses Tempo nicht durchhalten! Das ist nicht Kairo. Wir schreiben nicht mehr das Jahr 1981. Du bist nicht mehr der Jüngste. Lass es sein! Lass es einfach sein!

Harrison Beckett wusste, dass er nicht einfach abhauen konnte. Jetzt, da er Laylas Mörder kannte, war es zu spät. Er hatte sich bereits einen Angriffsplan ausgedacht, eine Methode, um für Kairo, für Rom und Brasfields Täuschung Vergeltung zu üben. Es war der einzige Weg, um zu überleben.

Pamela Sasser hörte allmählich auf zu weinen, und nur ihr gleichmäßiger Atem war noch zu hören. Langsam schlief auch er ein.

WASHINGTON, D. C. *Mittwoch, 18. November*

Hamed Tuani fuhr im Schlaf hoch, und als die Privatmaschine am Dulles International Airport landete, erwachte er. Er war schweißnass, seine Hände zitterten, und sein Herz klopfte stark. Der ehemalige ägyptische Oberst richtete sich in dem Ledersitz auf. Er dachte an das Gefecht am Bahnhof in Kairo und an den Kampf in New Orleans. Als er an diesen Albtraum dachte, fröstelte er, und es kostete ihn einige Kraft, sich auf das Hier und Jetzt zu konzentrieren.

Er saß auf der Kante des Sitzes, strich sich mit beiden Händen durchs Gesicht und blickte auf seine Kleidung. Auf der verwaschenen Jeans war ein großer Fleck in Höhe des Unterleibes. Ein zweiter Fleck zog sich über die ganze Brust. Hamed Tuani war mit seinen großen leuchtend grünen Augen, dem gepflegten Bart und der wohl geformten Nase ein hübscher Mann. Die rosafarbene Narbe auf seinem zusammengeflickten rechten Ohr verlieh ihm Stärke, obwohl sie kaum auffiel.

Der ehemalige ägyptische Oberst stand auf und ging durch die mit Teppich ausgelegte Kabine zu der kleinen Toilette. Als er auf dem eiskalten Kunststoffboden stand, fing er an zu zittern. Er drehte den Hahn auf und spritzte sich kaltes Wasser ins Gesicht.

Nachdem sich Hamed Tuani das Gesicht abgetrocknet hatte, betrachtete er sich in dem runden Spiegel über dem Metallwaschbecken. Auch wenn ihn sein Bart, der dank der Färbung keine grauen Haare aufwies, jünger aussehen ließ, verrieten die tiefen Furchen unter den smaragdgrünen Augen sein wahres Alter.

Als Hamed an den Kampf in New Orleans dachte, verzog er das Gesicht. Er war auf seinen alten Feind gestoßen, und dabei hatte er angenommen, dass die DIA ihn in Rom ausgeschaltet hatte. Jetzt wusste es Hamed besser. Dieser Mann, der sich Harrison Beckett nannte, hatte überlebt und war zurückgekehrt, um mit ihm abzurechnen.

Die Privatmaschine kam in einem riesigen Hangar zum Stehen. Der Pilot öffnete die Seitentür, die sich nach unten schob und gleichzeitig als Treppe diente. Das laute Surren der Turbinen, die sich noch immer drehten, hallte durch den Metallhangar, und Hamed stieg der Geruch von Öl und Diesel in die Nase. Hinten in der Halle stand neben dem kleinen Büro General Jackson Brasfield.

Der ehemalige ägyptische Oberst ging auf seinen Vorgesetzten zu, der kerzengerade stand und die Hände hinter dem Rücken gefaltet hatte. Er hob den Kopf und schaute regungslos auf den Flieger.

»Was, zum Teufel, ist passiert?«, fragte Brasfield, ohne seinen Untergebenen anzusehen und die starre Haltung aufzugeben.

»Es besteht kein Zweifel«, sagte Hamed. »Harrison Beckett ist *Daniel Webster!*«

Jackson Brasfield wandte sich abrupt seinem Untergebenen zu, als dieser den Namen erwähnte, den der General schon seit Jahren nicht mehr gehört hatte. »*Was?*«

»Kairo. 1981. Layla Shariff. Am Bahnhof. *Erinnern Sie sich?*« Hamed strich mit einer Hand über sein zusammengeflicktes Ohr.

»Ja ... ja, natürlich erinnere ich mich. Wie könnte ich das vergessen ... Aber wie haben Sie ...«

Hamed setzte seinen Vorgesetzten in knapp einer Minute über die Ereignisse der letzten Stunden ins Bild.

»Das ist verrückt! Es ist unmöglich! Die DIA ... Rom ... die Explosion. Das *kann nicht* sein! Webster ist bei dieser Explosion gestorben!«

»Er muss die ganze Sache inszeniert haben. Vielleicht hat er eine Leiche in den Wagen gelegt. Irgendwie hat er es geschafft. Ich sage Ihnen, er war's. Ich weiß es. Er hat mich fast umgebracht.«

»Okay, okay. Ich glaube Ihnen«, sagte Brasfield. »Und sie sind noch immer auf freiem Fuß. Was machen wir jetzt?«

»Das ist eine Situation, die uns schnell entgleiten kann. Wir müssen daher außergewöhnliche Maßnahmen ergreifen, auch wenn sich das Risiko dadurch erhöht. Daniel Webster und Pamela Sasser verstecken sich irgendwo in New Orleans. Ich vermute, dass sie so schnell wie möglich versuchen werden, den Staat zu verlassen. In Louisiana werden sie kaum die Presse oder die Polizei kontaktieren. Dort hat Sinclaire zu viel Einfluss. Die Tatsache, dass sie von der Polizei gesucht werden, ist für uns von Vorteil. Wir müssen den Polizeifunk abhören und Hubschrauber organisieren.«

»Okay«, erwiderte Brasfield. »Okay. Ich rufe Sinclaire vom Wagen aus an und kümmere mich um alles.«

BATON ROUGE, LOUISIANA *Mittwoch, 18. November*

Die Sonne durchdrang bereits den leichten Nebel an den Ufern des Mississippi, auf dem große Barkassen mithilfe von Schleppern flussauf- und flussabwärts gezogen wurden. Preston Sinclaire konnte das Kielwasser sehen, das die großen Schiffsschrauben aufwirbelten, als er auf seiner Claybank-Stute ausritt, die er seinem Stall kürzlich hinzugefügt hatte.

Der Präsident von Microtel, der eine Jeans, ein Baumwollhemd, einen Hut und Stiefel aus Schlangenleder mit glänzenden Sporen trug, genoss schweigend den Wind, der ihm ins Gesicht wehte. Sinclaire ritt mehrmals pro Woche im Morgengrauen über seine achtzig Hektar große Plantage am Nordufer des Mississippi in Baton Rouge. Mit diesem Ritual hatte er vor nunmehr fast zehn Jahren begonnen, nachdem er ein Rodeo in Südtexas mitfinanziert und seine Leidenschaft für Pferde entdeckt hatte.

Als er sich umdrehte, sah er zwei berittene Männer etwa hundert Meter hinter ihm. Seine Bodyguards.

Heute Morgen ritt Sinclaire aus, um sich von fehlerhaften Mikroprozessoren und Computerprogrammen abzulenken. Die Microtel-Aktien waren dank der soeben erfolgten Auftragsvergabe für das Elektronenhirn eines neuen Marine-Raketen-Systems um drei Punkte gestiegen. Sinclaire hatte auch kürzlich einer zweiwöchigen Wahlkampagne durch dreizehn Staaten zugestimmt und drei Einladungen für Talk-Shows erhalten, die landesweit ausgestrahlt werden sollten. Für den Präsidenten des Technologieriesen Microtel konnte es nicht besser laufen. Er hoffte, dass sein geheimes Netzwerk in Washington sich um die Sache kümmerte ...

Sein Handy klingelte zweimal. Er zog die Zügel etwas an, woraufhin die Stute stehen blieb. Beim vierten Klingeln nahm er das Handy, das an seinem Gürtel hing, in die Hand.

»Ja?«

»Wir haben ein Problem«, sagte General Brasfield. Preston Sinclaire hörte sofort an dessen Ton, dass Pamela Sasser noch auf freiem Fuß war.

Er schloss die Augen, drückte mit einem Finger gegen die rechte Schläfe und sagte: »Ich höre?«

Nach ein paar Minuten schüttelte er langsam den Kopf.

Zum Teufel mit Pamela Sasser und Harrison Beckett!

»Das ist noch nicht alles.«

Sinclaire musste über die verrückte Wende der Ereignisse fast lachen, aber er sagte nur: »Was noch?«

»Erinnerst du dich an den Militärvertrag, den wir 1981 mit der ägyptischen Regierung abgeschlossen haben?«

»Hm ... ja ... ja. Ich erinnere mich«, erwiderte Sinclaire, der noch immer die Zügel anzog, damit die Stute stehen blieb. Der Präsident erinnerte sich an die Militärverträge zwischen dem Pentagon und der ägyptischen Regierung, die fast gescheitert wären, weil Anwar Sadat Frieden mit Israel schließen wollte. Das war knapp ein Jahr nach der Gründung von Microtel, und es ging dabei um immense Summen. Nach Sadats Ermordung kam der Vertrag dann doch zu Stande. Sinclaire verdiente an den Schwarzmarktgeschäften, die er und Brasfield mit den Ägyptern abgeschlossen hatten, ein hübsches Sümmchen. Mit Hilfe dieser Gelder vergrößerte er sein Unternehmen.

»Erinnerst du dich an die Probleme am Bahnhof von Kairo?«

Sinclaire nickte und atmete langsam die Morgenluft ein. Ein DIA-Agent hätte den Plan, der muslimischen Bruderschaft beim Mord an Sadat zu helfen, fast verraten. Hamed Tuani, Brasfields Kontaktmann beim ägyptischen Militär, hatte das Killerteam angeführt, um den DIA-Informanten zu ermorden.

»Hamed ist an jenem Tag fast draufgegangen«, erwiderte Sinclaire. »Aber wir haben ihn gerettet ... Und wo liegt das Problem, Jackson?«

»Erinnerst du dich an den Informanten?«

»Wie könnte ich den vergessen?«

»Er lebt, Preston. Der Informant ist Harrison Beckett.«

»Das ist ... das ist unmöglich!«, schrie Sinclaire ins Handy, das er an sein linkes Ohr presste. »Er ist in Rom gestorben! Das hast du mir doch selbst gesagt!«

»Das dachte ich auch. Aber er hat Hamed in New Orleans wiedererkannt. Er weiß alles, was damals in Kairo passiert ist.«

»Aber ... das Gesicht! Du hast dich doch mit ihm getroffen! Hast du es denn nicht bemerkt?«

»Er muss sein Gesicht verändert haben. Wahrscheinlich hat er sich einer plastischen Operation unterzogen.«

»Und er hat dich nicht erkannt?«

»Wir haben uns damals nie persönlich getroffen. Er hat Hamed wiedererkannt. Möglicherweise hat Webster Hamed sogar schon bei unserem letzten Treffen wiedererkannt«, sagte Brasfield. Er berichtete Sinclaire kurz von Hameds seltsamem Zweikampf in New Orleans in der letzten Nacht. Brasfield setzte ihn auch über seinen neuen Plan ins Bild.

Preston Sinclaire warf das Handy vor Wut in den Mississippi und gab seiner Stute wütend die Sporen. Das Pferd galoppierte zurück zu den Ställen.

Harrison Beckett ist Daniel Webster! Er lebt!

Preston Sinclaire gab der Stute noch einmal die Sporen. Der Wind riss ihm den Hut vom Kopf, aber der Präsident von Microtel kümmerte sich nicht darum.

Webster ist Beckett! Beckett ist Webster!

Immer wieder schossen ihm diese Worte durch den Kopf und ließen die Vergangenheit aufleben. 1981. Fünf Jahre, nachdem er die Armee verlassen hatte. Sinclaire kontrollierte damals wie heute den Schwarzmarkt. Er kontrollierte die Gelder des Netzwerkes, während Brasfield für die Operationen zuständig war. Sinclaire und Brasfield hatten den Deal zwei Jahre lang mit den Ägyptern ausgehandelt. *Zwei Jahre!* Er beinhaltete alles von Panzern, Panzerfäusten, Handfeuerwaffen, Munition bis hin zu teuren Ersatzteilen. Zu dem Vertrag gehörte auch die Ausbildung der Soldaten. Damals war das der bei weitem ehrgeizigste und einträglichste Deal, den Sinclaires Geheimorganisation je ausgehandelt hatte. Und Daniel Webster hätte die Sache fast vermasselt.

Aber er war gescheitert. Und sie hatten angenommen, er sei in Rom gestorben. Verdammt!

Niemand wusste, wo er sich jetzt versteckte. Brasfield vermutete New Orleans, aber der Verräter Webster und die Frau konnten überall sein.

Überall!

Webster war clever genug, um Kairo und Rom zu überleben – und den Mordversuch in der vergangenen Nacht. Daher bezweifelte Preston Sinclaire, dass es ihm Probleme bereiten würde, den Staat zu verlassen. Pamela Sasser und Daniel Webster hatten genug Beweismaterial in Händen, um seine Operationen auffliegen zu lassen.

Nachdem er vor den Ställen aus dem Sattel gestiegen war und die Stute in der Obhut eines Stallburschen zurückgelassen hatte, ging er sofort in seine Villa, die unmittelbar nebenan lag. Wenige Minuten später stand er vor der Minibar, nahm sich ein Glas heraus, schüttete ein paar Eiswürfel hinein und füllte es anschließend mit Chivas Regal.

Er kippte den Scotch herunter und goss sich einen neuen ein.

Brasfields Plan muss gelingen, dachte er. *Er muss gelingen oder...*

Sinclaire warf das Glas an die Wand und griff nach dem Telefon, um mehrere Gespräche zu führen. Es war höchste Zeit, seine guten Beziehungen in Louisiana zu nutzen. Der Fehler im Perseus durfte nicht an die Öffentlichkeit dringen – egal welche Konsequenzen das hatte.

Während Preston Sinclaire einen Anruf nach dem anderen tätigte und all seine Beziehungen, die er in Baton Rouge und New Orleans hatte, spielen ließ, ging Theresa Hays langsam die Treppe zur Krebsklinik in Louisiana hinauf, die knapp eine Meile entfernt war. Die fünfundvierzigjährige Chefsekretärin einer Rechtsanwaltskanzlei hatte in der linken Brust einen Krebstumor gehabt. Glücklicherweise hatte ihr Arzt den Tumor rechtzeitig entdeckt, sodass keine Brustamputation erforderlich gewesen war. Nachdem der Tumor vor drei Wochen entfernt worden war, hatte der Arzt ihr fünf Strahlentherapien verordnet, damit sich eventuelle Ausstrahlungen des Brusttumors zurückbildeten. Heute war ihre erste Bestrahlung.

Nachdem sie eine Reihe von Formularen ausgefüllt und geduldig im Wartezimmer gewartet hatte, wurde Theresa endlich von einer kleinen Krankenschwester hereingerufen, die sie ins Behandlungszimmer führte. Innerhalb der vier strahlend weißen Wände stand ein monströs wirkendes Gerät. An einer Wand war ein großes Fenster mit getönten Scheiben.

»Das ist unser neues Bestrahlungsgerät«, erklärte die junge Schwester, die ihr blondes Haar hochgesteckt hatte. Sie zeigte auf das Rythenon-30, das beste Bestrahlungsgerät auf dem Markt. »Vollautomatisch. Ihr Arzt hat Sie an das beste Institut im ganzen Land überwiesen.«

Als die Schwester Theresa an den weißen Tisch führte, erschien ein Techniker hinter dem Glasfenster und setzte sich vor die Kontrolltafel des Rythenons. Ein riesiger Arm oben auf dem Gerät drehte sich langsam und senkte sich über Theresa, während die Schwester ihr behilflich war, sich auf den Tisch zu legen, und ihr ein kleines Kissen unter den Kopf legte.

»Bitte bewegen Sie sich nicht«, sagte die Krankenschwester. »Es dauert nur ein paar Sekunden, und Sie werden überhaupt nichts spüren.«

Die Krankenschwester ließ sie allein und ging in den Kontrollraum, in dem der Techniker das Gerät nach den Anweisungen in der Krankenakte der Patientin programmierte. Er stellte es auf eine niedrige Strahlendosis ein, die Hauttumore zerstören sollte.

Die Krankenschwester entdeckte den Fehler des Technikers. Er hatte die falsche Krankenakte auf dem Schoß lie-

220

gen. Es war die des *nächsten* Patienten und *nicht* die von Theresa Hays. Für sie musste das Gerät auf eine hohe Strahlendosis eingestellt werden, damit die Brust der Patientin durchdrungen werden konnte und die Überreste des Tumors zerstört wurden, ohne die Haut oder das Nachbargewebe zu beschädigen.

Anstatt das System zurückzusetzen und dann den neuen Code einzugeben, beschloss der Techniker, Zeit zu sparen, indem er einfach die Pfeil- und Backspacetasten benutzte, um die vorherige Eingabe zu korrigieren. Dann gab er die neuen Daten und die richtige Strahlendosis, den Durchdringungsgrad und die Dauer der Bestrahlung ein. Die Daten wurden in elektrischen Strom umgesetzt, der den Input-Kanal des Perseus-Mikroprozessors, der das ganze System steuerte, fütterte. Der Mikroprozessor las den Input, den der Techniker auf der Tastatur eingegeben hatte, und übermittelte ihn an die Fließkommaeinheit. Als die Fließkommaeinheit die neuen Befehle erhielt, war sie gerade dabei, die Niedrigdosis für die Bestrahlung zu berechnen. Für die exakte Berechnung bedurfte es hunderttausender Wiederholungen, wobei die Outputs der vorherigen Berechnung als Inputs für die aktuelle Berechnung benutzt wurden, während die Genauigkeit der Bestrahlung mit jedem Schritt erhöht wurde. Da der Techniker das System vor der korrekten Eingabe nicht zurückgesetzt hatte, erreichte mitten in der Berechnung ein neuer Satz an Befehlen den Perseus und zwang die Fließkommaeinheit, eine neue Schleife mit anderen Parametern auszuführen. Wieder begann der Perseus gehorsam, eine exakte Berechnungsschleife durchzuführen. Das neue Ergebnis verließ den Perseus-Chip durch den Output-Kanal und befahl dem Rythenon-30, in den hoch dosierten Bestrahlungsmodus umzuschalten. Aufgrund des winzigen Fehlers in der Fließkommaeinheit scheiterte der Output des Perseus', den Befehl des Technikers, eine Wolframscheibe in den Pfad des Strahls einzufügen. Diese Scheibe, die normalerweise bei der Niedrigdosierung nicht benutzt wurde, war bei der hoch dosierten Bestrahlung aktiv. Sie filterte alle schädlichen Elemente aus dem starken Strahl und verwandelte ihn in therapeutische Röntgenstrahlen.

Das System versagte.

Der ungefilterte Strahl, der eine Energie von dreißigtausend Volt hatte, wirkte für den Bruchteil einer Sekunde auf die Brust von Theresa Hays ein. Dann wurde der Sicherheitsmechanismus des Rythenons aktiviert, der den Fehler in der Einstellung realisierte und das Gerät abschaltete. Zu dem Zeitpunkt war Theresa bereits einer Strahlendosis ausgesetzt, die dem Dreimillionenfachen einer normalen Röntgenuntersuchung entsprach.

Auf der Kontrolltafel leuchtete ein Warnlicht auf.

Theresa Hays sah ein blaues Blitzlicht, als ein brennend heißer Strahl ihre inneren Organe verbrannte. Es war ein Gefühl, als läge sie in einer riesigen Mikrowelle.

Die Chefsekretärin zitterte und war nicht in der Lage, um Hilfe zu schreien, doch sie schaffte es, sich auf den Tisch zu setzen und die Arme um die Beine zu schlingen. Sie starrte mit ausdruckslosem Blick auf die weißen Wände und zitterte am ganzen Leib, als Millionen von Isotopen durch ihren Organismus sausten.

Theresa hörte Stimmen und erblickte die kleine Krankenschwester, die zu ihr kam und sie fragte, was passiert sei und wie sie sich fühle. Über Theresas bebende Lippen drang kein einziges Wort, als die Strahlen ihre Haut, dann ihre Lungen, ihren Magen, ihre Leber, ihre Bauchspeicheldrüse, ihr Muskelgewebe und ihre Gedärme versengten. Wie ein Raubtier, das mit seinen Kiefern das weiche Fleisch seiner Beute umschloss, griff dieses unsichtbare Monster in ihrem Inneren die lebenswichtigen Organe mit unersättlicher Gefräßigkeit an.

Als der Techniker und die Krankenschwester Theresa Hays auf die Füße halfen, zuckte sie plötzlich zusammen und erbrach Galle und Blut, ein stinkendes Gemisch, das aus ihrem Mund floss und auf die weißen Kacheln des Bestrahlungsraumes sickerte. Der Geruch nach Blut drang ihr in die Nase.

Als die Zuckungen aufhörten, versuchte Theresa zu sprechen, aber stattdessen spürte sie einen stechenden Schmerz in der Brust. Galle und Blut schossen so explosionsartig aus ihrem Mund, dass das Erbrochene die Schwester und den Techniker besudelten. Die beiden ließen die Patientin los, woraufhin sie auf den gekachelten Boden fiel. Sie zuckte, krümmte sich, zitterte, streckte sich und spürte das Erbrochene in ihrer Kehle. Ihre sterbenden Augen starrten auf den Schleim, der unaufhörlich aus ihrem Mund schoss. Von dem Ekel erregenden Geruch wurde ihr schwindelig und übel.

Theresa Hays starb eine Minute später. Bei der Autopsie wurden starke Verletzungen der inneren Organe festgestellt, die auf eine zu hohe Strahlendosis zurückgeführt wurden.

Eine Stunde später unterzogen die Techniker der Klinik das Rythenon-Gerät einer Reihe von Tests, bei denen das einwandfreie Funktionieren des Gerätes festgestellt wurde.

9

Unerwartete Helden

Dann sprach der mutige Horatius,
der Hauptmann vor dem Tor:
»Jeder Mann hier auf Erden
wird früher oder später sterben.
Und wie kann ein Mensch besser sterben,
als seinem Schicksal ehrfürchtig ins Auge zu sehen,
für die Asche seiner Väter
und die Tempel seiner Götter?«

Thomas Babington Macaulay

SÜD-LOUISIANA *Mittwoch, 18. November*

Harrison Beckett saß hinter dem Lenkrad eines ge-
stohlenen grauen Nissan Maxima und hielt sich auf dem
Weg nach Baton Rouge an die Geschwindigkeitsbegrenzung. Er fragte sich noch immer, ob es die richtige Entscheidung war, bei dieser Frau zu bleiben. Allein hätte er es
schaffen können, noch einmal von der Bildfläche zu verschwinden. An der Seite dieser Frau würde er kämpfen und
einen Weg finden müssen, diejenigen anzuprangern, die ihn
suchten, ehe er geschnappt wurde.

Sie mussten den Staat unverzüglich verlassen. Er hoffte,
dass der größte Teil der Polizei die Grenze nach Mississippi
kontrollierte, die nur neunzig Minuten von New Orleans
entfernt war. Harrison hatte vor, in Baton Rouge einen anderen Wagen zu stehlen und dann nach Lafayette zu fahren.
Das war die nächstgrößere Stadt, die eine Stunde westlich
von Baton Rouge und näher an der texanischen Grenze lag.

Von Texas aus wollte er sich und Pamela an Bord eines Flugzeugs in Sicherheit bringen. Auf jeden Fall wollte er den Flughäfen der Südstaaten aus dem Weg gehen.

Die Mittagssonne stand hoch am Herbsthimmel und brachte für diese Jahreszeit ungewöhnliche 26 Grad. Die Luftfeuchtigkeit war sehr hoch, und Beckett war froh, dass er einen Wagen mit Klimaanlage gestohlen hatte.

Es war nicht so schwierig gewesen, den richtigen Wagen zu finden, wie Beckett zunächst befürchtet hatte. Er hatte auf dem Parkplatz des *Marriott* einen Wagen ausgewählt, auf dem auf der Heckscheibe und den Seitenfenstern in weißer Farbe *Frisch vermählt* stand. Das Dach und der Kofferraum waren mit Toilettenpapier umwickelt. Er ging davon aus, dass die Fahrzeugbesitzer lange schlafen würden, und bis dahin wollte er den Wagen schon lange in Baton Rouge gegen einen anderen eingetauscht haben.

»Was wird jetzt aus uns, Harrison?«, fragte Pamela. Sie hatte die ganze Zeit geschwiegen, und Beckett hatte sie nicht zum Sprechen ermuntert. Er hatte dieser Frau alles Notwendige gesagt. Das Sprechen lenkte ihn von seinen Überlegungen ab, und das konnte er sich im Moment nicht leisten. Seitdem sie das Hotel verlassen hatten, wanderte sein Blick beständig hin und her. Ihm durfte nicht entgehen, was vor ihnen, hinter ihnen und links und rechts von der Hauptverkehrsstraße passierte. Auf seinem Schoß lag eine Straßenkarte, die er genau studiert hatte. Er wusste, wo die nächste Ausfahrt war, wo kleinere Straßen in der Nähe verliefen, wo Orte an der Straße lagen und wohin er fahren könnte, wenn Gefahr im Verzug war. Viele Nebenstraßen verliefen in der Nähe der I-10, und auch wenn sie den vierspurigen Highway nicht kreuzten, waren sie im Falle eines Falles erreichbar. Jetzt lenkte Pamela Sasser ihn mit ihren unnötigen Fragen ab.

Beckett schaute sie verärgert an und zuckte mit den

Schultern. »Wenn ich das wüsste«, sagte er, wobei die Zigarette in seinem Mundwinkel hin und her wippte.

Sie senkte den Blick und runzelte die Stirn. Obwohl ihm nicht der Sinn danach stand, beschloss Beckett, ein wenig mit Pamela zu plaudern. Es war nicht etwa so, dass sie ihm plötzlich Leid tat, sondern er hielt es lediglich für ratsam, die angespannte Atmosphäre etwas aufzulockern. Vielleicht brauchte er irgendwann einmal ihre Hilfe. Es würde sicher nicht schaden, wenn sich ihr Verhältnis ein wenig verbesserte, oder?

Lass dich nicht mit dieser Frau ein, Harrison. Benimm dich wie ein Profi. Sie hat keine Bedeutung.

Diese Sätze schossen ihm durch den Kopf und erinnerten ihn daran, wie gefährlich es war, sich in Gefühle zu verstricken. Andererseits musste er dafür sorgen, dass diese Frau nicht im ungünstigsten Moment zusammenbrach. Er wusste, was sie fühlte. Vor langer Zeit war er in einem anderen Land in einer ähnlichen Lage gewesen, und daher konnte er ihre Gefühle gut nachvollziehen.

Beckett klemmte die Marlboro zwischen Zeige- und Mittelfinger der rechten Hand, nahm einen letzten Zug und drückte die Zigarette in dem kleinen Aschenbecher unter dem Radio aus. »Willkommen in der Welt der Ungewissheiten, Pamela«, sagte er, wobei er sich jedes Wort genau überlegte.

»In dieser Welt weiß man nie, wer ein Freund und wer ein Feind ist«, fuhr er fort. »Nehmen Sie zum Beispiel Ihre Situation. Vor zwei Tagen wurde ich engagiert, um Sie zu *töten*. Und heute *beschütze* ich Sie.« Beckett atmete den Rauch langsam durch die Nase aus.

»Und morgen? Werden Sie mir morgen eine Kugel in den Kopf jagen? Werden Sie mich töten, Harrison, wenn das hier vorbei ist?«

Beckett dachte ein paar Sekunden über die Frage nach.

Die Sonne, die durch das Schiebedach auf ihr blondes Haupt fiel, färbte ihr Haar fast weiß, was ganz reizend aussah. Durch den dunklen Lippenstift und Eyeliner entstand ein Kontrast, der dem ehemaligen DIA-Agenten ausgezeichnet gefiel. Und dann war da natürlich noch dieses braune Muttermal, das ihm langsam, aber sicher den Verstand raubte.

Verdammt, nein! Tu es nicht, Harrison. Denk an Brasilien, Kolumbien, Hongkong. Denk an irgendetwas, was nichts mit ihr zu tun hat. Die Sache wird dir entgleiten. Hau ab! Trenn dich an der nächsten Ausfahrt von ihr, überlass ihr den Wagen und besorg dir einen anderen. Fahr zum nächsten Flughafen. Verlass den Kontinent und geh nach Spanien. Such die Frau des Gitarrenbauers in Segovia, die du aus den Klauen des korrupten Armeeoberst befreit hast. Sie kann dir helfen, Baton Rouge, Kairo, Rom, die DIA und New Orleans zu vergessen. Hau ab! Sofort!

Doch er konnte den Blick nicht von ihr abwenden, denn er sah nicht nur ihr Make-up, die hohen Wangenknochen und die blaugrünen Augen, sondern auch ihre Angst. In ihren feuchten Augen spiegelte sich blankes Entsetzen. Eine einsame Träne rann langsam über ihre zarten Gesichtszüge und benetzte das braune Muttermal. Als Harrison Beckett auf das glänzende Muttermal blickte, musste er unweigerlich an Kairo, an windige, ägyptische Nächte und Pyramiden unter dem sternklaren Himmel denken.

Ihre spürbare Angst verdrängte sofort alle anderen Gefühle und Bilder der Vergangenheit. Pamela Sasser hatte entsetzliche Angst, und zwar nicht nur vor ihren Verfolgern, sondern auch vor Beckett. *Sie hat Angst vor dir, Harrison! Vor dir! Du musst sie davon überzeugen, dass sie dir glauben und vertrauen kann.*

Sie soll mir vertrauen?

Diese Frage schoss ihm unerbittlich durch den Kopf. Es war logisch, es machte Sinn, es erklärte die Angst in ihren feuchten Augen. *Würdest du deinem eigenen Mörder ver-trauen, Harrison?*

Beckett hielt am Straßenrand an und rückte ein Stück näher an sie heran.

»Verstehen Sie, Pamela, ich weiß nicht, was ich sagen soll, damit Sie sich in meiner Gegenwart wohler fühlen. Auch wenn ich Menschen für Geld töte, müssen Sie wissen, dass ich nur den Abschaum der Menschheit töte. Ich suche mir meine Kunden sehr sorgfältig aus und töte die Person nur, wenn ich absolut sicher bin, dass die Welt ohne diese Person ein besserer Ort sein wird.«

Die Angst in Pamelas Augen erlosch, als sie ungläubig den Kopf schüttelte. »Und wer gibt Ihnen das Recht, sich als Gott aufzuspielen?«

Diese Bemerkung machte Beckett im ersten Moment sprachlos. Er sah weg, atmete tief ein und strich sich mit der Hand über die Stirn. »Ich werde Sie nicht töten. Daher sollten Sie sich nicht ...«

Beckett sah das aufblitzende Blaulicht des Streifenwagens im Rückspiegel.

»Wir haben ein Problem.«

Pamela warf schnell einen Blick durchs Heckfenster, ehe sie Beckett mit vor Angst geweiteten Augen ansah. »Und was machen wir jetzt?«

Der Streifenwagen hielt genau hinter ihnen mit blinkendem Blaulicht an. Beckett sah nur den Polizisten, der die Tür öffnete. Und er sah nur eine Möglichkeit, mit diesem Problem fertig zu werden. Nur eine einzige. Seine innere Stimme schrie ihm zu, es nicht zu tun, weil er dadurch alle Grundsätze, die er sich selbst auferlegt hatte, verletzen würde.

»Denken Sie daran, dass wir frisch Vermählte sind«, sagte er.

»Wie bitte?«

»Er hat die Sirene nicht eingeschaltet. Wir tun so, als hätten wir ihn nicht gesehen.« Beckett nahm sie in die Arme, und drückte seine Brust gegen ihr T-Shirt.

»Warten Sie ...«

»Schließen Sie die Augen, bis er ans Fenster klopft. Spielen Sie Ihre Rolle. Schnell.« Beckett nahm ihr Gesicht in die Hände und küsste sie. Pamela war empört über die jähe Verletzung ihrer Intimsphäre und leistete Widerstand, aber er hielt ihr Gesicht fest und presste seine Lippen auf die ihren. Sie schmeckte nach den Pfefferminzbonbons aus dem *Marriott*. Erinnerungen an eine sanfte Brise, an Sandstrände und Kopfsteinpflaster wurden wach ...

Als Beckett hörte, dass jemand gegen die Fahrertür klopfte, fuhr er hoch und schob die verwirrte Pamela Sasser auf ihren Sitz zurück. Der dunkle Lippenstift war rund um ihre Lippen und ihr Muttermal und mit Sicherheit auch auf seinem Gesicht verschmiert.

Becketts Herz klopfte stark, als er sein verlegenes Lächeln auf der Sonnenbrille des Polizisten sah. Eine Brust, Arme und ein Nacken, die einem professionellen Ringer gehört haben könnten, versperrten Beckett den Blick. Er kurbelte das Fenster herunter.

»Probleme mit dem Wagen?«, fragte der Polizist, über dessen schwarzes Gesicht ein verzerrtes Lächeln huschte.

»Tut mir Leid, Officer«, entschuldigte sich Beckett. »Wir haben uns gerade nach unserem ersten Streit wieder vertragen, nicht wahr, Liebling?«

Pamela, die mit ihrem verschmierten Mund fast wie ein Clown aussah, antwortete ihm nicht, nickte aber zumindest.

»Ihr Lippenstift ist verschmiert, Madam«, sagte der Polizist, der sich vor die Tür hockte und beide Arme auf den Türrahmen legte.

Pamela errötete, nahm sich ein Papiertuch von der Ablage und entfernte den Lippenstift von ihrem Gesicht.

»Ja, wir hätten nicht anhalten dürfen, aber wir hatten gerade unseren ersten Streit und ...«

»Fahren Sie weiter, und halten Sie bitte nicht noch einmal an, es sei denn, es handelt sich um einen Notfall, einen richtigen Notfall, meine ich.«

»Danke, Officer.«

Beckett startete den Wagen und fuhr los.

»Tja, das hat ja ganz gut geklappt«, sagte er und drehte sich zu ihr um. Dann sah er in den Rückspiegel, zog eine Zigarette aus der Schachtel und steckte sie sich in den Mund.

Pamela verpasste ihm eine schallende Ohrfeige und zerdrückte die Zigarette auf seinen Lippen und der rechten Wange. Ehe sie anfing zu schreien, wirbelten Papierfetzen und Tabak durch die Luft. »Sie blödes Arschloch! Berühren Sie mich nie wieder! Kapiert, Mister? *Nie wieder!*«

Becketts Wange brannte. Er spuckte die Reste der Zigarette aus und warf ihr einen frostigen Blick zu. Noch nie zuvor hatte ihn eine Frau geschlagen. »Verdammt!«, murmelte er, als er sich über die Wange rieb und die Tabakkrümel entfernte. »Haben Sie denn nicht begriffen, dass ich versucht habe ...«

»Sie sind ein cleverer Bursche, nicht wahr? Nächstes Mal denken Sie sich etwas anderes aus. Aber berühren Sie mich nie wieder! Kapiert? Nie wieder!«

Einen Augenblick herrschte Stille. Sie funkelten sich stumm an, und dann fingen sie beide laut an zu lachen. Dieses Lachen brach das Eis zwischen ihnen für immer.

Pamela lachte so hemmungslos, dass ihr Tränen in die Augen stiegen, und Beckett hielt sich den Bauch vor Lachen. Als Pamela sich etwas beruhigt hatte, nahm sie noch ein Papiertuch von der Ablage, um sich die Tränen zu trocknen. Erst allmählich begriff sie, in welch dramatischer Situation sie gewesen waren. Wenn die Polizei sie geschnappt hätte, wäre er vorbei gewesen.

Keine Fehler mehr.

Beckett atmete mehrmals tief ein, während er mit beiden Händen das Lenkrad umklammerte.

Pamela gab ihm ein Taschentuch und wies auf seine Lippen.

»Danke«, sagte er, nahm das Taschentuch und rieb sich damit über die Lippen. »Das war knapp. Verdammt knapp.«

Pamela seufzte laut, schob die Unterlippe vor und zerzauste ihre blonden Strähnen, die ihr in die Stirn fielen. »Ja ... stimmt. Es war verdammt knapp.«

Sie schwiegen ein paar Minuten und hingen beide ihren Gedanken nach.

»Danke, dass du mir das Leben gerettet hast«, sagte Pamela. Sie legte ihre Hand kurz auf seine Schulter und drückte mit den Fingern gegen seine wunden Muskeln.

Beckett lächelte. »Gern geschehen. Ich hoffe ... O Scheiße. Das war eine Falle!«

»Was?«

»Das da!« Beckett zeigte auf ein Dutzend Streifenwagen, die die Autobahn an der nächsten Biegung versperrten. Von hinten näherten sich mehrere Streifenwagen mit Blaulicht. Die Sirenen hallten über die großen Zuckerrohrplantagen und Sümpfe auf beiden Seiten des Highways.

Da es hier keine einzige Straße gab, über die sie hätten fliehen können, trat Beckett auf die Bremse, fuhr über den Mittelstreifen und raste zurück in Richtung New Orleans. Er wusste jedoch ganz genau, dass dieser Fluchtversuch aussichtslos war. Der lahme Motor im Maxima konnte mit den starken V-8-Motoren in den Streifenwagen nicht konkurrieren.

Die Streifenwagen hinter ihm wendeten ebenfalls sofort und rasten ihm, gefolgt von den Streifenwagen, die die Straße blockiert hatten, hinterher.

Auch wenn er das Gaspedal voll durchtrat, erreichte der

Maxima nur eine Höchstgeschwindigkeit von 120 Meilen pro Stunde, und daher war es für seine Verfolger ein Kinderspiel, sie in kürzester Zeit einzuholen. Die Arbeiter auf den Zuckerrohrplantagen in den Bulldozern, die Lastwagen und Anhänger beluden, verfolgten neugierig das Wettrennen.

Drei Streifenwagen überholten ihn, und die anderen fuhren neben dem Maxima her. Die großen weißen Wagen mit dem Pelikanemblem auf den Türen zwangen ihn, das Tempo zu drosseln und mitten auf der Autobahn anzuhalten.

Zwei Dutzend Polizisten in hellbraunen Uniformen, mit dunklen Hüten und Sonnenbrillen richteten ein halbes Waffenarsenal auf Beckett und Pamela.

Beckett schaute Pamela an.

»Ende der Vorstellung, Pam.«

Im Grunde hatte er mehr Mitleid mit ihr als mit sich selbst, aber das spielte jetzt keine Rolle. Er wusste ganz genau, dass der Geheimdienst sie in der Gefangenschaft umbringen würde, auch wenn sie Polizeischutz bekämen. Es gab kein Entrinnen vor den Klauen seiner ehemaligen Kollegen, es sei denn, er könnte die DIA davon überzeugen, sie wären bereits tot. Irgendwie wusste Beckett, dass der korpulente Polizist mit der markanten Nase, dem kurzen schwarzen Haar und den schmalen braunen Augen, der sich ihrem Fahrzeug näherte, der Presse gegenüber nicht ihren angeblichen Tod bestätigen würde.

Der Officer gab Beckett ein Zeichen, das Fenster zu öffnen, und tippte kurz gegen seinen Hut. Pamela war sichtlich erschüttert, als sie die vielen auf sie gerichteten Waffen sah. Beckett zuckte nicht mit der Wimper, und dem Officer entging das nicht.

»Morgen«, sagte der Officer mit tiefer Stimme. Seine wachsamen Augen waren unaufhaltsam auf Beckett gerichtet, und seine riesige Pranke war jederzeit bereit, die Waffe zu ziehen. »Ich bin Sheriff Jason Laroux aus West Baton

Rouge. Sie haben den falschen Wagen gestohlen, mein Freund. Der Besitzer hat gesehen, dass Sie mit seinem Wagen weggefahren sind, und hat sofort die Polizei verständigt. Wir haben Sie schon eine Weile verfolgt. Um ganz sicher zu gehen, hat mein Stellvertreter Nelson da hinten das kleine Spiel mit Ihnen gespielt.«

Beckett blickte auf den großen schwarzen Mann, der ein Gewehr mit abgesägtem Lauf auf den Maxima richtete.

»Wir haben Sie überall gesucht«, fuhr Sheriff Laroux fort. »Es gibt jetzt zwei Möglichkeiten, die Sache zu beenden. Entweder Sie steigen hübsch aus, wir legen Ihnen Handschellen an und bringen Sie nach New Orleans.« Er verstummte und grinste Beckett an. »Oder aber Sie leisten Widerstand. In dem Fall wird es mir eine Freude sein, Sie zusammenzuschlagen, Ihnen *dann* die Handschellen anzulegen und Sie nach New Orleans zu bringen. Was ist Ihnen lieber?«

Zwanzig Minuten später saß Harrison Beckett mit Handschellen neben Pamela auf der Rückbank eines Streifenwagens, der von zwei Polizeifahrzeugen eskortiert wurde und auf dem Weg nach New Orleans war, wo ihn der sichere Tod erwartete. Er verspürte ein seltsam friedliches Gefühl – ein Gefühl der Resignation. Er hatte sich gut geschlagen, und jetzt war der Zeitpunkt gekommen, um zu sterben. Im Grunde sollte er froh sein, so lange gelebt zu haben, nachdem er 1981 auf die schwarze Liste gesetzt worden war. Seitdem lebte er auf Pump. Beckett wusste das, und schließlich hatte ihn das Schicksal eingeholt. Er war nur noch neugierig, zu welcher Methode die DIA greifen würde, um ihn umzubringen. Einen inszenierten Selbstmord? Oder das gleiche Zweiphasengift, das er bei Dr. LaBlanche benutzt hatte?

Es gab unzählige Möglichkeiten. Beckett hatte im Laufe der Jahre viele dieser Methoden angewandt, und alle waren so effektiv wie eine Kugel im Kopf, nur dass sie nicht diese schrecklichen Auswirkungen hatten. Wahrscheinlich war der inszenierte Selbstmord in dieser Situation am besten. Der Gefangene beschaffte sich irgendwie einen Schnürsenkel, an dem er sich mitten in der Nacht erhängte. Vielleicht fand der Gefangene auch irgendwo eine Rasierklinge, mit der er sich die Pulsadern aufschnitt, oder er biss sie sich einfach selbst auf und verblutete. Beckett kannte einen Fall, in dem diese Methode vor vielen Jahren in Südamerika angewandt wurde. Ein korrupter Politiker, der zum Tode verurteilt im Gefängnis saß, war ausgeschaltet worden, indem man ihm ins Handgelenk biss und ihn verbluten ließ.

Beckett schüttelte den Kopf, als sie an den Sümpfen vorbeifuhren. Der Himmel bewölkte sich. Es sah nach Regen aus. Zu viele Tote. Er hatte so viele Menschen getötet, seitdem er die DIA verlassen hatte, und er schämte sich, dass er sich kaum an die Namen erinnerte. Aber an die Gesichter... Mein Gott, er erinnerte sich an die Gesichter. In Rom hatte alles begonnen!

Wer gibt Ihnen das Recht, sich als Gott aufzuspielen?

Beckett warf Pamela einen Blick zu. Sie saß mit gesenktem Kopf und herabhängenden Schultern neben ihm. Ihre Augen waren geschlossen, und Tränen rannen über ihre Wangen. Ein unschuldiges Opfer, das am falschen Ort zur falschen Zeit den falschen Beruf ausübte.

Schicksal.

Konnte man das Schicksal beeinflussen? Konnte er sein eigenes Schicksal beeinflussen? War er Herr über seine eigene Zukunft? Hätte er abhauen sollen, als er noch die Möglichkeit gehabt hatte? Beckett dachte über diese Fragen nach, als er drei winzige schwarze Flecke am Horizont entdeckte. Sie wurden schnell größer, und er hörte das ferne Surren der Propeller.

Hubschrauber! Natürlich! Sinclaire und Brasfield können

es sich nicht leisten, zu warten. Sie wollen verhindern, dass
wir uns an die Medien wenden.

Die DIA hatte offensichtlich den Polizeifunk abgehört und ein neues Killerkommando losgeschickt. Beckett ging davon aus, dass dieses Killerkommando mit stärkeren Waffen ausgerüstet war.

Er schaute Pamela an. »Pst.«

Pamela wandte ihm das Gesicht zu und schaute ihn mit ihren nassen blaugrünen Augen an. Über ihren bebenden Lippen schimmerte das feuchte Muttermal.

»Auf mein Zeichen gehst du in Deckung«, flüsterte er.

Sie schüttelte den Kopf. Die Spuren der Tränen zeichneten sich deutlich auf ihrem aschfahlen Gesicht ab. »Wie meinst du das?«

»Diese Hubschrauber«, flüsterte Beckett. »Ein neues Killerkommando.«

Er hatte den Satz kaum beendet, als der erste Hubschrauber über sie hinwegflog und zwei unter dem Rumpf befestigte Kanonen den ersten Streifenwagen unter Beschuss nahmen. Der Wagen ging in Flammen auf.

»Jetzt, Pamela!«, schrie Beckett. Sie warf sich in die Lücke zwischen der Rückbank und den Vordersitzen, und Beckett legte sich auf sie. »Beweg dich nicht! Dir passiert nichts!«

»Verdammte Scheiße!«, schrie Sheriff Laroux, als er um das brennende Wrack herumfuhr und nach dem Funkgerät griff. »Dies ist ein Code Red. Ich wiederhole: Code Red. Drei Hubschrauber ... Scheiße!«

Der zweite Hubschrauber näherte sich. Unzählige Kugeln schlugen auf den Asphalt und durchdrangen das Dach von Laroux' Streifenwagen.

Laroux verlor die Kontrolle über den Wagen, der von der Straße abkam und in einem Zuckerrohrfeld landete. Als das Zuckerrohr gegen den Wagen prallte, zerbrachen die Fenster. Splitter rieselten auf Pamela und Beckett nieder. Der Wagen überschlug sich ein Mal, dann ein zweites Mal und blieb auf der rechten Seite liegen, bevor hohe Bäume und Sümpfe auf die Plantage folgten.

Stille.

In der Ferne war eine Explosion zu hören. Der dritte Streifenwagen ging in Flammen auf. Beckett richtete sich auf. Beim Aufprall war die Tür auf seiner Seite weit aufgesprungen. Beckett zwang seine gefesselten Hände unter den Füßen hindurch und zog Pamela, die wie gelähmt war, aus dem Wagen. Stechende Schmerzen schossen durch seine zerquetschten Rippen.

»Auf den Boden, oder ich blase dir das Gehirn aus dem Schädel!«, schrie Laroux, der aus dem Wagen gekrochen war und den gespannten Revolver in der rechten Hand hielt. Beckett stand neben dem Wagen. Pamela Sasser lehnte sich gegen den Kofferraum.

»Wir müssen hier weg!«, schrie Beckett, der sich duckte und Pamela mit nach unten riss, um hinter dem Wagen Schutz zu suchen. Laroux blieb stehen. Sein Oberkörper bot dem neuen Killerkommando der DIA eine gute Zielscheibe. »Das ist ein Killerkommando! Sie werden uns alle töten!«

»Halt die Schnauze, Arschloch! Ober ich werde dich ...«

Eine Kugel warf Sheriff Laroux' Kopf nach hinten und verwandelte sein Gesicht in einen Brei aus Knorpel, Blut und Hautfetzen. Der stattliche Sheriff sank mit zitternden Armen auf die Knie, fiel seitwärts zu Boden und blieb reglos liegen.

Pamela schrie wie am Spieß, als Becketts geschulte Instinkte die Oberhand gewannen. Jetzt zählte jede Sekunde.

Jede Sekunde.

Beckett sprang auf Laroux zu, durchsuchte dessen Taschen, zog die Schlüssel heraus und schloss seine Handschellen auf. Nachdem er Pamelas Handschellen ebenfalls entfernt hatte, entriss er dem toten Sheriff den Revolver und zog das Gewehr mit dem abgesägten Lauf vom Vordersitz. Dann nahm er sein Jagdmesser an sich, das Laroux ihm abgenommen hatte, und schnallte es unter der Jeans um seine Wade.

Während zwei Hubschrauber kaum dreißig Meter über den riesigen Sümpfen schwebten, setzte der dritte kurz am Rande der Autobahn auf. In Schwarz gekleidete Männer mit Automatikwaffen sprangen heraus und rannten in seine Richtung. Anschließend stieg der Hubschrauber wieder auf.

»Schnell! Wir müssen hier weg!«

»Wohin?«, fragte Pamela. Sie hatte den ersten Schock, den sie beim Anblick der brennenden Wagen und von Laroux' gewaltsamem Tod erlebt hatte, überwunden.

Beckett ließ den Wagen stehen und lief auf die Sümpfe zu. Pamela Sasser folgte ihm. Das Wasser reichte ihnen bis zur Taille, als sie sich hinter einer Baumgruppe versteckten. Sie nahmen das Summen der Moskitos und den Gestank des faulenden Wassers in ihrem Kampf ums nackte Überleben kaum richtig wahr.

Beckett hörte, dass das Killerkommando ebenfalls ins Wasser sprang. Er hörte auch die Hubschrauber, die über ihnen schwebten, doch er konnte sie durch das dichte Laub kaum erkennen.

Beckett und Pamela drangen tiefer in den Sumpf ein. Schon bald verschluckte sie die Dunkelheit, als sie von den seltsamsten Bäumen umringt waren, die Beckett je gesehen hatte. Die Bäume schirmten sie vor den Verfolgern ab und boten ihnen Schutz. Beckett, der vorausging, sah nur das dunkle Dickicht und die Sümpfe.

»Komm«, sagte er und rannte querfeldein weiter. Im selben Augenblick durchbohrten drei Lichtstrahlen den dunklen Wald. Drei Taschenlampen. Drei Killer.

Das Surren der Hubschrauber wurde schwächer. Wahrscheinlich entfernten sie sich, nachdem sie die Killer abgesetzt und ihre Mission erfüllt hatten.

Beckett und Pamela liefen im rechten Winkel vor ihren Verfolgern davon. Der ehemalige DIA-Agent wusste, dass diese Taktik das Killerkommando zwingen würde, sich aufzuteilen.

Sich trennen und siegen. Um zu überleben, musste Beckett die Spielregeln bestimmen. Er musste die Verfolger zwingen, sein Spiel zu spielen und auf seine Bewegungen zu reagieren.

»He, in welche Richtung gehen sie?«, hörte Beckett jemanden sagen, doch er konnte die Entfernung hier im Sumpf nicht richtig einschätzen. Töne werden über stehendem Wasser sehr gut übertragen. Beckett schätzte, dass sich die Verfolger etwa dreißig Meter linker Hand befanden. Er beschloss, stehen zu bleiben und zu warten. Pamela, die seine Hand umklammerte, atmete zu schnell. Ihre Brust hob und senkte sich in schneller Folge. Ihr Mund war aufgerissen, ihre Nasenflügel bebten, und sie starrte ihn verstört an. Sie hyperventilierte.

Beckett legte die Waffen auf einen dicken Zweig, sank in den Sumpf und zog Pamela mit sich, bis nur noch ihre Köpfe herausragten.

»Atme so wie ich«, flüsterte er. »Atme durch die Nase ein und langsam durch den Mund wieder aus.«

Sie schauten sich in der Dunkelheit des Sumpfes in die Augen. Pamelas Gesicht war kaum eine Handbreit von seinem entfernt. Sie versuchte, langsam durch die Nase ein- und langsam durch den Mund auszuatmen. Beckett spürte ihren Atem auf seinem Gesicht.

»Gut, Pam. Schön langsam. Atme ganz tief ein«, flüsterte er. Ihre Katzenaugen, in denen sich Angst und Vertrauen spiegelten, waren noch immer auf ihn gerichtet. Es war ein inniger Blick, den sie ihm zuwarf, und er drohte, Gefühle und Bilder heraufzubeschwören, von denen sich Beckett im Moment nicht ablenken lassen durfte.

Er legte eine Hand auf ihre linke Schulter und drückte sie leicht. »Gut so. Entspanne dich und atme tief ein.«

Pamela richtete sich genau nach seinen Anweisungen. Sie atmete tief und langsam ein, während sie gebannt auf sein Gesicht starrte und den Geräuschen des Sumpfes lauschte. Das ferne Surren der Hubschrauber und Becketts beschwichtigenden Worte, die er leise in der Dunkelheit flüsterte, drangen an ihr Ohr.

»So ist es gut, Pamela. Atme ganz langsam. Atme so wie ich. Nicht schneller werden. Ich passe auf dich auf.«

Beckett reckte sich und griff nach den Waffen. Der Revolver und das Gewehr mit dem abgesägten Lauf würden dem Killerteam ihre Position verraten. Daher gab er Pamela die Waffen.

»Nimm die Waffen und warte hier«, flüsterte er, während er ihren Blick in der Dunkelheit suchte. Ein zarter Sonnenstrahl blinzelte durch das dichte Laub und durchbrach die Dunkelheit. »Beweg dich nicht. Unternimm nichts. Ich komme gleich zurück.«

»Ich komme mit«, erwiderte sie.

Beckett überraschte ihre Entschlossenheit, ihn zu begleiten. Im ersten Moment glaubte er, es hätte mit ihrer Angst, allein zurückzubleiben, zu tun. Doch dann begriff er, dass mehr dahinter steckte. Sie waren zur Teamarbeit gezwungen worden. Er hatte beschlossen, sie zu beschützen, und mittlerweile beschützte Pamela auch ihn. Sie war natürlich unerfahren und für diesen Job nicht ausgebildet, aber er wusste, dass hinter ihrem Wunsch, ihn zu begleiten, viel mehr steckte als nur ihre Angst vor der Einsamkeit in den dunklen Sümpfen. Seine letzten Bemühungen, die Gefühle aus dem Spiel zu lassen, schmolzen dahin.

Beckett schüttelte langsam den Kopf, legte eine Hand auf

ihr Gesicht und strich mit dem Zeigefinger über ihr Muttermal. »Dann werden wir beide sterben. Vertraue mir. Wenn
sich die Lage beruhigt hat, komme ich sofort zurück, um
dich zu holen.«

Pamela drückte seine Hand und nickte.

Beckett ließ Pamela im Schutz der Dunkelheit und des
Waldes zurück. Er nahm sein Jagdmesser in die Hand und
drang tiefer in den Sumpf ein. Das warme schwarze Wasser
reichte ihm zuerst bis zum Hals und kurz darauf bis zum
Kinn. Mit geschlossenen Augen lauschte er einen Augenblick den Geräuschen des Dschungels, dem Gesang der Vögel, dem Summen der Insekten und dem Rascheln des
Laubs, als eine leichte Brise durch die Sümpfe Süd-Louisianas wehte. Er spürte das Ungeziefer, das über seine Schuhe
kroch, die im Schlamm versanken. Langsam griff er mit seiner freien Hand in den Schlamm und verschmierte sich
Gesicht und Nacken, um mit der Umgebung des dunklen
Wassers und des düsteren Dickichts zu verschmelzen. Allmählich wurde er zu einem Wesen der Dunkelheit, zu einem
Teil der Wildnis. Beckett verwandelte sich in ein Raubtier.
Sein Blick war auf seine Beute gerichtet, einen Mann in einem dunklen Overall mit einer MP5 in der Hand, der nur
wenige Meter von ihm entfernt stand.

Die dunkle Gestalt, der das Wasser bis zur Taille reichte,
suchte den Wald mit ihrer Waffe ab, lauschte und ging weiter. Der Verfolger benahm sich genauso, wie es Beckett erwartet hatte. Es bestand kein Zweifel daran, dass der Mann
in dem dunklen Overall von einem amerikanischen Geheimdienst ausgebildet worden war. Die Methoden waren immer
die gleichen. Beckett hatte das schon zu oft an zu vielen Orten erlebt.

Der ehemalige DIA-Agent, dessen geschwärztes Gesicht
nur ein kleines Stück aus dem Wasser herausragte, stieß sich
mit den Füßen vom schlammigen Boden ab und bewegte

sich langsam, leise und zielstrebig weiter. Seine rechte Hand umklammerte den Griff des Messers, während er sich mit dem linken Arm im Wasser vorwärtstrieb, den Abstand verringerte und sich dem ahnungslosen Agenten bis auf zwei Meter näherte.

Ohne Vorwarnung stürzte sich Beckett auf den Mann und stach sein Messer in den Nacken des Verfolgers. Sekundenlang waren das Knacken der Knochen und das Reißen des Knorpels in der stillen Dunkelheit des Sumpfes zu hören, als Raubtier und Beute in der Wildnis zusammenstießen, Becketts Klinge ihr Ziel fand und dem Feind die Kehle durchtrennte.

Als der Agent ins Wasser sank, war er bereits tot. Die MP5 fiel in den Sumpf, ohne einen Schuss abgefeuert zu haben. Die wasserdichte Taschenlampe erhellte den Grund des Sumpfes. Beckett bewegte sich schnell, stieß den blutenden Leichnam von sich, griff ins Wasser und schaltete die Taschenlampe aus.

Auf der Suche nach der Waffe tastete er durch den Schlamm und fand sie Sekunden später. Nach einem schnellen Blick auf den Lauf der schallgedämpften MP warf er die Waffe zurück in den Sumpf. Leider hatte er die schallgedämpfte Maschinenpistole nicht rechtzeitig zu fassen bekommen. Die nasse MP5 war nun nicht mehr brauchbar und sogar gefährlich. Der unerfahrene Agent hatte vergessen, das Ende des Laufs mit einer luftdichten Plastikkappe, einem kaputten Luftballon – oder auch mit einem Kondom – zu verschließen, damit kein Wasser durch den sperrigen Schalldämpfer in den Lauf dringen konnte, wo es jetzt eine Sperre bildete. Da sich das entzündete Schießpulver der Neun-Millimeter-Patrone aufgrund des Wassers nicht im Lauf ausbreiten konnte, entstand ein Überdruck. Dadurch könnte das Schießpulver möglicherweise sein Gesicht zerreißen, wenn er die Maschinenpistole in diesem Zustand benutzen würde.

Die Leiche trieb leise in der Dunkelheit davon. *Einer erledigt. Zwei Killer verfolgten ihn noch.*

Beckett entfernte sich von der im Sumpf treibenden Leiche. Wenn die beiden anderen Killer auftauchten, musste er hier verschwunden sein. Außerdem konnten auch Tiere, vor allem die großen Alligatoren, die in Süd-Louisiana lebten, das Blut wittern.

Als Beckett Stimmen hörte, holte er tief Luft und duckte sich so tief ins faulende Wasser, dass nur noch die Augen herausguckten.

Zwei Lichtstrahlen, die sich in der Dunkelheit kreuzten, kamen direkt auf ihn zu. Der gelbe Schein durchdrang die Nebelschwaden über dem Wasser. Beckett schloss die Augen und tauchte vollständig unter.

Er spürte Bewegung im Wasser. Die Männer mit den Taschenlampen waren sehr nah, wahrscheinlich schon so nah, dass Beckett nicht auftauchen konnte, um Luft zu holen. Seine Lungen fingen an zu schmerzen. Er änderte die Richtung und bewegte sich auf eine Baumgruppe zu, die er hinter sich vermutete. Sofort darauf stieß er gegen einen Baumstamm, doch der Stamm bewegte sich. Das war kein Baumstamm. Das war ein Bein!

Beckett schoss aus dem Wasser, riss sein Messer hoch und stach es in die Leiste des Verfolgers.

»Au!«

Der ohrenbetäubende Schrei hallte über den Sumpf, aber Beckett hörte kaum etwas. All seine Sinne konzentrierten sich auf den Gegner. Der Mann hatte seine Automatikwaffe bereits fallen lassen und umklammerte die blutenden Hoden. Beckett tauchte genau vor ihm auf, riss die Klinge, die noch immer in der Leiste des Verfolgers steckte, nach oben und schlitzte ihm den Bauch auf.

Der zweite Agent, der kaum zwei Meter entfernt war, erstarrte, als er die verdreckte Gestalt erblickte, die aus dem

Sumpf aufgetaucht war. Er richtete seine Waffe auf Beckett und drückte ab. Im selben Augenblick warf Beckett das Messer mit voller Wucht in seine Richtung.

Die blutverschmierte Klinge sauste durch die Dunkelheit und versank genau unterhalb der linken Schulter in der Brust des Verfolgers. Die Spitze der Stahlklinge drang ins Herz des Opfers. Beckett hatte den Killer zwar ausgeschaltet, aber ihm selbst schossen stechende Schmerzen durchs rechte Bein. Er verlor das Gleichgewicht und fiel in den Sumpf. Die Kugel hatte ihn getroffen.

Harrison Beckett versuchte, sich von den im Sumpf treibenden Leichen der beiden Agenten zu entfernen. Als er mit der Hand gegen die blutende Wunde stieß und warmes Blut über seine Finger floss, verlor er fast die Besinnung. Er brauchte sofort Hilfe.

Der Schmerz war so stark, dass er anfing zu zittern, aber sein Verstand arbeitete noch. Seine Finger tasteten über die Wunde genau über dem rechten Knie. Zum Glück war der Knochen nicht beschädigt.

Beckett wollte sich so schnell wie möglich von den toten Verfolgern entfernen und zu Pamela Sasser zurückkehren. Vorsichtig verlagerte er sein Gewicht auf das verletzte Bein und testete die Belastbarkeit. Trotz unerträglicher Schmerzen hielt das Bein dem Druck stand. Um die Blutung zu stoppen, hob er das verletzte Bein hoch. Er holte tief Luft, zog sein T-Shirt aus, wickelte es um die Wunde und verknotete es. Kaum hatte er den provisorischen Verband angelegt, spürte er eine Bewegung hinter sich. Als er sich umdrehte, wurde er von grellem Licht geblendet.

Ein vierter Killer!

»Na, du Arsch«, zischte der Verfolger. Es war ein großer kräftiger Mann mit kurzem roten Haar und Sommersprossen. Er richtete die MP5 auf Beckett und suchte mit der Taschenlampe den Sumpf ab. Zwei Leichen trieben ein paar

Meter weiter bäuchlings durch den Schlamm. »Dafür wirst du bezahlen.«

Beckett, der noch immer bis zum Hals im Sumpf hockte, erwiderte nichts. Der Killer funkelte ihn wütend an.

»Los, steh auf!«

Beckett verlagerte das Gewicht langsam aufs linke Bein und richtete sich auf. Von seiner Brust und den Armen tropfte schwarzes Wasser. Das Pochen verstärkte sich, als er das verwundete Bein auf dem Boden des Sumpfes aufsetzte.

»Wo ist die Frau?«, fragte der Agent.

Beckett antwortete ihm nicht.

Der Agent lächelte, als er die Verwundung an Becketts rechtem Bein bemerkte. »Hände hoch«, befahl er und ging einen Schritt auf Beckett zu.

Kaum hatte Beckett die Hände gehoben, schwang der Agent die MP5 herum und schlug ihm die Waffe ins Gesicht.

Der Schmerz schoss Beckett durch die Glieder. Seine Knie gaben nach, und er sank zurück in den Sumpf. Das Blut tropfte aus der Wunde, die der Schalldämpfer auf seiner linken Wange hinterlassen hatte.

»Wer hat dir erlaubt, dich hinzuhocken?«, fragte der Agent, der Beckett sofort darauf mit dem Stiefel ins Gesicht trat. Das erinnerte ihn an den Faustschlag, den er in der letzten Nacht hatte einstecken müssen.

Beckett stiegen Tränen in die Augen, und auf einmal drehte sich alles. Das Blut tropfte nicht nur aus seiner aufgeschlitzten Wange, sondern auch aus seiner Nase.

»Steh auf!«, schrie der Agent.

Beckett nahm die Welt nur noch durch einen Schleier wahr. Er blinzelte mit den Augen, um seinen Angreifer besser erkennen zu können, und bemühte sich, festen Boden unter den Füßen zu gewinnen. Sein ganzer Körper protestierte. Durch sein Bein, sein Gesicht und seine Brust zuckten unerträgliche Schmerzen.

Mit Mühe gelang es ihm, das linke Bein auf den Grund des Sumpfes zu stellen und sich zögernd aufzurichten.

»Ich hab' dich gefragt, wo die Frau ist!«

»Leck mich am Arsch«, zischte Beckett.

Jetzt tauchte erneut ein schlammverschmierter Stiefel aus dem Sumpf auf und traf seinen Solarplexus. Beckett bekam kaum noch Luft, als sein malträtierter Körper diesen erneuten Schlag einstecken musste. Sein Oberkörper fiel nach vorn, und er sank wieder in den Schlamm. Diesmal kämpfte er, um den Kopf über Wasser zu halten, und schnappte nach Luft.

»Mir reicht's jetzt«, schrie der Agent. »Brasfield will die Frau. Wo ist sie?«

Beckett konnte ihm nicht antworten, selbst wenn er es gewollt hätte. Die Luft, die er keuchend in sich aufnahm, konnte ihn soeben vor dem Ersticken bewahren. Er fuchtelte mit den Armen und strampelte mit den Beinen, damit sein Kopf nicht ins Wasser sank. Plötzlich wurde sein rechtes Bein aus dem Sumpf gezogen, und er fiel rücklings ins Wasser.

Beckett, der mit beiden Händen aufs Wasser schlug, um nicht unterzugehen, erstarrte, als der Agent ein Messer zog und den Fuß unter seinen Arm klemmte.

»Wo ist sie?«, fragte er noch einmal. »Sag es mir, dann wirst du schnell sterben.«

Nur Becketts Kopf ragte aus dem Sumpf hervor, während er mit den Händen unter Wasser paddelte. Er sagte: »Leck mich am Arsch.«

Der Agent riss den Verband von seinem Bein, presste die Klinge gegen die Wunde und wetzte die Schneide an dem rohen Fleisch.

Becketts Rücken spannte sich wie ein Bogen, und die Augenlider zuckten, als der qualvolle Schmerz jede Zelle seines Körpers erreichte und von seiner Seele Besitz ergriff. Der Schmerz verschlang ihn wie ein unbarmherziges Raubtier, drang in ihn ein, bemächtigte sich seiner und quälte ihn. Der Schmerz raubte ihm den Verstand, während seine Augen langsam nach oben rollten und Harrison Beckett den Tod herbeisehnte.

Er sank unter die wogende Oberfläche, wo er seine eigenen Schreie nicht mehr hören konnte und die dunkle Hölle aus Schlamm und faulendem Wasser über ihm zusammenschwappte. Letztendlich ließ die DIA ihn für seine Sünden büßen ... für Rom.

Pamela Sasser, die sich nur wenige Meter entfernt hinter einer Baumgruppe versteckte und bis zur Taille im Wasser stand, hatte die Fragen gehört. Und sie hatte auch die Antworten vernommen.

Die junge Frau schaute auf die Waffen in ihrer Hand, den schwarzen Revolver und das Gewehr mit dem abgesägten Lauf.

Sie spürte den Teufel, der sich in ihrem Innern regte, sich über ihre Sinne legte und von ihrem ganzen Sein Besitz ergriff. Vielleicht war es das Adrenalin, das durch ihre Adern schoss, oder ein ursprünglicher Überlebensinstinkt, der aus ihrer Mitte an die Oberfläche drang. Auf jeden Fall warf sie das Gewehr ins Wasser, nahm den Revolver in beide Hände und spannte mit dem Daumen den Hahn.

Könnte sie die Waffe tatsächlich auf einen Menschen richten und abdrücken? War das überhaupt ein Mensch? Oder würde sie ein Monster töten, einen ausgebildeten Killer, jemanden, der zum Abschaum der Menschheit gehörte? Ein Tier wie ihr Vater? *Hatte Harrison das gemeint?*

Diese Fragen schossen ihr durch den Kopf und erregten ihren Hass, als sie einen Schritt auf die kämpfenden Männer zuging, auf die in Schwarz gekleidete Gestalt, die sich über Beckett beugte, ihren Schutzengel, ihren Beschützer, den Mann, der lieber sterben würde, als sie zu verraten. Pamela hatte das überwältigende Verlangen, diesen Mann zu retten, zu beschützen, damit er am Leben blieb.

Pamela sah nicht nur diesen Mann, den sie retten wollte, sondern sie spürte auch einen tiefen, wilden, schrankenlosen Hass, der seit fast einem Jahrzehnt tief in ihrem Herzen schlummerte. Heizten ihre Schuldgefühle am Tod ihrer Mutter und die Wut auf ihren Vater den blanken Hass an, der sie jetzt verzehrte?

Der Mann in Schwarz, der ihr den Rücken zuwandte, stand nur wenige Meter vor ihr. Im Zwielicht des Sumpfes war Pamelas Blick vom Hass verschleiert, den sie nicht mehr kontrollieren konnte. Der Mann hielt Becketts rechtes Bein fest. Einen Augenblick war Pamela wieder in dem Haus in Beaumont. Ihr Vater schlug ihre Mutter und trat nach ihr, während sie durchs Wohnzimmer in die Küche und durchs Esszimmer kroch, um seinen Schlägen zu entfliehen. Pamela hörte ihre Mutter schreien und ihren Vater lachen.

Du Schwein! Du verdammtes Schwein!

Verborgene Instinkte bahnten sich ihren Weg an die Oberfläche. Sie hob ihre dünnen Arme, die die Waffe hielten, und richtete sie auf den Mann in Schwarz.

»Es reicht!«, schrie sie. »Aufhören! Aufhören!«

Der Mann, der sich auf Becketts Bein konzentrierte, drehte sich erstaunt um.

Und Pamela Sasser, die ehemalige Dozentin im Fachbereich Informatik an der Universität von Louisiana, drückte ab.

Beckett hörte Pamelas Schrei nicht, doch er hörte den gedämpften Schuss. Der Agent hatte schließlich auf ihn geschossen. Er hatte ihn getötet, aber Harrison Beckett spürte keinen Schmerz, keine brennende Wunde. Niemand umklammerte mehr sein Bein oder seinen Körper. Sein Geist war befreit von den unvorstellbaren Schmerzen, die ihn an den Rand des Abgrunds gestoßen hatten.

Im ersten Augenblick war Beckett verwirrt. Er versuchte, sich aufzurichten, doch die Arme gehorchten ihm nicht. Sein Körper reagierte nicht auf die Anstrengungen, und er sehnte sich nach Frieden, den die Dunkelheit und das warme Wasser boten. Sein Körper wurde durch den Blutverlust immer schwächer, und sein Verstand hoffte, in dieser ruhigen Stille des Sumpfes durchzuhalten.

Beckett trieb zwischen der Oberfläche und dem schlammigen Grund des Sumpfes. In der Dunkelheit hörte er seinen Namen. Es war Pamelas Stimme. Er sah sie in der Ferne am Ufer eines Teiches unter den tropischen Sternen des Dschungels stehen. Sie rief seinen Namen, zog ihn zu sich heran, tiefer in den Sumpf hinein, wo er der gewalttätigen Welt entfliehen konnte. Einen Augenblick genoss er ein Gefühl des Friedens, als sich die Anspannung, seine Wut und Schuld in Nichts auflösten. Harrison Beckett schwebte einem Ort entgegen, den er nie zuvor gesehen hatte. Seine Reise ins Nichts nahm ein jähes Ende. Jemand zog seinen Kopf aus dem Wasser und zerstörte die Klarheit dieses Ortes.

Luft.

Der Geruch von Schießpulver und faulenden Bäumen drang in seine Nase. Er schloss die Augen, atmete zweimal tief ein und fing an zu husten. Noch konnte er nicht klar denken. Er füllte die Lungen abermals langsam mit Luft und überließ sich der Gnade seines Angreifers. Das Leben hatte keinen Wert mehr für ihn. Bunte Bilder der Vergangenheit blitzten vor seinem inneren Auge auf. Er sah die Länder, die Gesichter, hörte die Schreie der Wut und die Schreie der

Leidenschaft. Die Hände der Opfer rissen an seinen Händen, als Harrison Beckett seine Missionen, ohne mit der Wimper zu zucken, ausführte.

Beckett hörte die Schmerzensschreie der Opfer und spürte gleichzeitig Hände auf seinem Körper, Hände, die an den Schultern rüttelten und versuchten, ihn der surrealistischen Welt zu entreißen. Er wusste nicht, ob er diese Welt überhaupt verlassen wollte. Dann hörte er seinen Namen. Es war kein Schrei wie die Schreie seiner Opfer, sondern ein Flüstern, das leise Flüstern von Pamela Sasser, die ihre Lippen an sein Ohr presste.

»Harrison. Bitte, Harrison. Du musst mir sagen, was ich tun soll. Wohin ich gehen soll.«

Die Worte strichen zärtlich über sein Gesicht und brachten neue Hoffnung, die Harrison Beckett bereits aufgegeben hatte. Pamela hatte den letzten Verfolger erschossen!

»Bitte, Harrison. Du kannst mich nicht allein lassen. Ich will nicht sterben. Ich will nicht ins Gefängnis. Bitte lass mich nicht allein. Ich *brauche* dich.«

Ihr Atem strich über sein Gesicht. Ihre flehenden Worte, die sie ihm ins Ohr flüsterte, durfte er nicht überhören. Er hatte in seinem Leben schon genug Bitten überhört.

Dieser musste er Gehör schenken.

Er atmete tief ein und genoss ihren warmen Atem auf seinem Gesicht. In seinem Innern regten sich Saiten, die noch nicht einmal der Strand von Rio oder der langsame Tango auf den Straßen von Segovia zum Klingen gebracht hatten. Nur Kairo. Nur der Sand der großen Pyramiden, der Geruch der Karawanen, die durch die Wüste zogen, ihr wunderschönes Lächeln ... Nur Layla Shariff hatte diese Saite je zum Klingen gebracht ... Layla.

»Bitte, Harrison. Komm zurück zu mir.«

Er hörte wieder ihre Worte. Pamelas Worte.

Langsam verdrängte die Realität die Vergangenheit, und

Harrison schaffte es, ein paar Worte zu stammeln: »Blut ...
Ich verliere Blut ... mein Bein ... Verband.«

Er hörte keine Antwort, spürte aber ihre Hände, die einen
Verband um die Wunde auf seinem Oberschenkel wickelten.
Dann schlang sie ihre Arme um ihn und versuchte, ihm auf
die Beine zu helfen.

»Nein ... nicht. Komm her zu mir«, murmelte er. Sein
Verstand hellte sich allmählich auf, und er begriff, dass sie
noch immer in großer Gefahr schwebten.

»Was?«

»Nicht hinstellen ... zu gefährlich. Versteck dich mit
mir ... im Wasser.«

Pamela, deren Gesicht in der Dunkelheit des Sumpfes
kaum zu erkennen war, hockte sich neben Harrison in das
trübe Wasser. Harrison hielt sein rechtes Bein hoch und verlagerte das Gewicht aufs linke, während er bis zum Hals in
dem dunklen Wasser versank.

»Hier entlang«, flüsterte Harrison, der mit dem Kopf in
die Richtung zeigte, in der die Kleinstadt LaPlace am Stadtrand von New Orleans lag. »LaPlace«, fügte er hinzu. »Geh
nach LaPlace ... Motel ... Geldgürtel.«

»Ich verstehe«, erwiderte Pamela, die sich neben ihm
durch das trübe Wasser hangelte, als Polizeisirenen über die
Sümpfe hallten.

Pamela warf den Revolver in den Sumpf und hoffte, dass
nicht nur die Waffe und das Schießpulver in dem dunklen
Wasser versanken, sondern auch ihre Schuld, die sie durch
den Mord an einem Menschen auf sich geladen hatte. Pamela Sasser ging in die Richtung, die Harrison ihr angezeigt
hatte. Mit dünnen Armen zog sie ihren erschöpften, verwundeten Schutzengel mit sich.

Sie presste sich an Harrisons Körper, legte einen Arm um
seine breiten, muskulösen Schultern und stimmte jede Bewegung auf die Muskeln unter seiner nassen Haut ab. Be-

ckett hatte einen Arm um ihren Nacken geschlungen. Sie waren sich so nahe, dass sie seinen Herzschlag spürte. Ab und zu strich seine Hand über ihre Brust, während sie mühsam versuchten, das Gleichgewicht zu bewahren, und geduckt durch den Sumpf krochen. Langsam senkte sich sein Kopf auf ihre Schulter und schmiegte sich in die Lücke zwischen dem Schlüsselbein und ihrer Wange. Pamela genoss den sanften Druck seines starken Arms auf ihrem Nacken, als er sich an sie presste.

Eine Stunde lang humpelten sie neben der Autobahn her, während Streifen- und Krankenwagen zu den drei brennenden Polizeifahrzeugen rasten. Harrison wurde immer schwächer. Trotz des Verbandes, der die Blutung stoppte, hatte er schon so viel wertvolles Blut verloren, dass er anfing zu frösteln.

»Kalt ...«, murmelte er mit klappernden Zähnen. »Mir ist so kalt.«

»Halt durch«, erwiderte die Gestalt neben ihm. Ihr Arm war um seinen Rücken geschlungen, und sie drückte seinen verwundeten Körper an sich, als sie durch das dunkle Wasser krochen. »Du schaffst es, Harrison. Du schaffst es.«

Der Schlamm auf seinem Gesicht trocknete allmählich, und die tiefe Wunde, die der Agent mit dem Schalldämpfer in seine Haut gerissen hatte, fing an zu brennen. Der Schmerz belebte Harrison. Solange er Schmerzen spürte, verlor er nicht die Besinnung und konnte einigermaßen klar denken. Er konnte den Schmerz als Waffe einsetzen, um sein und Pamelas Überleben zu sichern. Und darum trat er immer wieder mit dem verwundeten Bein auf dem Grund des Sumpfes auf, wenn seine Sinne schwanden. Der Schmerz war sein Verbündeter, sein Adrenalin, eine Waffe, die er bisher nicht gekannt hatte. Harrison setzte diese Waffe ein, als sie durch das immer trüber werdende Wasser stapften, sich Schritt für Schritt fortbewegten und mit jeder Minute weiter von dem Ort entfernten, an dem sie dem Tod nur mit knapper Not entkommen waren.

Zwanzig Minuten später ließen Harrison auch die letzten Kräfte im Stich. Dennoch hörte er neben dem Summen der Moskitos, dem Rascheln der Zweige und dem Rauschen des Sumpfes jetzt andere Geräusche.

Eine Stadt ... LaPlace.

Harrison schwanden erneut die Sinne. Wieder trat er mit dem verwundeten Bein auf dem Grund des Sumpfes auf, ohne Schmerzen zu spüren. Allmählich verlor er das Bewusstsein, und die düstere Welt ringsumher drehte sich und verschlang ihn. Sein Blick verschleierte sich. Er suchte Pamela in der Dunkelheit und sah sie fern und unscharf am Ende eines Tunnels stehen, der immer schmaler wurde.

»Motel ... Geldgürtel ... Motel ...«, stammelte Harrison, ehe seine Sinne gänzlich schwanden.

10

Missliche Lage

*Im Feuer zeigt sich die Echtheit des Goldes und am
Gegner die Stärke des Mannes.*

Seneca

MARYLAND *Mittwoch, 18. November*

General Jackson T. Brasfield, der auf der Rückbank eines schwarzen Wagens saß, schaute aus dem Fenster.
Schneeflocken schwebten an der Panzerglasscheibe vorbei
und legten sich auf die entlaubten Bäume. Ein starker Wind
wehte kalte Luft durch Maryland und drückte die Temperatur auf unter null Grad. Erst vor einer Stunde waren am
blauen Himmel Wolken aufgezogen.

Dem stellvertretenden Direktor des Militärgeheimdienstes machte nicht das Wetter zu schaffen, sondern eine andere
dunkle Wolke, die einen Schatten auf sein Leben warf. Diese Wolke hieß Daniel Webster.

Die Situation in Louisiana spitzte sich von Minute zu
Minute mehr zu. Vor fünf Stunden hatte er einen Anruf erhalten, der alle Hoffnungen, das Problem doch noch in den
Griff zu bekommen, zunichte machte. Jetzt drohte Sinclaire und Brasfield die Kontrolle über die Situation zu entgleiten.

Der Wagen bog vom Georgetown Pike in eine Nebenstra-
ße ab. Dann fuhr er etwa zehn Minuten Richtung Osten, bis
er auf einer ungepflasterten Einfahrt vor einem Eisentor stehen blieb.

Ein Sicherheitsposten verließ sein Wachhaus und lief auf den Wagen zu. Brasfield öffnete das Fenster.

»Guten Tag, General Brasfield«, sagte der Sicherheitsposten, bevor er die Fernbedienung von seinem Gürtel zog und einen Code eingab.

Das Tor schob sich langsam nach rechts, und der Sicherheitsposten kehrte in sein Wachhaus zurück.

Der Fahrer des Wagens fuhr durch das Tor und eine schneebedeckte Auffahrt hinauf, die vor der Treppe eines großen viktorianischen Hauses endete, das versteckt zwischen hohen Kiefern lag.

Der Fahrer öffnete Brasfield die Tür. Kalter Wind wehte ihm ins Gesicht, und Schneeflocken rieselten auf seinen dunkelgrauen Trenchcoat. Seine Lederschuhe hinterließen deutliche Spuren auf der dünnen Schneedecke, die den Kopfsteinweg bedeckte. General Brasfield ging auf den Eingang zu. Ein weiterer Sicherheitsposten öffnete ihm die Tür.

»Guten Tag, General Brasfield. Die anderen warten bereits in der Bibliothek auf Sie. Mr. Sinclaire trifft in Kürze ein.«

»Danke«, erwiderte er. Als er das Haus betrat, beschlug seine Brille. Brasfield nahm sie ab und reinigte sie mit einem Taschentuch, während er die antiken Möbel auf dem gebohnerten Holzboden betrachtete. In der Eingangshalle mit den zehn Meter hohen Wänden, an denen wuchtige Kunstwerke hingen, herrschte eine Atmosphäre wie in einer Kirche. Dieses Herrenhaus war eines von vielen, die Preston Sinclaire überall im Land besaß.

Der General kannte sich hier aus. Er marschierte zielstrebig auf die Bibliothek im hinteren Teil des Hauses zu, von der man einen guten Blick auf den schneebedeckten Wald hinter dem Haus hatte.

In der Mitte der Bibliothek, die etwa sieben Meter breit und fast zwanzig Meter lang war, stand ein langer Tisch, und drei Wände waren mit deckenhohen Bücherschränken verkleidet. Zwei Dutzend Männer gingen in der Bibliothek auf und ab. Einige rauchten, andere tranken etwas. Seidenanzüge wechselten mit Uniformen aller vier Waffengattungen der US-Armee ab.

Viele Augen waren auf den neben Sinclaire wichtigsten Mann der Organisation gerichtet.

Durch einen imitierten Bücherschrank auf der gegenüberliegenden Seite des Raumes betrat Preston Sinclaire, gefolgt von zwei Bodyguards, den schwach beleuchteten Raum. Sinclaire kannte jeden Einzelnen der Anwesenden sehr gut. Vielleicht zu gut. Aber keiner von ihnen war sein Freund. Sinclaire hatte keine Freunde, keine Frau und keine Kinder. Er hatte seine Geschwister seit zwei Jahrzehnten nicht mehr gesehen.

Er hatte keine Schwächen.

Es gab *nichts,* womit ihn irgendjemand in diesem Raum hätte erpressen können. Im Gegensatz dazu hatte der Kopf des mächtigsten Verbrecherrings Amerikas gegen jeden der Männer, die hier plaudernd und rauchend auf seine Ankunft gewartet hatten, eine ganze Menge in der Hand. Er hatte genug Material gegen jeden in der Hand, um einen ganzen Aktenschrank mit dessen Missetaten zu füllen, und jeder von ihnen wusste das. Darum waren sie heute Nachmittag hier. Darum hatten sie alles stehen und liegen lassen und waren auf seine Bitte hin hierher geeilt, um ihn zu treffen.

Das war Macht.

Seine bloße Anwesenheit ließ jeden im Raum verstummen. Die Herren drückten ihre Zigaretten aus, reckten sich und nahmen Platz. Nur Jackson Brasfield ging zur Bar und goss sich ein Glas Wasser ein.

Während Brasfield ruhig und gefasst sein Glas leerte, waren alle Augen auf Sinclaire in dem dunkelgrauen Armani-anzug gerichtet, der von seinen beiden Bodyguards bewacht wurde. Er hielt eine Aktentasche in der Hand, die er auf das Kopfende des Tisches legte. Anschließend ließ er seinen Blick über die Anwesenden gleiten.

»Die Frau lebt noch«, sagte er, als er sich hinsetzte und die gefalteten Hände auf die weiße Tischdecke legte. Sinclaire schaute auf seine Hände. Am Ringfinger der rechten Hand trug er einen Ring der Militärakademie West Point, an der er 1965 seinen Abschluss erworben hatte. Sein linkes Handgelenk zierte eine goldene Rolex. »Die Frau lebt. Jackson, würdest du uns bitte erklären, wie das möglich ist?«

Brasfield antwortete nicht sofort, sondern stellte das leere Glas auf den Tisch, zog den Mantel aus und entblößte seine mit zahlreichen Orden geschmückte Brust. Der stolze Armeeoffizier legte den Mantel über eine Stuhllehne und setzte sich auf den Stuhl am anderen Ende des Tisches gegenüber dem Präsidenten von Microtel.

Brasfield legte die gefalteten Hände auf die Tischdecke und schaute auf die schweigende Gruppe, ehe er sich Sinclaire zuwandte. »Preston, ich habe dir schon oft gesagt, dass von einem Killerkommando ausgeführte Mordaufträge, die kurzfristig geplant werden, erfahrungsgemäß nur eine fünfzigprozentige Erfolgschance haben. Darum greifen wir selten auf sie zurück. Es gibt andere Methoden, um Probleme zu lösen, aber sie bedürfen einer längeren Planung.«

Sinclaire hob den Kopf. »Jackson, du hast unsere halbe Mannschaft auf die beiden angesetzt. Sie haben ein Dutzend Polizisten umgenietet, aber Sasser und der Terrorist sind noch immer auf freiem Fuß.« Sinclaire hatte beschlossen, Harrison Beckett vor dieser Gruppe als Terroristen zu bezeichnen.

»Meine Männer sind in Position. Sie überwachen noch immer den gesamten Polizeifunk. Für den Fall, dass sie irgendwo auftauchen, steht eine weitere Gruppe bereit, um sie auszuschalten. Diesmal werden sie keine Fehler machen.«

Sinclaire öffnete seinen Aktenkoffer, zog ein dickes Dokument heraus und blätterte es durch, ohne es richtig zu lesen. »Woher willst du wissen, dass sie noch immer in Louisiana sind? Könnten sie nicht bereits die Grenze nach Texas oder Mississippi überquert haben?«

Bevor Jackson Brasfield antwortete, schaute er seinen alten Armeefreund ein paar Sekunden an. »Das ist sehr unwahrscheinlich. Seit der Schießerei außerhalb von New Orleans sind erst sechs Stunden vergangen. Nein, sie sind mit Sicherheit noch in Louisiana und höchstwahrscheinlich in New Orleans und suchen nach einer Möglichkeit, das Land zu verlassen. Meine Leute bewachen jeden Flughafen und jeden Busbahnhof. Da sie die meistgesuchten Personen in Louisiana sind, steht der gesamte Polizeiapparat auf unserer Seite, selbst wenn sie es nicht wissen. Wir überwachen alles, Preston. Wenn Pamela und der Terrorist den kleinsten Fehler machen, werden wir sie finden. Meine Männer überprüfen jedes Hotel und jede Mietwagenzentrale. Wir erfahren sofort, welche Wagen in den letzten sechs Stunden als gestohlen gemeldet wurden. Wir werden sie finden.«

Preston Sinclaire legte einen Finger an sein Kinn, schaute einen Moment in die Ferne und wandte sich dann wieder den anwesenden Herren zu. »Wir können ausgezeichnete Leistungen vorweisen. Wir haben sehr lange hart gearbeitet, um diese Position zu erreichen. Den Meinungsumfragen zufolge stehe ich an der Spitze im Kampf um den Einzug ins Weiße Haus. Die verdammte Presse kann uns nichts anhängen, aber glauben Sie mir, meine Herren, diese Aasgeier suchen weiter. Es ist ihre zweite Natur, im Dreck zu wühlen. Ich habe Sie heute hier zusammengerufen, um den Ernst der Lage zu betonen. Sie müssen alles unternehmen, um das Problem zu lösen, bevor die Aasgeier von der Presse dem angeblichen Technologie-Diebstahl auf den Grund gehen und irgendjemand diese Scheiße irgendwie mit uns in Zusammenhang bringt.«

In diesem Moment klopfte es an der Tür. Brasfield schaute auf die Uhr. »Das ist Hamed«, sagte er zu Sinclaire.

»Herein«, rief Sinclaire daraufhin.

Die Tür wurde aufgestoßen, und Hamed Tuani, der heute einen Anzug trug, betrat die Bibliothek. Er nahm neben Brasfield Platz.

»Tuani«, begann Sinclaire. »Sie waren in New Orleans und kennen den Terroristen besser als jeder andere von uns. Wie sollten wir Ihrer Meinung nach vorgehen? Haben Sie eine Idee, wie wir am besten mit dem Problem fertig werden?«

Der ehemalige ägyptische Offizier stützte seine Ellbogen auf dem Tisch auf und sah Sinclaire nachdenklich an. »Ich glaube, wir sollten zur Tat schreiten, Sir. Wir müssen sie zwingen, nach unseren Spielregeln zu spielen. Wir müssen sie schnappen und ausschalten.«

»Denken Sie da an etwas Bestimmtes?«

Hamed nickte kurz. »Ich glaube, ich weiß, wohin der Terrorist und die Frau gegangen sind.«

Brasfield drehte sich zu Hamed um. »Ach ja?«

»Wohin?«, fragte Sinclaire.

Es dauerte fünf Minuten, bis Hamed den Männern seine Theorie erklärt hatte.

»Okay«, sagte Sinclaire sofort, als Hamed verstummte. »Organisieren Sie das umgehend.«

»Es gibt noch ein anderes Problem«, fuhr Hamed fort, der die Beine übereinander schlug und die Hände auf dem Bauch faltete.

»Und welches?«, fragte Sinclaire, der den ehemaligen ägyptischen Offizier nicht aus den Augen ließ.

»Das hat mit der undichten Stelle zu tun. Ich glaube, wir haben sie gefunden.«

Brasfield und Sinclaire sahen sich an. »Tatsächlich?«

»Ich habe alle hier anwesenden Personen überprüft, ohne irgendwelche Ergebnisse zu erzielen. Ich habe die Vorgeschichte aller Personen, die Zugang zur Chefetage haben, überprüft«, sagte Hamed, der Jackson Brasfield jetzt ansah. »Und damit meine ich alle bis zu den Sekretärinnen, Hausmeistern und kleinen Angestellten, wozu auch ein gewisser Eduardo López gehört. Meine Recherchen haben ergeben, dass Mr. López immer die Post verteilt und Material bringt, wenn Sie Ihre tägliche Besprechung in Ihrem Büro abhalten, General Brasfield. Nach Aussagen Ihrer Sekretärinnen hat López die Angewohnheit, sich immer etwas länger als notwendig im Vorzimmer aufzuhalten. Er sieht sorgfältig die Materialbestände durch, blättert in einer Zeitschrift oder unterhält sich mit den Sekretärinnen, während er die Büros reinigt. Ich habe mir die persönlichen Sachen von López in seinem Büro angesehen, als er in der Mittagspause außer Haus war, und dabei ein Handy mit fünfzehn eingespeicherten Nummern entdeckt. Eine davon ist von der Zentrale des FBI. Wir haben außerdem ein Laser-Abhörgerät gefunden, das als Alpha-Pager getarnt ist. Ihre Sekretärinnen bestätigen, dass López das Gerät immer bei sich führt, wenn er Material in ihre Abteilung bringt, General Brasfield.«

»Dieser Scheißkerl!«, brüllte Brasfield.

»Bringt diesen Kerl zu mir«, sagte Sinclaire.

»Ich habe schon meine Leute auf ihn angesetzt, um ihn hochzunehmen«, erwiderte Hamed. »Er wird dafür bezahlen, aber zuerst einmal werde ich mich persönlich darum kümmern, dass wir alles erfahren, was er weiß, einschließlich des Namens des Agenten, der die Ermittlungen leitet. Wir werden den Spieß jetzt umdrehen, meine Herren.«

Mutter Cruz verabschiedete die Polizei-Eskorte, als sie ihr Gate erreichte und sich eincheckte. Sie war körperlich und geistig am Ende. Der Schlafmangel bereitete ihr Übelkeit und schlechte Laune. Der Direktor des FBI hatte ihr befohlen, sofort ihren Arsch in Bewegung zu setzen und nach Washington zurückzukehren. Andere FBI-Agenten waren unterwegs nach Louisiana, um die Ermittlungen weiterzuführen. Die jüngste Schießerei in Louisiana, bei der ein halbes Dutzend Polizisten getötet worden war, hatte die Aufmerksamkeit des Präsidenten geweckt. Der FBI-Direktor verlangte von der Agentin eine ausführliche Berichterstattung, bevor er ins Weiße Haus fuhr.

Esther Cruz ging zum Flugzeug, mit dem sie nach Washington fliegen wollte, wo sie dem Direktor erklären musste, was schief gegangen war.

Scheiße!

Als sie aus dem Fenster schaute und ein Düsenflugzeug beobachtete, das in den Nachthimmel aufstieg, ließ sie die Ereignisse der letzten vierundzwanzig Stunden noch einmal Revue passieren. Liem Ngo, Calvin Johnson und Jessica White gehörten nunmehr zu einer Reihe anderer Agenten, die bei von ihr geleiteten Fällen umgekommen waren. Zumindest waren sie schnell getötet worden, ohne große Schmerzen erleiden zu müssen. Esther hatte in ihren Jahren in Miami gesehen, wie Agenten auf grausamere Art ums Leben gekommen waren. Drogendealer waren sehr einfallsreich, wenn es darum ging, FBI-Agenten zu töten.

Sie verdrängte die schmerzlichen Gedanken, lehnte sich zurück und dachte darüber nach, wie sie ihren Vorgesetzten vernünftig erklären konnte, was passiert war.

Eine Stunde vor der Morgendämmerung beobachteten Preston Sinclaire und General Jackson Brasfield, wie Hamed Tuani mit drei Männern durch einen Seiteneingang das herrschaftliche Haus betrat.

Sinclaire ging voraus, als sie die Bibliothek verließen und in den Keller gingen, wo Hamed schon auf sie wartete. Vier weiße Betonmauern und ein Betonboden, eine fünf Meter hohe Decke mit zwei Überwachungskameras und zwei bewaffnete Wachposten versicherten Sinclaire, dass Eddie López, der schon in der Mitte des Raumes gefesselt auf einem Stuhl saß, nicht entkommen konnte.

Der junge Spanier riss die Augen auf, als er Sinclaire erkannte, der mit Hamed und General Brasfield auf ihn zukam. Die beiden Wachposten stellten sich neben Eddie López und richteten ihre Waffen auf ihn.

»Hijo de puta«, sagte der Lateinamerikaner, der langsam den Kopf schüttelte. »Dieses Land ist jetzt wirklich im Arsch. Dann sind Sie also der cabrón, der hinter der ganzen Scheiße steckt.«

Sinclaire grinste Eddie López an. »Sie wissen, wer ich bin?«

»Klar, der Boss von der ganzen Scheiße«, erwiderte Eddie. »Caramba. Und ich dachte, die verdammten mexikanischen Politiker wären korrupt!«

»Weißt du überhaupt, wo du bist?«, fragte Hamed Tuani.

»Nee, keine Ahnung. Diese Kerle haben mir die Augen verbunden. Aber eigentlich es ist auch egal, oder? Ich weiß auch so, dass ich in der Scheiße sitze.«

»Wenn du uns die Namen der führenden FBI-Agenten des Falles nennst, werden wir dich schnell töten«, sagte Brasfield.

»Mierda«, erwiderte Eddie. »Ich werde euch einen Scheißdreck sagen. Leckt mich am Arsch.«

Brasfield lächelte Hamed an, der den Wachposten einen Blick zuwarf und sagte: »Holt die Sachen aus meinem Kofferraum.«

»Sie werden reden, Mr. López«, sagte Preston Sinclaire zu Eddie, der ihn trotzig anstarrte. »Es dauert keine Stunde, bis Sie mir alles gesagt haben, was ich wissen will.«

11

Vergeltung

*Die Rache ist mein. Ich will vergelten, spricht der
Herr.*

Römer 12, 19

Um neun Uhr morgens verließ Mutter Cruz mit ihrer kleinen Reisetasche den überfüllten Flughafen. Die
Agentin hatte die Nacht auf dem O'Hare International Airport in Chicago verbracht, um auf den Flieger nach Dulles
zu warten. Sie rieb sich enttäuscht übers Gesicht. Da sie in
dem überfüllten Flughafenhotel kein Zimmer bekommen
hatte, war sie gezwungen, auf einer Bank im Warteraum zu
dösen. Jetzt war sie hundemüde. Es war schon vier Tage her,
dass sie eine ganze Nacht durchgeschlafen hatte, und allmählich protestierte ihr Körper.

Doch sie konnte es sich nicht leisten, sich auszuruhen.
Die Situation schien sich von Minute zu Minute weiter zu-
zuspitzen. Obwohl ihre Agenten in Louisiana sowie die Lan-
des- und Bundesbehörden offizielle Ermittlungen eingeleitet
hatten, brauchte Esther Cruz keinen hundertseitigen Bericht
zu lesen, um sich ein Bild von der Sache zu machen. Pamela
und ihr Beschützer waren entweder von denselben Leuten
gekidnappt worden, die versucht hatten, sie im *Cornstalk* zu
ermorden, oder sie hatten einfach die überwältigende gegne-
rische Übermacht besiegt und einen weiteren Anschlag

überlebt. Vor sieben Stunden hatte sie von den drei Agenten, die nach New Orleans geschickt worden waren, um mit dem FBI-Büro vor Ort zusammenzuarbeiten, am Telefon erfahren, dass die Polizisten bei der Schießerei zuerst ums Leben gekommen seien. Anschließend habe in den nahe gelegenen Sümpfen eine Verfolgungsjagd stattgefunden. Die Leichen von vier Männern in schwarzen Overalls seien aus den Sümpfen gefischt worden, doch von Pamela Sasser und ihrem Begleiter fehle jede Spur.

Das ist ein cleverer Bursche, dachte Esther Cruz, als sie zu den Aufzügen ging, die zum Parkhaus führten. Sie hätte nichts dagegen gehabt, diesen Typen einmal kennen zu lernen. Vermutlich gingen die vier Leichen in den Sümpfen auf sein Konto.

Esther Cruz schaute auf die Uhr und gähnte. Dieser verdammte Job ging allmählich an ihre Substanz. Sie hatte seit zwei Jahren keinen Urlaub mehr gemacht, und der Stress forderte allmählich seinen Preis. Dennoch war es ihr nicht möglich, das Tempo, in dem sie dem Verbrecherring hinterherjagte, zu drosseln. Sie war es ihrem Gatten schuldig, die Verbrecher zur Strecke zu bringen.

Arturo.

Der Daumen ihrer linken Hand spielte mit dem Silberring an ihrem Ringfinger. Esther lief durch das bevölkerte Flughafengebäude auf die Aufzüge zu. Mit ihren Gedanken war sie ganz woanders. Sie sah eine Frau in Weiß vor sich, die einem großen Spanier in einem schwarzen Smoking die Hand reichte. Esther erinnerte sich an ihr Lächeln und ihren Blick, den sie dem Mann zuwarf, den bis in alle Ewigkeit zu lieben sie geschworen hatte, wenn die Ewigkeit auch kurz war.

Ich glaube, einer von ihnen ist Brasfield, Esther. Er gehört zu den korrupten Dreckskerlen auf meiner Liste. Ich ruf dich vom Büro aus an.

Das waren Arturo Cruz' Worte, als er ihr Haus in Bethesda, Maryland, an jenem regnerischen Morgen vor sieben Jahren verließ. Arturo Cruz vom ONI war nach jahrelangen gemeinsamen Recherchen mit dem FBI bereit, dem Oberbefehlshaber der Marine mit unwiderlegbaren Beweisen für zahlreiche Korruptionsfälle im Pentagon gegenüberzutreten. Die Spezialeinheit aus Agenten des ONI und des FBI hatte genügend Beweise gesammelt, um einem Dutzend Militärs das Handwerk zu legen. Tatsächlich schlugen die beiden Geheimdienste in jener Woche im Jahre 1991 zu, und das bedeutete für insgesamt vierundfünfzig Militärs in besten Positionen das Ende ihrer viel versprechenden Karrieren. Doch der Verbrecherring ermordete unverzüglich die Schlüsselpersonen und stoppte somit die Lawine, ehe diese losbrechen konnte. Der Verbrecherring tötete auch den Korvettenkapitän, um sicher zu gehen, dass die Ermittlungen mit seinem Tod endeten.

Eine Träne rann langsam über Esthers Wange, während sie mit dem Ring spielte. In ihrem Herzen glühte noch immer der Hass. Sie würde nicht ruhen, bis sie die Drahtzieher geschnappt hatte.

Esther brauchte am heutigen Tag einen klaren Kopf, um ihren Vorgesetzten gegenüberzutreten. Sie würde ihnen ihr Vorgehen bei der Operation und jede Entscheidung genau erklären müssen, und dazu gehörte auch die, die zum Tod der Special Agents Liem Ngo, Calvin Johnson und Jessica White geführt hatte.

Esther Cruz wollte sich kurz zu Hause frisch machen, ehe sie zur FBI-Zentrale fuhr. Sie besaß ein Mietshaus auf der anderen Seite der Stadt. Arturo und Esther hatten das alte dreistöckige Gebäude kurz nach ihrer Hochzeit als Kapitalanlage gekauft. Nachdem sie ihre Lebensversicherungen in die Renovierung des Hauses gesteckt hatten, vermieteten sie zwanzig der fünfundzwanzig Wohneinheiten im Erdgeschoss und im ersten Stock und übergaben einem Unternehmen die Verwaltung des Wohnhauses. Da Esther nach Arturos Tod nicht in ihrem Haus in Bethesda leben wollte, hatte sie es verkauft und war in eine große Wohnung im zweiten Stock gezogen. Esther hatte vor, das Wohnhaus nach ihrem Ausscheiden aus dem Dienst selbst zu verwalten.

Aber nicht, bevor ich die Schweine geschnappt habe, Arturo. Nicht bevor ich Vergeltung für das, was sie dir, was sie uns angetan haben, geübt habe.

Esther strich mit der Hand über die Smith & Wesson 659 im Holster unter ihrer Jacke. Wenn sie das Spezialmagazin unter ihren Fingern spürte, das zwei Zentimeter aus dem Kolben der Pistole herausragte, fühlte sie sich sicher. Nach der Schießerei im *Cornstalk* in New Orleans war sie auf diese Waffe umgestiegen. Die Neun-Millimeter-Automatikwaffe mit einundzwanzig Schuss besaß mehr Feuerkraft als ein M16 Gewehr. Es war kein Problem für Esther, die Waffe bei sich zu führen. Ihre lange Jacke war weit genug, um eine Panzerfaust zu verstecken.

Als Esther vor den Aufzügen stand, folgte sie beruflichen Gewohnheiten und drückte den Knopf der Parkebene unter der Parkebene, auf der sie ihren fünf Jahre alten Renault vor einer Woche abgestellt hatte, bevor sie nach New Orleans geflogen war. Obwohl das FBI mit dem Polizeirevier in New Orleans vereinbart hatte, Esthers Identität geheim zu halten, bedeutete das nicht, dass Esther vor Vergeltungsschlägen sicher war. Ebenso wie das FBI und das ONI einen Undercover-Agenten bei der DIA eingeschleust hatten, konnte Brasfield jemanden beim FBI eingeschleust haben. Wenn bekannt werden würde, dass Esther dafür verantwortlich war, die Operation eines Killerkommandos vereitelt zu haben, wäre ihr Leben in Gefahr.

Sie stieg aus dem Aufzug, ging am Rand der Rampe hinunter und schaute auf das nächste Parkdeck, wo ihr hellgrauer Renault an der Stelle stand, an der sie ihn vor ein paar Tagen abgestellt hatte.

Als sie hörte, dass sich ein Fahrzeug näherte, hockte sie sich instinktiv hinter einen dunklen Wagen und warf die Reisetasche unter die Stoßstange. Ein schwarzer Mercedes fuhr langsam die Rampe hinauf, bog um die Ecke und fuhr aufs nächste Parkdeck. Esther Cruz stand auf, kroch im Schutz der Mauer auf das nächste Parkdeck und versteckte sich unter einem Lastwagen.

Ein paar Sekunden später hörte sie den Mercedes. Der Wagen hielt an und setzte zurück, bis er genau vor dem Renault stand. Zwei Männer stiegen, ohne den Motor abzustellen, aus dem Wagen und rannten auf den Renault zu.

Esther näherte sich dem Mercedes in geduckter Haltung, zog die 659er und nahm die beiden gut gekleideten stattlichen Männer ins Visier, die um den französischen Wagen herumgingen. Einer von ihnen hatte eine Heckler & Koch Maschinenpistole in der Hand.

Esther überlegte, ob sie sich nach den Gepflogenheiten des FBI richten und den Männern, die sie mit Sicherheit töten sollten, gegenüber identifizieren oder einfach schießen sollte. Es blieb keine Zeit für lange Überlegungen, und sie entschied sich für einen Kompromiss.

Sie richtete die Waffe auf die MP5 und drückte zweimal ab. Die Kugeln prallten gegen die Maschinenpistole, die dem Mann aus der Hand fiel. Beide Männer drehten sich erstaunt um, als die MP5 klirrend auf der Erde landete.

»FBI! Eine Bewegung, und Sie sind tot!«

Keiner von beiden erwiderte etwas. Esther hörte den fernen Schrei einer Frau und das Klicken ihrer Absätze auf dem Beton.

»Heben Sie die Hände hoch und legen Sie sich flach auf den Boden! Gesicht nach unten! Beeilung!«, befahl Esther.

Der Größere von beiden, der einen blauen Anzug mit Nadelstreifen trug, kam der Aufforderung sofort nach. Der andere schaute Esther arrogant an. Er war kleiner, aber kräftiger als der andere. Wahrscheinlich wollte er Esther auf die Probe stellen.

Die FBI-Agentin warf ihm einen eiskalten Blick zu und fuhr fort: »Ich gebe dir drei Sekunden Zeit, du Arschloch. Du wirst so oder so auf der Erde landen. Du hast die Wahl. Eins.«

Der Mann gab seinen Widerstand zögernd auf.

»Zwei.«

Der Mann legte sich auf den Boden.

»Das war eine weise Entscheidung«, sagte Esther, als sie um den Mercedes herum zu ihrem Renault ging.

Mit der freien Hand öffnete sie den Kofferraum ihres Wagens. Inzwischen hatte sicher schon jemand die Polizei gerufen. Esther musste diese beiden Typen nur in Schach halten, bis die Streifenwagen eintrafen.

»Ich hoffe, keiner von euch leidet unter Klaustrophobie. Aufstehen.«

Der Mann in dem blauen Anzug schaute Esther verwirrt an.

»Aufstehen hab' ich gesagt.«

Er gehorchte.

»In den Kofferraum.«

»Eine Sekunde ...«

»Ich hab' bereits drei Sekunden gewartet.«

»Okay, okay«, sagte er, als er in den ziemlich kleinen Kofferraum kletterte.

»Du auch, Shorty. Rein da.«

»Dafür wirst du zahlen, du Schlampe. Ich schwöre ...«

»Halt die Fresse und steig in den Wagen, sonst jag ich dir 'ne Kugel in den Kopf.«

Esther sah auf seiner Jacke einen roten Punkt. Er lief eine Sekunde über die Brust des Mannes und sprang dann auf

Esthers über. Es dauerte noch eine Sekunde, bis sie begriff, was das zu bedeuten hatte. Sie ging blitzschnell in die Hocke. Keine Sekunde später schlug eine Kugel im Kofferraum des Renaults ein. Sie sollte Esthers Herz treffen. Der Kleinere von beiden wirbelte herum, rannte davon, suchte Schutz hinter Fahrzeugen in der Nähe und griff in seine Jacke.

Esther Cruz hatte den lauten Hall der ersten Schüsse noch im Ohr, als sie die 659er hob und zweimal abdrückte. Beide Kugeln trafen den fliehenden Killer in den Rücken und warfen ihn zu Boden. Die Hollow Point Projektile dehnten sich aus, nachdem sie den Rücken des kleinen Mannes durchdrungen hatten, schlingerten im Körper und traten mit Blut und Gewebefetzen durch die Brust wieder aus. Auf die Schüsse folgten Schreie. Menschen rannten durchs Parkhaus.

Die FBI-Agentin riss die Smith & Wesson herum und richtete sie auf den Mann im Kofferraum, der gerade herausspringen wollte. Sie drückte einmal ab. Die Kugel traf den Mann zwischen den Augen, woraufhin er zurück in den Kofferraum sackte.

Esther Cruz duckte sich und kroch zur Beifahrerseite des Mercedes. Da sie sich nicht sicher war, aus welcher Richtung die Schüsse abgefeuert worden waren, hob sie vorsichtig den Kopf und spähte durch die getönte Scheibe. Ein roter Blitz blendete sie, und dann war ein lauter Knall zu hören.

Esther zog den Kopf ein, als die Kugel auf dem Fenster der Fahrertür aufschlug, die Scheibe aber nicht durchdrang. Die Kugel hinterließ nur einen kleinen Kratzer und prallte von der Panzerglasscheibe ab.

Schusssicher!

Die FBI-Agentin krabbelte von der Beifahrerseite aus in den Mercedes und sprang auf den Fahrersitz, während drei weitere Kugeln gegen die Scheibe prallten.

Sie wusste natürlich, dass auch das beste Panzerglas nicht

ewig halten würde. Daher legte sie blitzschnell den Rück-
wärtsgang ein und raste mit quietschenden Reifen die Rampe hinunter. Esther trat das Gas voll durch und hatte Mühe,
die Kontrolle über den Wagen zu behalten, als sie im Zick-
zackkurs aufs nächste Parkdeck zusteuerte.

Plötzlich sprangen zwei Männer mit MP5 Maschinenpistolen vor den Wagen und eröffneten das Feuer. Esther blinzelte ungläubig, als die Windschutzscheibe aus Panzerglas
von Neun-Millimeter-Kugeln bombardiert wurde, ehe sie
den Schüssen auswich und mit Vollgas nach unten raste. Sekundenlang wurden Erinnerungen an FBI-Waffenschulun-
gen wach. Die MP5 war aufgrund des schnellen und treffsi-
cheren Schussfeuers zur beliebtesten Waffe der Polizei und
der Kriminellen aufgestiegen. Tatsächlich trafen die meisten
Schüsse die Windschutzscheibe auf ihrer Seite.

Mutter Cruz trat das Gaspedal noch immer voll durch, um
so schnell wie möglich den Abstand zu den Killern zu vergrößern, als ihr Kopf gegen die Kopfstütze prallte und der
Mercedes in der Kurve in einen Kleinwagen raste. Blitzschnell schaltete sie, bog links ab und gab Vollgas, bis sie
die erste Parkebene erreicht hatte. Dort stellte sie den Wagen
in der erstbesten Lücke ab, sprang heraus und legte sich auf
den kalten, ölverschmierten Boden.

Esther Cruz hörte die quietschenden Reifen, als ein Wagen mit Vollgeschwindigkeit die Rampe heruntersauste. Sie
atmete erleichtert auf. Der graue Wagen raste auf den Aus-
gang zu, und in dem Wagen saßen die beiden Killer.

LAPLACE, LOUISIANA *Donnerstag, 19. November*

Der Albtraum, den Harrison Beckett durchlebte, lieferte
ihm entsetzlich klare Bilder. Der Geruch von Diesel und
Auspuffgasen vermischte sich mit dem Gestank der Klein-
tiere in den drittklassigen Wagen, an deren Steuer arabi-

sche Männer saßen. Männer und Frauen trugen oder zogen Käfige mit Kaninchen, Hühnern, Enten, Affen und Ziegen und steuerten auf den Kairoer Bazar zu. Das Geplapper der Menschen rings umher und das Quaken und Quieken der Tiere überlagerten den Lärm des schwarzgrauen Diesels, der bis zum zweiten Stockwerk reichte. Schon allein die Räder waren doppelt so groß wie er. Doch er hörte den Lärm kaum, denn seine Sinne waren auf die vier Männer mit den Automatikwaffen gerichtet, mit denen sie die Reisenden zur Seite stießen. Sie kamen auf Harrison und Layla zu und eröffneten das Feuer. Der laute Knall der Detonationen in dem geschlossenen Bahnhof aus Stein und Beton dröhnte in seinen Ohren und vermischte sich mit den Schreien der Menge und den Schreien von Layla Shariff, die zu Boden sank und das Versprechen eines Lebens, das sie niemals mit Harrison Beckett teilen würde, mit sich nahm.

»Nein ... bitte ... nicht ...«

Pamela Sasser sprang von der Couch, die neben dem Bett in dem kleinen Motelzimmer außerhalb von LaPlace stand. Sie war erschöpft. Nachdem sie und Harrison das Ende des Sumpfes am Stadtrand von New Orleans erreicht hatten, quälten sie sich noch weiter bis zu dem kleinen Friedhof, der neben den Sümpfen lag. Dort ließ Pamela Harrison im Schutze eines großen Grabsteins zurück. Anschließend folgte sie seinen Anweisungen, nahm das Bargeld aus dem Gürtel und suchte ein Motelzimmer. In dem dicken Nylongürtel fand Pamela auch gefälschte Führerscheine und Reisepässe. Inzwischen war ein Sturm aufgekommen, der ihr den Schlamm vom Körper riss. Die ehemalige Dozentin der Universität ging im Regen eine Straße hinunter und fand ein Motel. An der Rezeption erklärte sie, in den Sturm geraten zu sein. Sie bezahlte die Übernachtung mit einer nassen Zwanzig-Dollar-Note. Als sie zum Friedhof zurückkehrte, war Harrison in einen unruhigen Schlaf gesunken. Pamela stützte ihn auf dem Weg zum Motel. In dem kleinen Motelzimmer zog sie ihn nackt aus, wischte ihm Gesicht, Arme und Beine ab und reinigte mit nassen Handtüchern sorgfältig die Wunde. Kurz darauf fing er an zu schnarchen. Pamela stellte sich unter die heiße Dusche, wusch ihre Sachen und ließ sie eine Stunde unter der Heizlampe im Badezimmer trocknen. Anschließend zog sie sich an und ging zu einem Geschäft in der Nähe, wo sie mehrere große T-Shirts, ein Paar Shorts, eine Flasche Wasserstoffperoxyd und eine Großpackung Tylenol Forte kaufte. In einem Fast Food Shop besorgte sie etwas zu essen. Mit dem Wasserstoffperoxyd reinigte sie Harrisons Schusswunde, die sie anschließend mit dem in Streifen gerissenen T-Shirt verband.

Pamela ging zu Harrison, der sich unruhig hin und her warf und im Schlaf murmelte. Sie schaute auf ihren Retter hinunter. Sein braunes Haar war zerzaust. Das weiße Betttuch bedeckte nur seinen Unterkörper. Er war nicht so kräftig, wie sie zuerst angenommen hatte. Da sie ihn jetzt in aller Ruhe betrachten konnte und sie nicht mehr durch Gassen rannten und sich im Sumpf versteckten, stellte sie fest, dass er im Grunde sogar ziemlich schlank, aber muskulös war. Seine Bauch- und Brustmuskeln spannten sich, als er im Schlaf Worte murmelte, die sie nicht verstand.

Sie legte eine Hand auf seine Stirn. Kein Fieber.

»Bitte ... nein ... Layla ... Layla ...«

Pamela ging ins Bad, hielt ein sauberes Handtuch unter den Wasserhahn und rieb Harrisons Stirn und Wangen mit dem nassen Handtuch ab.

Wer bist du, Harrison? In den vergangenen zwanzig Stunden hatte ihr dieser Fremde mehrmals das Leben gerettet. *Aber warum? Warum tat er das?*

Pamela Sasser war vollkommen durcheinander. Sie konnte an nichts denken, was über den heutigen Tag hinausging. Ihr Verstand weigerte sich, über die Ungewissheit des morgigen Tages nachzudenken. In der Zeitung, die sie im Souvenirshop gekauft hatte und die ausgebreitet zwischen dem Bett und der Couch lag, stand ein äußerst seltsamer Bericht. Es ging um Technologie-Diebstahl, brutale Morde und Gefechte zwischen der Polizei und nicht identifizierten Terroristen. In den Nachrichten wurde ausführlich über den Tatort berichtet. In den Sümpfen wurden die Leichen von vier nicht identifizierten Männern gefunden. Sie trugen alle schwarze Schutzanzüge und waren mit den modernsten Waffen und Kommunikationsgeräten ausgestattet. Die von Alligatoren verstümmelten Leichen wiesen zahlreiche Verletzungen auf. Die hohe Anzahl getöteter Polizisten, wozu auch Sheriff Jason Laroux gehörte, versetzte alle Gesetzeshüter in Louisiana in Rage.

Pamela verdrängte den Gedanken, dass einer der Toten auf ihr Konto ging. Eines Tages würde sie sich mit ihren Schuldgefühlen auseinander setzen müssen, aber dies war nicht der richtige Zeitpunkt.

Pamela Sasser, die ein sauberes T-Shirt und neue Shorts trug, rieb Harrisons Brust und Nacken ab und fragte sich, was dieser Mann für ein Leben führte. Wer war er? Woher kam er? Wie wird man zu einem Killer? Welche Kraft zwang ihn dazu, dieses Leben zu wählen? Und wer war diese Layla? Seine Frau?

Pamela versteifte sich, als sie daran dachte, Harrison könne verheiratet sein und zu einer anderen Frau gehören. In diesem Augenblick stellte Pamela Sasser fest, dass sie auf die Gesellschaft dieses Mannes nicht mehr verzichten wollte.

Aber warum? Warum plötzlich diese Gefühle? Sehnte sie sich nur danach, von ihm beschützt zu werden, oder war da noch etwas anderes? Hätte sie dieselben Gefühle gehabt, wenn ihr Leben nicht in Gefahr gewesen wäre? *Hättest du diesen Mann vor einer Woche auch gewollt, Pam? Bevor du in diese missliche Lage geraten bist? Bevor die Flucht vor den Killern begann?*

Darauf wusste sie keine Antwort. Zu viele Dinge hatten sich in den letzten Tagen ereignet. Ihr ganzes Leben war innerhalb einer Woche mehrmals komplett umgekrempelt worden. Sie konnte nur ahnen, was noch alles passieren würde, bis man sie entweder tötete oder sie es mit Harrisons Hilfe irgendwie schaffte, diese Sache durchzustehen und zu überleben.

Was hatte es mit dem Mann in New Orleans auf sich? Dem Mann, dem Harrison im Kampf das Messer entrissen und dem er seltsame Fragen gestellt hatte, als die Polizei eingetroffen war. Wer war das? Woher kannten sie sich? Harrison hatte sich geweigert, über diesen Mann zu sprechen, und behauptet, er stände in keiner Beziehung zu ihrer gegenwärtigen Situation.

Das kaufte sie ihm nicht ab. Sie spürte, dass es irgendeine Verbindung gab. Harrison lieferte ihr nur bruchstückhafte Informationen und sagte ihr nur, was sie wissen musste, und kein einziges Wort mehr.

»Layla ... nein ... Pam ... Pamela ...«

Pamela Sasser starrte Harrison an. Er kam langsam zu sich.

»Pamela ...«

Harrison blinzelte, öffnete die Augen und schloss sie sofort wieder. Seine Augenlider zuckten noch eine Weile, und dann murmelte er wieder ihren Namen.

»Ich bin hier, Harrison«, sagte sie und rieb ihm mit dem Handtuch über die Stirn.

»Wo?«

»In einem Motel in LaPlace.«

»Seit wann?«

»Es ist neun Uhr morgens. Du hast fast achtzehn Stunden geschlafen.«

Achtzehn Stunden? Er fuhr hoch und riss die Augen auf. »Wir können hier nicht bleiben. Wir werden gesucht. Wir müssen sofort ...«

Ihm wurde schwindlig. Er hatte sich zu schnell aufgerichtet und fiel sofort zurück aufs Bett. Der Blutverlust und die Anspannung hatten ihn zu sehr geschwächt.

»Immer mit der Ruhe«, sagte Pamela. »Du hast eine Menge durchgemacht. Du musst dich ausruhen.«

Harrison Beckett blickte keuchend auf die blonden Haare, die gebräunte Haut und die blaugrünen Augen mit dem gönnerhaften Blick.

Als er bemerkte, dass er nackt war, sagte er: »Hast du ...«

»Du warst von Kopf bis Fuß voller Schlamm, aber keine Angst. Du hast nichts, was ich nicht schon einmal gesehen hätte.«

Harrison lachte kurz, warf dann einen Blick auf seine Schusswunde und zeigte mit dem Finger auf den Verband.

»Ja, ich hab' dein Bein verbunden.«

»Wie sind wir hierher gekommen?«

Pamela lächelte und erklärte ihm, was passiert war. Als sie verstummte, spiegelte sich in Harrisons Blick Bewunderung für diese hübsche Fremde, die noch vor anderthalb Tagen beim Anblick seiner Waffen in Panik geraten war.

»Das hast du gut gemacht, Pamela. Ich danke dir, dass du mir das Leben gerettet hast.«

Sie strahlte ihn an. »Ich muss mich bei dir bedanken, Harrison. Du hast mir in den Sümpfen noch einmal das Leben gerettet.«

Der Gedanke an das Killerkommando ernüchterte ihn. »Hast du was in den Nachrichten gehört?«

Pamela informierte ihn über das, was sie im Fernsehen

gesehen hatte. »Sieht so aus, als wären wir beide die berühmtesten Menschen des ganzes Staates.«

Harrison schaute in die Ferne. »Wir werden nicht lange genug hier bleiben, um irgendwelche Preise entgegennehmen zu können.« Er richtete sich mühsam auf und strich mit der Hand über seinen Zweitagebart. Allmählich konnte er wieder klar denken. Sie mussten den Staat schnell verlassen und dann nach Washington, D. C., fahren. Er musste Brasfield sprechen, damit er Antworten auf seine Fragen bekam. Außerdem interessierte ihn brennend, wer zuerst auf das Killerkommando im *Cornstalk* geschossen hatte. Nur dadurch standen Harrison die wertvollen Sekunden zur Verfügung, ihre Flucht vorzubereiten. Drei verschiedene Gruppen hatten ihn in die Zange genommen: die DIA und Microtel, die Polizei von Louisiana und die Gruppe, die ihm im *Cornstalk* das Leben gerettet hatte.

»Wer ist Layla, Harrison?«

»Wer?«

Pamela verschränkte die Arme und schaute ihn herausfordernd an. Dann fügte sie in einem kalten, strengen Ton hinzu: »Verarsch mich nicht, Harrison. Ich finde, ich habe das Recht, Antworten auf meine Fragen zu bekommen. Du hast den Namen immer wieder im Schlaf gemurmelt. Wer ist sie?«

»Wo sind meine Sachen?«

Pamela wies mit dem Kopf in Richtung Badezimmer.

Harrison stand auf, verlagerte das Gewicht vorsichtig auf das verletzte Bein und testete die Belastbarkeit. Als er langsam ins Badezimmer humpelte, fiel das blaue Betttuch auf den Boden.

»Verdammt, Harrison! Ganz Louisiana ist hinter mir her! Diese Layla hat irgendwas mit dem bärtigen Mann zu tun, der versucht hat, uns zu töten. Allein die Erwähnung ihres Namens hat ihn aus der Fassung gebracht und ihn richtig wütend gemacht. Wer, zum Teufel, ist sie?«

Harrison warf Pamela einen Blick zu. Sie hatte ihre blaugrünen Augen weit aufgerissen und die Lippen aufeinander gepresst. Das dunkle Muttermal erinnerte ihn an Layla Shariff. Harrison stellte sich neben die Couch, schaute durch einen Spalt in den Gardinen auf die Wolken und erzählte ihr stockend, wie Layla gestorben war.

»O mein Gott!«, stammelte Pamela, die ihre Hände vors Gesicht schlug. »Das ist ja furchtbar. Es tut mir wirklich Leid.«

»Wie gesagt, es ist schon lange her.«

»Aber ... aber wie bist du der DIA entkommen?«

Harrison konnte sich nicht von den blaugrünen Augen und dem Muttermal abwenden. Er berichtete ihr, was sich nach Kairo zugetragen hatte. »Ich konnte Rom unversehrt erreichen, aber die Militärs haben mich dort wieder aufgespürt. Meine ganzen Reisepässe von der DIA waren wertlos. Im Grunde waren sie sogar gefährlich. Wenn ich einen davon benutzt hätte, hätten sie mich innerhalb von Minuten aufgespürt. Zu dem Zeitpunkt war ich zum Abschuss freigegeben. In ganz Italien waren die Leute von der DIA ausgeschwärmt. Ich hatte wirklich keine andere Möglichkeit als ...«

Harrison schloss die Augen und wandte sich von ihr ab. Seine Hände umklammerten den Türrahmen neben den Fenstern.

»Harrison?«

Er schüttelte den Kopf. »Ich hatte keine andere Wahl, Pam. Die Schweine hatten mich in die Enge getrieben. Ich hatte nur eine Möglichkeit, sie abzuhängen, und zwar indem ich sie glauben machte, ich wäre schon tot ... Das habe ich getan.«

»Wie?«

»Es ... es ist nicht wichtig. Ich habe es einfach getan.«

»Es ist wichtig, und das weißt du. Wie, Harrison? Wie hast du die DIA reingelegt?«

»Ich habe meinen Tod bei einer Autoexplosion vorgetäuscht.« Er drehte sich wieder zu ihr um.

Pamela schwieg einen Augenblick und dachte über ihre nächste Frage nach. Plötzlich fiel es ihr wie Schuppen von den Augen. »Aber ... wenn du nicht in dem Auto warst, als es in die Luft flog ... Wer dann?«

Harrison drehte sich wieder zum Fenster um. »Es ist besser, wenn du es nicht weißt.«

»Wer war in dem Wagen, Harrison? Du bist der DIA offenbar entkommen. Du hast sie also erfolgreich hinters Licht geführt. Wer saß in dem Wagen?«

Harrison starrte auf seine Hände, als er schließlich antwortete. Seine Worte hallten durch das kleine Motelzimmer. Er hatte den unschuldigen Mann mit den bloßen Händen getötet, und das nur, weil er Harrison ähnlich sah. Der unschuldige Mann musste sterben, um Harrison Beckett das Leben zu retten.

Harrison sprach über die Killeraufträge, über seine Jobs in Brasilien, Honduras, Hongkong, Spanien und Kolumbien. Er sprach über seine Missionen, seine Honorare, die Ergebnisse.

Dann verstummte er. Mehr konnte er ihr nicht sagen. Harrison hatte Pamela mehr gesagt, als er je für möglich gehalten hätte. Er zitterte und fragte sich, warum das ganze Leben so kompliziert war.

»Mein Gott, ich weiß gar nicht mehr, wer ich bin«, sagte er auf dem Weg ins Badezimmer. Er wich Pamelas Blick aus, denn er wusste nicht, ob er ihr noch in die Augen sehen konnte, nachdem er sich ihr anvertraut hatte. Im Grunde wusste er gar nicht, warum er es in erster Linie getan hatte. Auf jeden Fall sollte sie verstehen, wie er zu dem Mann geworden war, der den Auftrag erhalten hatte, sie zu töten, und der dazu nicht mehr in der Lage war, nachdem er die Wahrheit erfahren hatte.

»So«, sagte sie und lehnte sich gegen den Türrahmen.

»Welche Beziehung besteht zwischen dem Computerprogramm und Laylas Mörder?«

Harrison schüttelte den Kopf und zog schnell seine Hose und das neue T-Shirt, die am Duschvorhang hingen, an. »Wenn ich das wüsste. Ich weiß nur, dass dieses Schwein Laylas Mörder ist. Das hat sich während des Kampfes eindeutig herausgestellt. Er steckt mit Brasfield und Sinclaire unter einer Decke. Die drei sind mit Sicherheit in eine Riesenschweinerei verwickelt.«

»Ja, das steht fest.«

»Wie beweiskräftig ist das Computerprogramm?«

Pamela rollte mit den Augen. »Sehr beweiskräftig. Es zeigt den Konstruktionsfehler eines weit verbreiteten Computerchips, der von Microtel hergestellt wurde. Und ich glaube, dass dieser Chip für den Unfall in Palo Verde verantwortlich ist. Das Programm offenbart einen Fehler in der Konstruktion, der normalerweise unentdeckt bleibt, bis er ganz unerwartet auftaucht und eine Katastrophe auslöst. Anschließend ist der Fehler nicht mehr auffindbar. Es ist ein ausgesprochen seltsames Problem, und unser Computerprogramm zwingt den Chip in eine Situation, in welcher der Fehler ziemlich konstant auftritt.«

Harrison runzelte erstaunt die Stirn und fragte: »Wo ist denn die Sicherungsdiskette?«

Pamela erklärte ihm ganz genau, wo sie die Diskette auf dem Campus versteckt hatte. Harrison kannte sich dort aus. Pamela wusste nicht, dass er ein paar Tage an der Universität verbracht hatte, um den Mord an Dr. LaBlanche zu planen und auszuführen. Harrison hatte vor, dieses Geheimnis eine gewisse Zeit oder möglicherweise auch für immer für sich zu behalten.

Pamela setzte sich auf die Couch und schlug ihre gebräunten Beine übereinander. Die Shorts rutschten ein Stückchen hoch, als sie sich hinsetzte. »Und jetzt?«

Harrison nahm seinen Geldgürtel vom Nachtschrank und zog mehrere Hundertdollar-Noten, einen Führerschein und eine Visa-Card mit falschen Namen heraus, steckte alles in seine Tasche und lächelte. »Vertraue mir.« Er ging zur Tür. Pamela folgte ihm, doch er drehte sich um und hob die linke Hand.

»Ich bin nur ein paar Stunden weg. Halte dich bereit, damit wir sofort verschwinden können, wenn ich zurückkomme.«

»Ein paar Stunden? Warte. Wohin gehst du?«

Harrison lächelte noch immer. »Halte dich einfach bereit. Wir haben einen langen Weg vor uns.«

»Weg? Wohin?«

»Du hast Größe neununddreißig, richtig?«

»Wie bitte?«

»Deine Größe. Neununddreißig, richtig?«

»Ja, aber ...«

»Schuhe?«

»Was denn ...?«

»Wir haben keine Zeit zu verlieren. Deine Schuhgröße?«

»Achtunddreißig.«

»Ich bin bald zurück. Verriegle die Tür und lass niemanden herein. Wenn etwas schief geht, kletterst du aus dem Fenster im Badezimmer und versteckst dich in dem Wald hinter dem Motel, bis ich zurück bin. Verstanden?«

»Wohin fahren wir, wenn du zurückkommst?«

»Washington, D. C.«

Nachdem Esther Cruz eine Stunde mit der Polizei gesprochen hatte, nahm sie Abstand davon, in ihre Wohnung oder zum Polizeirevier zu fahren. Stattdessen fuhr sie zum J. Edgar Hoover Building. Es gab keinen sichereren Ort als die

FBI-Zentrale. Nur ein Verrückter würde ein Killerkommando an diesen Ort beordern.

»Verdammt, fühle ich mich beschissen«, sagte Esther, als sie dem Sicherheitsposten ihre Dienstmarke zeigte und zu den Aufzügen ging. Sie trug schon seit zwei Tagen dieselbe Jeans und dasselbe T-Shirt.

Esther betrat einen freien Aufzug und drückte den Knopf zum vierten Stock. Auf der blanken Metalltafel spiegelte sich ihr Gesicht. Sie sah furchtbar aus, und das nicht nur, weil sie ungeschminkt war. Ihre Ketten und Ohrringe klirrten, als sie den Kopf schüttelte und sich mit der Hand durchs Haar strich. Die Erschöpfung stand ihr ins Gesicht geschrieben.

Esther schloss die Augen und seufzte. Sie war nicht auf dem Weg zu einem Schönheitswettbewerb, sondern zum Direktor des FBI, um mit ihm über den wichtigsten Fall ihres Lebens zu sprechen.

Als sich die Aufzugtür öffnete und Esther heraussprang, riss sie sofort die Aufmerksamkeit der Agenten und Sekretärinnen auf sich, die innehielten und Mutter Cruz ungläubig anstarrten.

»Ja, ja, ich weiß, wie ich aussehe. Arbeitet ruhig weiter!«, sagte sie zu der verdutzten Gruppe und steuerte auf die Toilette zu. Nachdem sie sich Wasser ins Gesicht gespritzt hatte, um etwas munterer zu werden, warf sie einen Blick in den Spiegel, auf den grelles Licht fiel. Die dicken Tränensäcke unter den tief liegenden blutunterlaufenen Augen sprachen Bände. Sie brauchte dringend Ruhe, sonst würde sie bald vor Erschöpfung aus den Latschen kippen. Esther konnte einiges aushalten, aber jetzt war sie eindeutig am Ende. Und dabei wusste sie noch nicht einmal, wo sie überhaupt schlafen konnte. Mit Sicherheit nicht in ihrer Wohnung. Auf sie war ein Killerkommando angesetzt, und daher lief nicht nur sie Gefahr, getötet zu werden, sondern sie gefährdete auch die Menschen in ihrer Umgebung, sobald sie das J. Edgar Hoover Building verließ.

Jetzt eilte Esther Cruz zunächst einmal ins Büro des FBI-Direktors, des ehrenwerten Frederick Vanatter. Im Vorzimmer hielten sich die Empfangsdame und zwei Bodyguards auf, die Esther neugierig musterten.

»Sagt nichts, Jungs.« Sie klopfte an die Tür und betrat das Büro.

Direktor Vanatter saß hinter seinem Schreibtisch und rauchte eine Zigarre. Er trug ein gestärktes weißes Hemd und eine graue Krawatte, die gut zu seiner Hose und den Hosenträgern passten. Esther kannte Vanatter von früher, als er noch leitender Special Agent im FBI-Büro in Miami gewesen war.

»Mein Gott, Sie sehen ja richtig beschissen aus, Cruz«, schrie Vanatter, als er seine Untergebene sah.

»So fühle ich mich auch«, erwiderte Esther.

»Wir werden die Schweine schnappen, die versucht haben, Sie umzubringen«, sagte Vanatter, der seine Daumen unter die Hosenträger klemmte, als er aufstand und mit der Zigarre im Mundwinkel durchs Zimmer schritt. Er war genauso groß wie Esther. Dem kahlköpfigen, blassen Direktor mit den breiten Schultern war sein Alter anzusehen. Vanatter war schon lange genug Direktor des FBI, um zu wissen, was hier vor sich ging. Er wusste immer genau, wo sich seine Agenten aufhielten. Außerdem wusste er, wo welche Unterlagen waren und wie er mit dem Papierberg fertig wurde, um einen bestimmten Auftrag zu erledigen. Vanatter war ein alter Hase. Er sammelte so lange Material, bis ein Fall gelöst war, auch wenn das Monate oder sogar Jahre dauerte. Es war ein Segen, wenn man Vanatter auf seiner Seite hatte, und ein Fluch, wenn man nicht mit ihm auskam. Er kannte genug Leute im Kongress, im Justiz-, Außen- und Verteidigungsministerium und im Weißen Haus, um die richtige Unterstützung zu bekommen.

»Okay, Cruz. Dann erzählen Sie mal, was Sie haben.«

»Ich fürchte, nicht viel. Auf jeden Fall steht fest, dass ich näher an der Sache dran bin als je zuvor. Sonst würden diese Schweine nicht versuchen, mich auszuschalten.«

Esther berichtete alles, was sie über den Fall wusste. Das fing mit der Überwachung von Brasfield an, wodurch ihr Team zu LaBlanche und dem jüngsten Angriff außerhalb von New Orleans geführt worden war. Esther sprach auch über den mysteriösen Mann, der Pamela Sasser beschützte.

»Sie haben Recht«, sagte Vanatter, nachdem er ihr ein paar Minuten schweigend zugehört hatte. »Die Sache stinkt zum Himmel, aber wir haben nichts Konkretes in der Hand. Das Auftauchen des Killerkommandos kann nur bedeuten, dass Sie Ihre Nase tiefer als je zuvor in diese Sache gesteckt haben.«

»Ganz genau, Sir.«

»Was hat Pamela Sasser mit dem Fall zu tun?«

»Großes Fragezeichen, Sir. Aber offenbar spielt sie eine Schlüsselrolle, sonst würde Brasfield nicht versuchen, sie umzubringen.«

Vanatter schüttelte den Kopf. »Und jetzt?«

»Zuerst einmal möchte ich Sie um Erlaubnis bitten, den gesamten Polizeifunk in Louisiana abzuhören. Ich möchte auch Jackson Brasfields Beschattung verstärken, selbst wenn sich dadurch das Risiko erhöht, dass die Beschattung auffliegt. Wir müssen über jeden Schritt des Generals im Bilde sein. Er hat das Killerkommando auf mich angesetzt. Dafür würde ich meinen Kopf verwetten.«

Der FBI-Direktor nickte. »Okay. Sie brauchen größere Unterstützung.«

»Lieber nicht, Sir. Im Moment möchte ich keine Unterstützung haben und im Alleingang arbeiten.«

Vanatter zog an der Zigarre und klemmte seine Daumen wieder unter die Hosenträger. Er schaute auf die Wand und sagte: »Ich habe Ihren Bericht über die Ereignisse und den offiziellen Bericht der Polizei aus New Orleans gelesen. Ich hätte in Ihrer Situation ganz genauso gehandelt. Sie haben Ihre Agenten bestmöglich eingesetzt. So etwas passiert. Ich weiß, dass es schmerzlich ist, Partner zu verlieren, aber das Risiko ist allen bekannt, wenn sie ihre Verträge hier unterschreiben. Das ist kein Club. Bei unserer Arbeit sterben Menschen.«

»Ich weiß, Sir. Ich würde dennoch gerne eine Weile solo arbeiten – wenigstens eine Woche. Auf mich ist ein Killerkommando angesetzt, und dadurch gefährde ich alle Menschen um mich herum. Einen Vorteil hat die Sache allerdings. Solange ich lebe, müssen diese Schweine auftauchen, und wenn sie es tun, werde ich mir einen von ihnen lebend schnappen.«

»Okay«, sagte Vanatter. »Dann arbeiten Sie im Moment solo.«

SÜD-LOUISIANA *Donnerstag, 19. November*

Harrison Beckett schaute aus dem Beifahrerfenster des Lastwagens, der in seinem Kühlanhänger texanisches Rindfleisch geladen hatte und auf dem Weg nach New Orleans war. Es war kein Problem für Harrison, außerhalb von New Orleans eine Mitfahrgelegenheit zu finden. Er hatte diesen Laster ausgewählt, weil er nach Osten fuhr und die nächste Stadt, New Orleans, im Osten lag.

Es war reine Taktik und kein Interesse an der Landschaft, dass er die ganze Zeit auf die Sümpfe neben der Straße schaute. Der Fahrer sollte sein Gesicht möglichst selten zu sehen bekommen. Das menschliche Gedächtnis neigt dazu, Gesichter, die man nur kurz gesehen hat, zu vergessen oder in der Erinnerung zu verfälschen. Harrison überlistete das Gehirn des Fahrers, ein unvollständiges Bild seines Beifahrers zu zeichnen, indem er ihm nur den Hinterkopf und einen Teil seines Profils präsentierte. Der Fahrer würde das erst später bemerken, wenn er versuchen sollte, sich das Aussehen seines Beifahrers ins Gedächtnis zu rufen.

»Wo wollen Sie raus?«, fragte der Fahrer, ein großer Mann in einem blauen Overall und einem zerknitterten Baumwollhemd mit aufgekrempelten Ärmeln. Seine dicken gebräunten Unterarme waren tätowiert. Ein schwarzer Bart und dicke Haare, die ihm in die Stirn fielen, verdeckten seine Gesichtszüge. Der Fahrer warf Harrison einen fragenden Blick zu und schaute sofort wieder auf die Straße.

»Ach, das ist eigentlich egal. Irgendwo in der Stadt. Ich will mir einen Gebrauchtwagen kaufen«, erwiderte Harrison, der sich bemühte, einen beiläufigen Ton anzuschlagen und den Akzent des Mittleren Westens zu treffen. Diese Stimmtechnik verringerte zusammen mit seinem zurückhaltenden Verhalten die Aufmerksamkeit des Fahrers. Derartige Techniken stellten im Grunde eine Tarnung dar, die mitunter wirkungsvoller war als Make-up und Kleidung. Die menschliche Erinnerung stützt sich stark auf körperliche Besonderheiten, wenn es darum geht, sich nach einer kurzen Begegnung an einen Menschen zu erinnern. Indem er den Lastwagenfahrer zwang, ihn als einen uninteressanten Durchschnittsmenschen abzutun, radierte Harrison diese kurze Begegnung schon jetzt in seinem Gedächtnis aus.

Der Fahrer nickte, als er auf die Straße schaute und abbog. »Dann lasse ich Sie am besten am Williams Boulevard raus. Da gibt es jede Menge Gebrauchtwagenhändler.«

Harrison sah noch immer aus dem Fenster und erwiderte nur. »Hört sich gut an.«

Eine Stunde später fuhr Harrison Beckett in einem 89er Camaro vom Platz des Gebrauchwagenhändlers. Er hatte den Wagen mit seiner gefälschten Fahrerlaubnis für neunhundert

Dollar bar auf die Hand erstanden. Obwohl der blaue Metalliclack eine Reihe von Kratzern aufwies, in der Beifahrertür ein paar Beulen waren und er unter der Fahrertür ein paar Rostflecke entdeckt hatte, reichten der Zustand des Motors und des Getriebes für seine Zwecke aus.

Harrison hielt sich an die Geschwindigkeitsbegrenzung, als er zu dem Wal-Mart fuhr, dessen Lage der Händler ihm beschrieben hatte. Er kaufte für sich und Pamela neue Jeans, langärmelige Baumwollhemden, Reeboks, eine kleine Dose Feuerzeuggas, drei Pakete Marlboro Golds und ein paar andere wichtige Dinge, um ihr Aussehen zu verändern. Nach dem Einkaufen fuhr er zurück zum Motel, und als er in ihrem Zimmer ankam, hatte er vier Zigaretten geraucht.

Pamela bekam einen Schock, als sie die Tür öffnete. Harrison hatte sein Äußeres bereits verändert. Er trug eine Brille mit schwarzem Gestell, die ihm einen intellektuellen Touch verlieh.

»Hallo«, sagte er, als er an ihr vorbei ins Zimmer rauschte und den Inhalt der Papiertüte auf dem Bett verteilte. »Zieh das hier an, und dann hauen wir ab.«

Pamela hielt sich die Hose vor den Bauch und lächelte. »Ich wusste noch gar nicht, dass Männer Klamotten für Frauen kaufen können.«

Harrison verschloss die Tür und schaute auf seine Seiko. »Ich hab' dir auch ein Haarfärbemittel mitgebracht. Beeil dich.«

Pamela ging ins Bad und kam eine Stunde später als Rothaarige wieder heraus. Sie trug eine enge Jeans und ein langärmeliges weißes Baumwollhemd. »Da bin ich«, sagte sie und nahm die Sachen, die Harrison für sie gekauft hatte: Bürste, Gel und Make-up, vom Bett. »Wie sehe ich aus?«

Harrison lächelte, doch sofort gewann der Profi in ihm wieder die Oberhand. »Gut. Du solltest das Make-up dick auftragen, besonders den Lidschatten und den Lippenstift.

Und wenn du mit dem Rouge deine Wangen betonst, fallen Wangenknochen und Nase weniger auf. Sie sind ein wenig zu ausge...«

»Jetzt reicht's aber!«, rief sie mit funkelnden Augen. »Ich nehme deinen Rat an, was das Make-up betrifft, aber lass meine Wangen und meine Nase aus dem Spiel.«

»Ich wollte ja nur ...«

»Ich schminke mich schon seit fünfzehn Jahren. Ich weiß, wie ich mein Aussehen verändern kann.« Mit diesen Worten verschwand die Rothaarige blitzschnell im Bad.

Die Fahrt nach Houston dauerte sechs Stunden und verlief ohne Zwischenfälle. Pamela Sasser nutzte die Zeit, um Harrison Beckett über seine Vergangenheit auszufragen. Ihre forsche, mitunter schnippische Art und ihr wacher Verstand gefielen Harrison mittlerweile so gut, dass er sich in ihrer Gegenwart richtig wohl fühlte. Schließlich fasste er Vertrauen und erzählte ihr immer mehr von seiner Vergangenheit.

»Macht es dir Spaß, Menschen zu töten, Harrison?«, fragte Pamela, nachdem sie eine Weile geschwiegen hatte. Die Frage traf ihn wie ein Schlag in die Magengrube.

»Mein Gott, nicht das schon wieder«, murmelte Harrison und rieb sich über die Schläfe.

»Ich nehme an, das heißt nein. Warum machst du es dann?«

Harrison war sprachlos. Sie hatte ihn in der kurzen Zeit ihrer Bekanntschaft schon durchschaut. Dabei sollte er als Geheimagent andere Menschen eigentlich meisterhaft täuschen können. Doch diese Pamela Sasser, die ehemalige Dozentin der Louisiana State University, las in ihm wie in einem offenen Buch.

»Weil sie es verdient haben. Die Welt ist ohne sie ein besserer Ort.« Diese Erklärung forderte fast zu Widerspruch heraus, und Harrison wusste, dass Pamela das ausnutzen würde.

»Nach wessen Meinung ein besserer Ort?«

Harrison schloss kurz die Augen. »Hast du schon einmal ein cracksüchtiges Kind gesehen?«

Pamela blinzelte ihn erstaunt an. »Was hat das denn ...«

»Hast du schon einmal ein zwölfjähriges Kind gesehen, das seinen Körper verkauft, um sich ein Gramm Koks kaufen zu können? Wenn mich das Außenministerium fragt, ob ich einen Drogenboss durch einen inszenierten Unfall aus dem Weg räumen kann, damit es keine Vergeltungsschläge gegen kolumbianische Politiker gibt, mache ich es, *egal* welchen Preis sie mir zahlen. Wenn ein Militärtyrann einen gewählten Präsidenten stürzt und ein Terrorregime errichtet, erledige ich ihn *umsonst*. Wenn Frauen und Kinder verhungern, weil irgendein korruptes Arschloch ein ganzes Land verhungern lässt, inszeniere ich mit lächelndem Gesicht einen Autounfall, bei dem er stirbt.«

Pamela schwieg.

»In dieser Welt wimmelt es von Korruption. Die Gier nach politischer Macht kennt keine geografischen, sozialen oder moralischen Grenzen. Ich habe Layla Shariff dieser Korruption geopfert. Mein *Leben* wurde auf den Kopf gestellt, weil ich versucht habe, diese Korruption zu bekämpfen, und ich war so naiv zu glauben, ich könnte mich dabei an den korrekten Weg halten.«

»Weißt du«, sagte Pamela, »mein Vater war ein korrupter Bulle, der meine Mutter und mich ständig verprügelt hat. Ich wollte ihn anzeigen, aber seine Kollegen hielten zu ihm, und das Einzige, was ich erreicht habe, war noch eine Tracht Prügel. Nach der Highschool bin ich sofort von zu Hause abgehauen und hab' mir in Baton Rouge ein neues Leben aufgebaut. Ein Jahr später bekam ich einen Anruf. Mein Vater hatte meine Mutter zu Tode geprügelt. Glaub mir, Harrison, ich hätte am liebsten eine Knarre genommen und das Schwein abgeknallt. Stattdessen hab' ich eingewilligt, vor

Gericht auszusagen. Ich habe dem Versuch, das Gesetz selbst in die Hand zu nehmen, widerstanden und mich dem Gesetz unterworfen. Mein Vater wurde zu lebenslanger Haft verurteilt. Du hast dich offensichtlich selbst zum Geschworenen, zum Richter und zum Henker ernannt.« Pamela verschränkte die Arme, neigte den Kopf zur Seite und funkelte ihn an. Ihr frisch gefärbtes rotes Haar schimmerte im Sonnenlicht. Der dunkle Lidschatten, der dunkelrote Lippenstift und das braune Muttermal lenkten die Aufmerksamkeit von ihrer Nase und den hohen Wangenknochen ab und verliehen ihr ein vollkommen verändertes Aussehen.

»Ich tue nur das, was jeder andere da draußen auch gerne mit dem Abschaum der Menschheit machen würde, aber die anderen tun es nicht.«

»Richtig. Sie tun es nicht, weil sie an das System glauben.«

»Falsch, Pam. Sie tun es nicht, weil sie nicht den Mut dazu haben.«

»Erzähl mir nichts von Mut, Harrison. Es hat mich Mut gekostet, meinen Vater anzuzeigen – auch wenn es nicht sofort etwas gebracht hat. Ich wäre froh, wenn ich durchgehalten hätte und nicht weggelaufen wäre. Vielleicht würde meine Mutter dann heute noch leben. Dieses Land ist so groß, weil die Menschen an das System glauben. Sonst würde hier alles den Bach runtergehen.«

Harrison seufzte. »Klar, Pam. Ich sehe, wie gut du in diesem System zurechtgekommen bist. Du kannst in deinem Elfenbeinturm sitzen und für diese Welt Recht sprechen. Ich habe aber auch gesehen, was mit deiner blöden Systemtheorie passiert, wenn dein eigenes Leben in Gefahr ist und sich dieses System, das du so liebst, gegen dich wendet. Siehst du denn nicht, dass das alles nur Fassade ist? Unsere Politiker sind nur Marionetten in einer Show, bei der die Korruption den Ton angibt. Vor zehn Jahren hast du eine kleine

Kostprobe davon bekommen. Jetzt bekommst du die volle Dosis. Leute wie Preston Sinclaire, Jackson Brasfield und Laylas Mörder sind diejenigen, die das Sagen haben, und glaube mir, mit denen kann man nur auf eine Art und Weise fertig werden. Ich habe es in Kairo auf eine andere Art versucht und für meine Naivität einen hohen Preis gezahlt. Ich habe nicht vor, diesen Fehler noch einmal zu machen.«

Stille. Es dauerte einen Moment, bis Pamela das Schweigen brach.

»Ich habe einen Mann getötet, Harrison.«

Harrison Beckett hatte damit gerechnet, dass Pamela früher oder später darüber sprechen würde. Er wusste ganz genau, was sie fühlte. Sie war vor ihren Schuldgefühlen davongelaufen und hatte gehofft, ihnen zu entkommen, aber er wusste, dass das nicht möglich war.

»Ich habe ihn getötet, und ich fühlte mich noch nicht einmal schuldig, als ich es getan habe«, fügte sie hinzu. Tränen traten ihr in die Augen. »Ich habe einen Mann erschossen und nicht die *geringsten* Schuldgefühle empfunden ... Eigentlich habe ich es fast genossen. Ich hatte das Gefühl, meinen Vater zu erschießen ... Mein Gott, was passiert mit mir? Warum fühle ich mich so beschissen? Warum?«

Harrison wollte schon anhalten, um sie zu trösten, doch dann erinnerte er sich daran, was beim letzten Mal passiert war, als er mitten auf der Straße angehalten hatte. Daher fuhr er weiter und zog Pamela mit der rechten Hand zu sich heran. Sie hatte die Hände vors Gesicht geschlagen und weinte.

»Ich ... ich weiß nicht, was mit mir geschieht. Ich habe jemanden erschossen ... Ich habe abgedrückt ... und ich wollte es tun. Ich wollte ihn töten ... Ich sage mir immer wieder, dass dieser Mann kein Mensch war, sondern ein Tier, eine Bestie wie mein korrupter Vater ...«

Harrison drückte sie an sich. Ihr Kopf ruhte auf seiner

Schulter und ihre gefalteten Hände lagen auf seinem rechten Oberschenkel, während er ihre Schulter streichelte.

Harrison Beckett drehte sich zu ihr um und küsste sie auf die Stirn. »Ich weiß, wie du dich fühlst«, sagte er schließlich. »Es ist ein beschissenes Gefühl, einen Menschen zu töten. Es ist wirklich die Hölle. Aber es war Notwehr. Wenn du ihn nicht erschossen hättest, hätte er zuerst mich umgebracht und anschließend dich. Du musstest ihn töten, um zu überleben, und du solltest dich nicht mit Schuldgefühlen quälen.«

Sie wich abrupt von ihm ab. Ihre Lippen bebten, und ihre glänzenden Augen waren weit aufgerissen. »Das kannst *du* so einfach sagen. Du hast ja schon genug Menschen getötet ... Für Geld. Für *Geld!*«

Harrison warf ihr einen bösen Blick zu. »Das ist nicht fair, Pamela. Das ist einfach nicht fair.«

Er umklammerte mit zitternden Händen das Lenkrad und sah wieder auf die Straße. *Jetzt siehst du, was du davon hast, einer Frau Geheimnisse anzuvertrauen, du Idiot!*

Harrison Beckett fluchte im Stillen, dass er sich ihr anvertraut hatte. Keine Sekunde später spürte er wieder ihren Kopf auf seiner Brust. Pamela hob seinen rechten Arm über ihren Kopf und legte ihn auf ihre Schultern. Sie schmiegte sich an ihn, als wäre nichts geschehen.

»Tut mir Leid«, flüsterte sie. »Ich hab's nicht so gemeint. Wirklich. Bitte verzeih mir.«

Harrison antwortete nicht. Er drückte sie schweigend an sich und küsste sie auf die Stirn. Pamela hob den Kopf und küsste ihn auf den Mund. Harrison, den ihre Intimität etwas aus der Fassung brachte, widmete seine Aufmerksamkeit wieder der Straße.

Pamela strich zärtlich über seine Wunde auf der Wange, über die violetten Ringe unter seinen Augen, über seine Lippen, sein Kinn, seinen Nacken, und dann küsste sie ihn auf den Mundwinkel.

»Tut mir Leid«, flüsterte sie noch einmal, bevor sie ihren Kopf wieder auf seine Schulter legte. »Es tut mir sehr Leid.«

Sie kamen rechtzeitig am Houston Intercontinental Airport an, um noch ein Flugzeug nach Chicago zu erwischen. Harrison hatte vor, die Nacht im Flughafenhotel zu verbringen und am nächsten Morgen einen Shuttleflug zum Dulles International Airport zu nehmen. Das Flughafenhotel war ausgebucht, und es kostete Harrison fünfhundert Dollar Bestechungsgeld, um von dem Hotelangestellten an der Rezeption ein Einzelzimmer zu bekommen.

Harrison Beckett saß an diesem Abend im Hotelzimmer auf dem großen Bett. Für den Fall der Fälle hatte er den leeren Metallwagen, auf dem der Zimmer-Service ihnen das Essen serviert hatte, unter den Türknauf geschoben. Eine leere Weinflasche lag zwischen Tellern und halbvollen Gläsern. Pamela stand unter der Dusche. Zuvor hatte sie ihm einen langen, leidenschaftlichen Kuss gegeben.

Der dumpfe Lärm der Düsenflugzeuge, die in die ganze Welt flogen, vermischte sich mit dem Rauschen des Wassers.

Harrison Beckett fühlte sich unwohl und dachte angestrengt über die richtige Entscheidung nach. Noch konnte er weggehen, doch wenn er es jetzt nicht tat, würde es gleich kein Zurück mehr geben.

Er kämpfte noch mit der richtigen Entscheidung, als die Badezimmertür geöffnet wurde und die geschmeidige Gestalt in dem großen T-Shirt auf ihn zukam.

Harrison Beckett wusste, dass er nicht widerstehen konnte und nicht widerstehen wollte. Er wollte bis in alle Ewigkeit an ihrer Seite bleiben, wie lang oder kurz diese Ewigkeit auch sein würde. Harrison schloss die Augen, als er sie umarmte und sie langsam zu der leisen Radiomusik tanzten. Sie bewegten sich kaum, während sie einander in den

Armen hielten und Pamela ihre Brust an seinen Körper presste.

»Es ist verrückt«, flüsterte er. »Es ist falsch.«

Pamela erwiderte nichts und ließ sich von seinen starken Armen an Orte entführen, wo des Nachts Feuer brannten, wo Schiffe über weite Meere segelten und der Wind und der Himmel in ihrer Welt der Ungewissheit verschmolzen. Sie überließ ihre Sorgen und Ängste seiner zärtlichen Berührung, während die Musik leise zum Rhythmus seiner Hände erklang, die ihre Hüften streichelten und unter dem T-Shirt langsam nach oben glitten. Seine Hände streichelten ihren Rücken und bahnten sich den Weg zwischen ihrer Haut und dem Stoff, zwischen Himmel und Erde. Er entführte sie in Regenwälder, an unberührte Strände, auf die Felsspitzen Südamerikas und unter die klare Oberfläche des Chinesischen Meeres. Die Zeit blieb stehen, als er sie behutsam aufs Bett setzte und ihr langsam mit seinen zarten Händen das T-Shirt auszog. Pamelas Augen waren halb geschlossen, während seine Hände ihre Brust und ihren Bauch streichelten, ihre Oberschenkel, ihren Oberkörper und ihren Nacken erkundeten.

Einheit.

Das fühlte Harrison Beckett, als er sich über sie beugte. Eine vollkommene, traumhafte Einheit, die stärker war als die Begeisterung über einen brasilianischen Strand oder einen Strohhut in Honduras. Mächtiger als ein langsamer Straßentango in Segovia oder eine Villa hoch oben in den kolumbianischen Bergen.

Einheit.

Er unterwarf sich ihr und beherrschte sie zugleich, als sie sich langsam im Einklang bewegten. Ihr Blick verlor sich in seinem, als er immer wieder über sie hinwegschwebte, ihre Finger seinen Rücken streichelten, sie ihr Gesicht in seinen Nacken presste und ihre Zunge über seine Haut strich.

Im Dämmerlicht ihrer Welt sah Harrison ihre Augen in den fernen Sternen, sah ihr Gesicht im roten Licht des Sonnenuntergangs an einem einsamen Strand, hörte ihre Stimme im Morgengrauen des Dschungels seinen Namen flüstern, spürte ihren bebenden Körper unter sich, als sie auf den Flügeln ihrer Traumwesen durch eine neue, heile Welt reisten.

Einheit.

Pamela und Harrison verloren sich im Rausch und wünschten, er würde niemals enden. Sie ließen die Waffen der Killerkommandos hinter sich und erkundeten längst vergessenes Land, betrachteten die blutrote Sonne, die sich über den roten Horizont schob, und sahen Lagerfeuer in der Nacht, lauschten dem Gesang der Heuschrecken und Grillen im Wald.

All ihre Sinne waren geschärft, als sie sich langsam im Einklang bewegten und ihre feuchten Leiber immer wieder übereinander hinwegglitten. Er presste seine Brust auf ihren Körper und strich mit den Händen über ihre Taille, ihren Rücken und ihren Oberkörper. Ihre Fußknöchel streichelten seine Oberschenkel, als er hart und doch sanft in sie eindrang, tiefer und doch vorsichtig, bis sie das Ende nahen spürten und sich ihre Körper anspannten, erbebten und entspannten.

Zeit.

»Das ist schön«, flüsterte sie, als sie ihn umarmte. »Das ist sehr schön.«

Eine Minute später hörte er ihren gleichmäßigen Atem. Sie war eingeschlafen. Harrison küsste sie auf den Kopf, lauschte den Flugzeugen und schlief ebenfalls ein.

Eines der Düsenflugzeuge war der Flug 563 der American Airlines mit Ziel Orlando, Florida. An Bord der modernen Boeing 767 waren einhundertsechzig Passagiere. Drei Dutzend Geschäftsleute saßen mit zwanzig Familien, die Disney World besuchen wollten, und sechs älteren Paaren, die vor der Kälte flohen, in der Kabine. Der Flugkapitän, ein ehemaliger F-14-Marinepilot, der fünfzehn Jahre Flugerfahrung hatte, war diese Strecke schon unzählige Male geflogen. Er gehörte zu den ersten Piloten, die an den Flugzeugen der neuen Generation mit einem Glas-Cockpit, in dem sechs Kontrollschirme standen, ausgebildet worden waren. Die Kontrollschirme zeigten ständig die Informationen an, die man früher auf den Skalen vieler Messgeräte, die in allen Vorgängern der 767 installiert waren, ablesen musste. Tausende von Systemen von der Kabinendruckkontrolle bis zur Flug- und Dieselkontrolle und sogar Flugbewegungen wurden von einer Anzahl unabhängiger Computer, deren Daten auf den Monitoren angezeigt wurden, kontrolliert.

Der Pilot überprüfte die aktuelle Flughöhe und den Kurs auf einem der Monitore und stellte zufrieden den Autopiloten ein, das modernste automatische Flug-Kontrollsystem der Boeing.

»Der Copilot übernimmt«, sagte der Pilot zu dem relativ unerfahrenen Copiloten auf dem Sitz rechts neben ihm. Dieser nickte und widmete sich den Informationen, die auf dem Monitor angezeigt wurden.

Der Pilot mit dem silbergrauen Haar schnallte sich ab, stand auf und steuerte auf die Toilette zu. Er bedauerte es ein wenig, dass die neue Pilotengeneration sich immer mehr auf die Technik verließ. Um menschliches Versagen auszuschließen, waren zwischen Pilot und Maschine viele Schichten Software und Hardware installiert worden. Auf diese Weise züchtete Boeing unabsichtlich eine ganz neue Pilotengeneration heran, die in einem Notfall möglicherweise nicht schnell genug reagieren konnte. Natürlich mussten alle neuen Piloten ein Notfalltrainingsprogramm absolvieren. Nach Meinung des erfahrenen Piloten erlernte man jedoch nur durch die Praxis unzähliger Flugstunden, bei denen sich der Pilot nicht auf die Computerdaten verließ, den routinierten Umgang mit der Maschine.

Der Flugkapitän ließ das Flugzeug in den Händen der Boeing-Programmierer zurück und ging zur Toilette der ersten Klasse.

Das komplexe Computerprogramm des High-Tech-Flug-Kontrollsystems konnte fast mit dem einer Raumfähre verglichen werden. Es zeigte Parameter für die Windrichtung, die Windgeschwindigkeit, die Luftdichte, die Außentemperatur, den nördlichen Magnetpol, den genauen Kurs, die Flughöhe, die Fluggeschwindigkeit, die Bodengeschwindigkeit, die Vertikalgeschwindigkeit, den Treibstoffdruck, die Treibstofftemperatur, den Treibstoffverbrauch, den Außenluftdruck, den Kabinenluftdruck, die Position und die programmierte Flugroute an. Das Flug-Kontrollsystem zeigte ständig Signale von einem Dutzend verschiedener Flughäfen an und benutzte sie, um die Position der Boeing in Zeit und Ort zu bestimmen. Diese Daten wurden mit den Informationen, die das GPS der Maschine zehnmal pro Sekunde aktualisierte, abgestimmt. Schließlich übermittelte der Autopilot seine Befehle an das Fly-by-Wire-System, für das ein anderer Computer zuständig war. Dieser passte die Daten an die aerodynamische Konstruktion der 767 an und setzte sie in elektrische Impulse um, durch die die Zwillingstriebwerke und die Kontrolloberfläche angetrieben wurden: die Höhen- und Seitenruder im Heck der Maschine und die Querruder in den Flügeln. Das System konnte das Düsenflugzeug sogar bei schlechtesten Sichtverhältnissen auf der Landebahn aufsetzen.

Es war ein Wunder der Technik.

Die Kontrolle des Kabinenluftdrucks – eines der lebenswichtigsten Systeme im Flugzeug, besonders in einer Flughöhe von zweiunddreißigtausend Fuß – lag in der Hand der

Millionen von Transistoren innerhalb eines Perseus-Mikroprozessors. Das High-Tech-System führte die permanente Aktualisierung des Drucks und der Temperatur durch, als das Flugzeug mit 540 Knoten durch niedere Stratosphären flog. Das Kontrollsystem-Programm führte dieselbe Überwachungsfunktion immer wieder aus, und zwar zehntausend Mal pro Sekunde. Es nahm die aktuellen atmosphärischen Bedingungen innerhalb und außerhalb der Maschine als Input und stimmte sie mit der Voreinstellung der Werte ab. Das System hielt den Druck in den Kabinen genau bei einem Bar. Das entsprach dem durchschnittlichen Luftdruck auf Meereshöhe.

Die Kontrollbox war unter dem Kabinenboden angebracht, wo der größte Teil der Flugelektronik und die meisten Computersysteme in einer Umgebung, die auch von einem Perseus kontrolliert wurde, arbeiteten.

Als das Düsenflugzeug eine Niedrigdruckzone über Zentral-Illinois verließ, führte das extrem kalte Wetter in Verbindung mit einer leichten Veränderung des Luftdrucks zu einer Kombination von Dateninputs, die der fehlerhafte Schaltkreis in der Fließkommaeinheit des Chips ausführte. Das passierte inmitten einer Berechnung, die die Anpassung an den Kabinendruck ermittelte. Anstatt den Luftdruck um die errechneten 0,0048 bar anzupassen – eine normale Abweichung während des Fluges –, wurde das Komma um zwei Stellen nach rechts geschoben und der Kabinendruck um gefährliche 0,48 bar gesenkt. Das Luftdruck-Kontrollsystem, das in den Händen des Perseus lag, senkte den programmierten Druck automatisch innerhalb von fünf Sekunden.

Die Passagiere in der Kabine schrien, als ihre Trommelfelle platzten. Viele verloren die Besinnung. Diejenigen, die noch bei Sinnen waren, krümmten sich vor Schmerzen, als sich in ihrem Kreislauf Stickstoffblasen bildeten und ausbreiteten. Einige schafften es, die herunterfallenden Sauerstoffmasken zu ergreifen und sich an den Sitzen festzuklammern.

Das Flug-Kontrollsystem, das den plötzlichen Druckverlust in der Kabine registrierte, funktionierte wie programmiert und senkte die Nase der 767 automatisch um fast fünfundvierzig Grad, um in kürzester Zeit eine sichere Flughöhe zu erreichen. Durch den jähen Höhenverlust knallte der Pilot gegen die Wand in der Toilette und verlor die Besinnung. In der Kabine wurde das Begleitpersonal von den Wagen, die sie durch den Gang schoben, überrollt. Das Chaos brach aus, als Essen und Getränke durch die Kabine flogen, wo ein Notfallvideo gezeigt wurde. Die Protagonisten, die der Wirklichkeit entsetzlich fern waren und dadurch fast komisch wirkten, erklärten den schockierten Passagieren den richtigen Gebrauch der Sauerstoffmasken und die Vorbereitung auf eine Notlandung.

Der Copilot im Cockpit starrte nervös auf die Kontrollschirme und fragte sich, ob er es der Software überlassen sollte, mit dem Notfall fertig zu werden, bis der Kapitän zurückkehrte. Doch der Kapitän kehrte nicht zurück, und die einzige unversehrte Flugbegleiterin hatte alle Hände voll mit den verrückt gewordenen Passagieren zu tun.

Da der unerfahrene Copilot Angst hatte, den Autopiloten abzuschalten, der dafür programmiert war, mit diesem und vielen anderen Notfällen fertig zu werden, überwachte er lediglich die Kontrollschirme, als das Flugzeug unter fünfzehntausend Fuß sank.

Der Copilot erwartete, dass sich die Nase des Flugzeugs bei einer Höhe von zehntausend Fuß wieder nach oben richten würde, aber das Autopilotprogramm hatte eine unmögliche Situation erreicht. Die Höhenmessanzeige stand in Widerspruch zu dem angezeigten Kabinendruck. Bei zehntausend Fuß hatte der Autopilot einen Druck erwartet, der höher war, als das Ergebnis des fehlerhaften Perseus-Chips. Die Software war blockiert und beließ die Flugkontrolle in der letzten programmierten Position.

Achttausend Fuß. 580 Knoten Geschwindigkeit.

Der Copilot fing an zu zittern. Die 767 ging nicht nach oben, und der Autopilot zeigte einen schweren Ausnahmefehler in der Kontrollsoftware an.

Bei fünftausend Fuß hielt der Copilot den Atem an, stellte den Autopiloten ab und übernahm zum ersten Mal das Kommando über das Flugzeug.

Er drosselte die Triebwerke und riss die Maschine hoch, aber die Reaktionszeit des Düsenflugzeugs auf seinen Befehl – der vom Fly-by-Wire-System an die Turbinen und die Kontrolloberfläche des Flugzeugs übertragen wurde – betrug fast acht Sekunden, und in dieser Zeit sank die 767 um weitere zweitausend Fuß.

In einer Flughöhe von dreitausend Fuß reagierte die 767 allmählich, doch es war zu spät. Die Bemühungen der Höhenruder, die Nase nach oben zu bringen, konnten den Abwärtstrieb nicht ausgleichen, bevor das Flugzeug dreihundert Meilen südlich von Chicago den Boden berührte.

Mit der Nase zuerst.

Die vollgetankte 767 zersplitterte beim Aufprall in unzählige Teile. Eine große Feuerdecke erleuchtete den Himmel von Süd-Illinois, und dann folgte eine ohrenbetäubende Explosion, die zwanzig Meilen entfernte Städte erschütterte.

12

Täuschungsmanöver

*Bei vielem Reden bleibt die Sünde nicht aus, wer
seine Lippen zügelt, ist klug.*

Das Buch der Sprichwörter 10,19

WASHINGTON, D. C. *Freitag, 20. November*

Es war stickig in der Bar, und der Geruch von
Rauch und Nudeln drang in Pamela Sassers Lungen, als sie
sich durch die überfüllte Bar drängte. Der fünfzigjährige
Barkeeper, ein Kettenraucher mit Falten im Gesicht und einem schlimmen Husten, lächelte und winkte ihr zu. In seinem linken Mundwinkel hing eine Zigarette.

Pamela zwang sich zu lächeln und winkte zurück. Sie hatte ihr Haar mit Haarschaum gestylt und trug heute einen Sei-
tenscheitel. Von ihrer Kurzhaarfrisur war nichts mehr zu erkennen. Jetzt schaute ihr aus dem großen Spiegel über der
Bar, der sich über die ganze Wand zog, eine reife, vornehme
Dame entgegen. Die kahle Stirn verlieh ihr einen Hauch von
Eleganz. Harrison hatte die neue Frisur vorgeschlagen, und
Pamela erstaunte ihr neues Aussehen. In den letzten Tagen
sah sie jedes Mal, wenn sie einen Blick in den Spiegel warf,
eine andere Person.

Ein Chamäleon, hatte Harrison letzte Nacht gesagt, als sie
eine Stunde, nachdem sie sich geliebt hatten, aufgewacht
waren, sich eine ganze Weile unterhalten und dann wieder
geliebt hatten. *Um in diesem Job zu überleben, muss man
sich ständig verändern.*

Und aus diesem Grund hatte sie ihre Katzenaugen und ihre vollen Lippen betont. Pamela hatte jedoch nicht das billige Make-up, das Harrison im Wal-Mart gekauft hatte, benutzt, sondern die teuren Schminkutensilien aus dem Kaufhaus, in dem sie vor ein paar Stunden auch den Mantel, das Abendkleid und dazu passende Schuhe mit hohen Absätzen erstanden hatte. In diesem Outfit zog sie die Blicke vieler Männer in dem Restaurant auf sich. Sie verbrachte eine Viertelstunde in dem Club und erfuhr in dieser Zeit vom Barkeeper, dass General Brasfield immer um zwanzig Uhr dreißig ins Restaurant kam. Das vertraute der Barkeeper ihr an, nachdem sie angedeutet hatte, sie halte nach angenehmer männlicher Gesellschaft Ausschau und habe gehört, Jackson Brasfield sei sehr großzügig, wenn es darum gehe, einer attraktiven, freundlichen Frau, wie sie es sei, zu gefallen.

Pamela lächelte verschmitzt, als sie an Harrisons Bedenken dachte, sie allein ins Restaurant gehen zu lassen. Sie hatte ihm erklärt, dass sie nur in Louisiana von der Polizei gesucht werde, er hingegen im *Giovanni's* Gefahr liefe, erkannt zu werden. Außerdem würde ein Barkeeper eher mit einer attraktiven Frau als mit einem Mann sprechen. Sie hatte Recht behalten.

Pamela atmete die kühle Nachtluft tief ein, als sie das Restaurant verließ. Ihr Herz klopfte laut, und sie spürte, wie das Adrenalin durch ihren Körper strömte. Das Täuschungsmanöver im Restaurant war für sie wie eine Droge. Als sie begriff, dass die Leute sie für die Frau hielten, die sie vorgab zu sein, beruhigten sich ihre Nerven innerhalb einer Minute, und sie fühlte sich in ihrer neuen Rolle immer wohler. Allmählich begriff sie, warum so viele Menschen derartige Jobs nicht mehr losließen. Es war in der Tat eine anregende Erfahrung. Und sie verstand auch, warum so viele Menschen verrückt wurden, nachdem sie ein Leben lang behauptet hatten, eine Person zu sein, die sie nicht waren.

Pamela Sasser knöpfte ihren langen Mantel zu und ließ ihren Blick über die schneebedeckte Straße gleiten. Ein gelber Lichtschein fiel von den Straßenlaternen auf den neu gefallenen Schnee.

»Gehen Sie schon, Miss?«, fragte der Portier.

»Ja«, erwiderte sie und rieb sich mit dem Finger über die linke Schläfe. »Mir ist ein wenig übel.«

»Soll ich Ihnen ein Taxi rufen?«

»Nein, danke.«

»Okay. Hoffentlich besuchen Sie uns bald einmal wieder.«

»Das werde ich bestimmt.«

Als sie sich von der Eingangstür entfernte, sah sie einen Mann in zerrissenen Klamotten, der unter dem überdachten Eingang auf dem Bürgersteig saß und aus einer Flasche trank, die in einer braunen Papiertüte versteckt war.

»Hallo, Süße, komm mal her«, rief der Obdachlose.

»Keine Zeit.«

»He, ich hab' dir doch erst vor ein paar Minuten gesagt, dass du hier verschwinden sollst!«, schrie der Portier.

»Die Bürgersteige sind für alle da!«, fuhr ihn der Obdachlose an und trank noch einen Schluck. »Was meinst du dazu, Süße?« Er grinste Pamela an und entblößte dabei seine schlechten Zähne.

»Jetzt reicht's!«, schrie der Portier. »Ich ruf die Polizei!«

Pamela ging die Straße hinunter und bog um die Ecke, wo Harrison hinter dem Lenkrad eines gemieteten Mustangs saß und eine Zigarette rauchte.

»Schon zurück?«, fragte Harrison, der eine schwarze Lederjacke trug.

»Ja. Ich habe vom Barkeeper alles erfahren, was ich erfahren wollte.« Sie knöpfte ihren Mantel auf, beugte sich zu ihm hinüber und gab ihm einen Kuss auf die Wange.

»Und?«

»Brasfield müsste um halb neun kommen«, sagte sie und setzte sich in den Wagen. Ihr Kleid rutschte ein Stückchen hoch, als sie sich mit den Händen durchs Haar strich. »Er kommt immer mit einem Chauffeur und zwei Bodyguards in einem Privatwagen hierher.«

»Nicht schlecht für deinen ersten Undercover-Einsatz«, lobte Harrison sie, der noch einmal an der Zigarette zog, das Fenster herunterließ und die Kippe auf die Straße warf. Er startete den Motor, fuhr um den Block und hielt keine zwanzig Meter vom Restaurant entfernt auf der gegenüberliegenden Seite der vierspurigen Straße. Er schaute auf die Uhr. Es war acht Uhr vierzehn.

»Was ist das für ein Typ da auf dem Bürgersteig?«, fragte er, als er auf den Zigarettenanzünder drückte und das Magazin aus seinem .45er Colt nahm. Er hatte sich die Waffe eine Stunde nach der Landung auf dem Schwarzmarkt besorgt. Aufgrund der hohen Kriminalitätsrate in Washington war es einfach, sich eine Waffe zu beschaffen. Nachdem Harrison das Magazin überprüft hatte, schob er den Colt im Rücken unter den Hosenbund, nahm sich noch eine Marlboro aus der Schachtel und griff nach dem Zigarettenanzünder, der gerade heraussprang.

»Irgendein Betrunkener. Der Portier hat versucht, ihn zu verscheuchen.«

Harrison zündete die Zigarette an, nahm einen tiefen Zug, ließ das Fenster ein Stück hoch und schaute auf das große Schild über dem Eingang. Er dachte noch immer über eine Möglichkeit nach, sich Brasfield zu nähern. Obwohl er es sich nicht anmerken ließ, war er sehr erleichtert, dass Pamela unversehrt zurückgekehrt war. Während des endlosen Wartens hatte er sich die schlimmsten Horrorszenarien vorgestellt. Was hätte er getan, wenn sie nicht wieder herausgekommen wäre? Wäre er hineingegangen? Und wenn er sie nirgendwo gefunden hätte? Was dann? Harrison Beckett hatte ein Gefühl der Einsamkeit verspürt bei dem Gedanken, sie wie Layla Shariff zu verlieren.

Er warf Pamela einen Blick zu. Die ehemalige Dozentin betrachtete ihre langen Fingernägel, die trotz der Aufregung der vergangenen Tage nicht abgebrochen waren. Er erinnerte sich an die letzte Nacht, an ihre Berührungen, ihren Körper unter seinen Händen, ihren Duft und ihren Blick, als sie sich geliebt hatten.

»Das hast du gut gemacht, Pam«, sagte er und streichelte ihre Wange. »Ich bin stolz auf dich.«

Die blaugrünen Katzenaugen funkelten ihn im Dämmerlicht des gemieteten Mustangs an. Das kurze rote Kleid, das sie unter dem aufgeknöpften Mantel trug, betonte die sanften Kurven ihrer honigfarbenen Brust.

»Was geschieht mit uns, Harrison?«, fragte sie.

Diese Frage gefiel ihm im Moment überhaupt nicht.

»Wir kriegen das schon hin, Pam. Ich passe auf dich auf. Ich sorge dafür, dass dir nichts passiert.«

Ihr inniger Blick verdrängte die Distanz zwischen ihnen. »Ja, ich weiß.«

Harrison schaute auf das Muttermal, zog sie an sich und küsste sie.

In diesem Augenblick hörte er einen Wagen, der auf den Eingang des Restaurants zufuhr. Die Vorderräder der dunklen Limousine stieben den Schnee zur Seite, ehe der Wagen vor dem hell erleuchteten Eingang hielt.

»Das könnte er sein«, sagte Pamela, die auf den Wagen mit den getönten Scheiben zeigte.

Als ein grauer Lieferwagen mit einem starken Motor aus der entgegengesetzten Richtung kam, stand der Betrunkene auf und ging auf die Limousine zu. Die Scheinwerfer des Lieferwagens näherten sich dem Betrunkenen, der auf den PKW zusteuerte.

»Harrison, der Typ liegt gleich unter dem Lieferwagen«,

rief Pamela, die seine Hand losließ und die Hände vors Gesicht schlug.

Harrison antwortete ihr nicht. Er klemmte die Zigarette zwischen Zeige- und Mittelfinger und beobachtete gespannt die Szene. Warum saß ein betrunkener Obdachloser bei diesen Temperaturen nachts auf der Straße, statt irgendwo im Warmen Unterschlupf zu suchen? Und warum stand er auf und steuerte auf den PKW zu, als der Lieferwagen auftauchte? In seinem Kopf machte es klick, und ihm wurde schlagartig klar, was hier gespielt wurde. *Das war eine abgekartete Sache!*

Der Lieferwagen blieb mit quietschenden Reifen vor dem Betrunkenen stehen, der den Fahrer anbrüllte und auf das Dach des Fahrerhauses trommelte. Der Fahrer stieg aus und schrie seinerseits den Betrunkenen an, er solle ihm aus dem Weg gehen. Die beiden Bodyguards gingen auf den Betrunkenen zu, während der Fahrer der Limousine ausstieg und die hintere Tür öffnete.

Plötzlich drehte sich der Fahrer des Lieferwagens auf dem linken Bein herum, hob das rechte und trat einem der Bodyguards ins Gesicht.

Verdammt!, dachte Harrison, als der kräftige Tritt den Mann gegen den Fahrer der Limousine stieß. Gleichzeitig verpasste der Betrunkene dem zweiten Bodyguard einen Faustschlag hinters rechte Ohr, woraufhin dieser bäuchlings auf dem Bürgersteig landete. Der Chauffeur griff unter seine Jacke, doch es gelang ihm nicht, die Waffe zu ziehen. Der Fahrer des Lieferwagens warf sich wütend auf ihn. Anstatt seinen rechten Fuß zu heben, blieb er in der Hocke und versetzte dem Bodyguard mit der Handkante einen Schlag auf die Brust.

Harrison verfolgte ungläubig den Kampf. Der Fahrer schlug seine Hände vor die Brust und taumelte ein paar Schritte zurück. Er hatte den Mund geöffnet, als wollte er schreien, doch es drang kein Laut über seine Lippen. Kurz darauf stieß der Fahrer ihm sein rechtes Knie in die Leiste.

Der Fahrer des Lieferwagens und der Betrunkene zogen Jackson Brasfield vom Rücksitz des Wagens und zerrten ihn in den Lieferwagen. Sekunden später raste das alte Fahrzeug die Straße hinunter. Der ganze Zwischenfall hatte höchstens dreißig Sekunden gedauert und war vorbei, ehe der Portier oder ein Gast aufmerksam wurden.

Harrison riss das Lenkrad herum und gab Vollgas. Die Hinterräder des Sportwagens drückten sich tief in den Schnee.

»Gib Gas, Harrison! Sie entwischen uns!«, schrie Pamela, die in den Sitz gepresst wurde, als Harrison wendete und hinter dem Lieferwagen herraste. Er schaltete blitzschnell und verringerte den Abstand auf zwei Häuserblocks. Seine Scheinwerfer waren nicht eingeschaltet.

»Gut gemacht, meine Herren«, sagte Brasfield, der zwischen seinen beiden bewaffneten Bodyguards im Lieferwagen saß.

»Das ging sauber über die Bühne«, freute sich Preston Sinclaire, der neben Hamed Tuani auf der Rückbank saß und aus dem Fenster sah.

»Folgen sie uns?«, fragte Brasfield Hamed Tuani.

Der Ägypter nickte. »Sie sind genau hinter uns.« Er zeigte auf den Wagen, der zwei Häuserblocks zurücklag und dessen Scheinwerfer nicht eingeschaltet waren.

Brasfield warf einen Blick zurück und sah die dunklen Umrisse des Wagens, als er an einer Straßenlaterne vorbeifuhr. »Gut. Jetzt führen wir unsere Freunde an einen Ort, an dem sie uns nicht entwischen können.«

Brasfield schaute wieder auf die Straße. Sie fuhren auf dem Highway 270 aus Washington heraus aufs schneebedeckte Land von Maryland, wo ein Schneesturm erwartet wurde.

Jackson Brasfield spürte, dass heute sein Glückstag war.

Harrison Beckett zog nervös an seiner letzten Zigarette. Die ganze Sache schmeckte ihm ganz und gar nicht. Er fuhr geradewegs in den Schneesturm hinein, der vor einer Stunde im Radio vorhergesagt worden war, und es sah nicht so aus, als hätte der Lieferwagen vor, anzuhalten.

Auch Pamela war nervös. Harrison sah, wie sie mit den Fingern spielte und auf ihrem Sitz hin und her rutschte. Sie hatte seit einer halben Stunde kein Wort mehr gesagt. Kurz nach Beginn der Verfolgungsjagd hatte sie ihre Jeans und ein langärmeliges Hemd angezogen. Sie fuhren definitiv in die falsche Richtung, und wenn etwas schief gehen sollte und sie gezwungen werden sollten auszusteigen, würden sie in ihren dünnen Hosen, den Turnschuhen und Lederjacken nicht lange durchhalten.

Die Sichtverhältnisse wurden immer schlechter, und Harrison musste den Abstand notgedrungen auf knappe zweihundert Meter verringern, wodurch sich die Gefahr, entdeckt zu werden, vergrößerte. Leider hatte er keine andere Wahl. Nachdem sie die Stadt verlassen hatten, musste Harrison die Scheinwerfer einschalten, um die Straße sehen zu können, aber auf der Autobahn konnte er zumindest den Abstand vergrößern. Auf dieser windigen Bergstraße, auf der sie jetzt fuhren, konnte davon nicht mehr die Rede sein. Er schaltete die Scheinwerfer aus und ließ nur das Standlicht brennen.

Die Sicht betrug weniger als vier Meter, und daher war seine volle Konzentration gefordert. Er musste die Kurven fast erahnen, damit er nicht in eine der schneebedeckten hohen Kiefern neben der Straße raste.

Der Lieferwagen verschwand hinter der nächsten Biegung. Harrison hielt das Lenkrad mit beiden Händen fest und kniff die Augen zusammen, um die Straßenführung nicht zu verfehlen. Hinter der Kurve blendete ihn helles Licht.

Eine Falle!

»Harrison!«

Seine geschulten Instinkte übernahmen das Kommando. Er blieb keine Sekunde stehen, schaltete herunter und riss das Lenkrad herum. Der Mustang schlitterte durch den Schnee, doch Harrison ging nicht vom Gas runter, wendete und fuhr mit quietschenden Reifen zurück. Die Reifenprofile drückten sich in die vereiste Straße. Der Schnee spritzte auf den Lieferwagen und die Limousine, die die Straße hinter ihm blockierten.

Pamela drehte sich um. »Sie folgen uns nicht!«

Da stimmt etwas nicht, dachte Harrison, während er auf die Kurve zuraste, aus der sie gerade gekommen waren.

Noch mehr Lichter.

»Verdammt!«

Die Verfolger hatten sie eingekeilt. Harrison Beckett sah eine Lücke im Wald und steuerte den Mustang in diese Richtung.

Als der Sportwagen die Straße verließ und über das unebene schneebedeckte Gelände raste, wurden sie beide von den Sitzen geschleudert.

»Au!«

Pamela klammerte sich mit beiden Händen am Armaturenbrett fest. Im nächsten Moment blieb der Mustang in einem tiefen Straßengraben stecken.

Harrison stieg aus und fing sofort an zu frösteln, als ihm der eiskalte Wind ins Gesicht blies. Pamela sprang ebenfalls aus dem Wagen. Sie rannten auf den dunklen Wald zu. Pamela fiel hin, und Harrison rannte fast zehn Meter weiter, bis er bemerkte, dass Pamela nicht mehr an seiner Seite war. Er kehrte um und hielt nach ihr Ausschau.

»*Pamela!*«

Zwei Schüsse durchbrachen die Dunkelheit, und sofort darauf rieselte der Schnee von den turmhohen Kiefern auf ihn nieder.

»Harrison!«

Das Schneegestöber nahm ihm die Sicht, doch er hörte einen Einschuss in unmittelbarer Nähe.

Harrison blinzelte durch den Schneesturm, der alles verdunkelte, und bog links in den Wald ein. Jemand machte Jagd auf ihn, aber nicht auf Pamela, die in der Nähe des Mustangs im Straßengraben kniete. Er konnte sie durch den Schneeschleier kaum erkennen.

Zu seiner Rechten zersplitterte eine Kiefer und dann eine zu seiner Linken. Die zahlreichen Einschüsse erschütterten die kalte Luft. Harrison begriff, dass er Pamela nicht erreichen konnte. Dunkle Gestalten umringten sie, und irgendwie war er erleichtert. Sie hätte hier draußen nicht überlebt. Auch er würde in dieser eisigen Kälte nicht lange ausharren können.

Als ein weiterer Schuss durch den Wald hallte, suchte Harrison hinter einer Kiefer Schutz. Er presste seinen Rücken gegen die kalte Borke und schaute über die rechte Schulter. Dunkle Gestalten liefen die Straße entlang.

»Harrison! Hilfe! Nehmt eure dreckigen Pfoten weg! Harrison! Harrison!«

Harrison Beckett schloss die Augen. Es durfte nicht noch einmal passieren! Sein Gefühl sagte ihm, dass Laylas Mörder da draußen war, um ihm die Frau zu entreißen, die er liebte. Ja, plötzlich wusste er, dass er Pamela liebte.

Drei Schüsse folgten schnell aufeinander und schlugen in der Kiefer ein. Harrison hörte die Schüsse und spürte seine Wut, in diese Falle getappt zu sein und Pamela verloren zu haben.

Nein, Harrison! Pamela ist in Sicherheit. Pamela ist in Si-

cherheit. Dieser Satz schoss ihm immer wieder durch den Kopf. Er musste daran glauben, musste es sich einreden, um seinen Jägern zu entkommen. Harrison vertraute seiner inneren Stimme, die ihm sagte, dass sie Pamela nichts antun würden, bis sie das Computerprogramm hatten.

Die Diskette!

Das war die Antwort. Er musste die Diskette holen, bevor Pamela ihnen das Versteck verriet. Sie würde zuerst Widerstand leisten, aber wenn sie Drogen einsetzten, wäre das nicht mehr möglich. Er könnte die Diskette gegen Pamelas Freiheit eintauschen. Das war seine einzige Chance. Es war Pamelas einzige Chance.

Jetzt ist keine Zeit, um die Lage zu analysieren! Beweg dich! Hau ab!

Der Schnee legte sich auf sein Gesicht, und der Wind brannte in seinen Augen, als Harrison immer tiefer in den dunklen Wald eindrang, um den Abstand zwischen sich und seinen Verfolgern zu vergrößern. Er nahm den Colt in die Hand und entsicherte die Waffe. Das kalte Metall fraß sich in seine Haut.

Zwei weitere Schüsse, woraufhin Schnee und Borke durch die Luft flogen. Harrison lief kreuz und quer durch den Wald. Nach kurzer Zeit ließen seine Kräfte nach. Die Glieder wurden immer schwerer. Die Beweglichkeit seiner Finger war schon so stark eingeschränkt, dass er nur noch mit Mühe einen Schuss aus der Automatik, die er in den gefrorenen Händen hielt, würde abfeuern können.

Harrison Beckett blieb keuchend stehen und versteckte sich hinter einem Baum. Die Gestalten liefen in seine Richtung. Halogenscheinwerfer durchdrangen die Nacht und suchten den Wald ab.

Harrison Becketts Glieder waren vor Kälte erstarrt. Er nahm eines der sich nähernden Lichter ins Visier und feuerte dreimal schnell hintereinander. Das Licht fiel zu Boden, und die beiden anderen Lichter verharrten einen Augenblick. *Einer erledigt. Bleiben noch zwei,* dachte er, als er weiterlief. Auf den kurzen Moment der Stille folgten zahlreiche Schüsse, als die beiden Killer ihre Verfolgung fortsetzten.

Die Kälte fraß sich in seinen Körper und entzog ihm die lebensnotwendige Wärme. Seine Körpertemperatur sank trotz des Laufens, und der Schnee wehte ihm ins Gesicht. Der ehemalige DIA-Agent spürte seine Arme kaum noch, und die Finger waren geschwollen. Benommen lief er weiter, rutschte auf einem glatten Stein aus, fiel bäuchlings in den Schnee und knallte mit der Schulter gegen den gefrorenen Stein. Er richtete sich mühsam auf, doch die Kälte und der Schmerz in der rechten Schulter und im Arm raubten ihm die Orientierung und benebelten seinen Verstand. Noch hielt er den Colt in der Hand.

Drei Schüsse holten ihn in die Realität zurück. Die Jäger näherten sich ihm. Er sah ihren Atem von den dunklen Gesichtern aufsteigen, als sie den Wald knapp zwanzig Meter entfernt absuchten.

Harrison zitterte am ganzen Leib. Der eiskalte Wind fegte über seinen Rücken. Er atmete die kalte Luft ein, atmete aus, noch einmal ein und lief weiter. Zu seiner Rechten zerbarst Borke, die ihm um die Augen flog und ihm einen Augenblick die Sicht nahm. Eine Sekunde später knallte er gegen eine Kiefer. Stechende Schmerzen schossen durch seine zerquetschten Rippen. Er fiel zu Boden, prallte gegen die Steine und Zweige, die der Schnee verdeckte, und schlug schließlich mit der rechten Schulter gegen eine andere Kiefer.

Harrison tastete durch den Schnee und Dreck auf seinem Bauch und versuchte aufzustehen, aber es gelang ihm nicht. Seine Beine gehorchten ihm nicht mehr. Der Wind fegte ihm durchs Gesicht und brannte in seinen Augen. Seine Hand war leer. Der Colt lag irgendwo im Schnee.

Ihm wurde speiübel. Er versuchte, den Brechreiz zu

unterdrücken, nahm seine ganze Kraft zusammen und zog sich an einem Ast hoch. Der Wind blies gnadenlos und fraß Löcher in seine Haut. Obwohl sein ganzer Körper erstarrt war, setzte er mit letzter Kraft einen Fuß vor den anderen, um den Verfolgern zu entfliehen.

Noch ein Schuss hallte durch die Nacht, und diesmal streifte die Kugel den Kragen seiner Jacke. Er änderte die Richtung, verlor das Gleichgewicht und fiel wieder in den Schnee. Von Schnee und Eis bedeckt und von entsetzlichen Schmerzen gequält, versuchte Harrison Beckett aufzustehen. Trotz größter Anstrengung gelang es ihm nicht. Er bekam kaum noch Luft, und sein Blick war verschwommen. Die dunklen Gestalten näherten sich bedrohlich mit ihren auf ihn gerichteten Waffen.

Harrison biss die Zähne vor Angst zusammen. Er hörte mehrere Schüsse und mobilisierte die letzten Kräfte – ohne Erfolg. Sein Körper war erstarrt. Harrison spürte keinen Einschuss. Das war nicht verwunderlich, denn er hatte kein Gefühl mehr. Sollte er hier im Schnee verbluten, würde er es gar nicht merken. Er blinzelte in die Dunkelheit, konnte seine Henker aber nicht sehen. Sie waren gegangen. Sie hatten ihn getroffen und ließen ihn hier zum Sterben zurück.

Auf einmal kam eine Gestalt auf ihn zu und riss ihn hoch. Brachten seine Mörder ihn weg? Warum ließen sie ihn nicht einfach hier in den kalten Wäldern sterben?

Harrison wollte den Mund öffnen, um zu erklären, dass ihm sein Schicksal gleichgültig sei. Sein Körper reagierte nicht mehr auf Befehle. Er war zu erschöpft. Ein Gefühl der Trostlosigkeit übermannte ihn, als langsam das Leben aus ihm wich.

Esther Cruz steckte ihre Smith & Wesson 659 in das Holster, legte einen Arm um die Schultern des Fremden und zog ihn aus seinem Schneegrab, in dem er in wenigen Minuten gestorben wäre. Esther hatte lange genug im Norden gelebt, um zu wissen, wie man sich hier kleidete, damit man in den Wäldern überlebte.

Ihre Instinkte machten sich bezahlt. Sie hatte sich einen FBI-Wagen besorgt und Jackson Brasfield den ganzen Nachmittag beschattet. Daher war sie auch Zeugin des Kidnappings vor dem Restaurant geworden. Nach einer gefährlichen Fahrt durch den Schneesturm wurde ihr klar, dass die Entführung des Generals inszeniert worden war, um Pamela Sasser und ihren Begleiter in eine Falle zu locken.

Sie zerrte den bewusstlosen Mann zu ihrem Wagen, der knapp zweihundert Meter entfernt, versteckt hinter dem gefrorenen Unterholz, am Rande der Straße stand. Mit einer kleinen Taschenlampe bahnte sich Esther den Weg durch den stockfinsteren Wald und folgte ihren eigenen Spuren, die schon wieder halb von Neuschnee bedeckt waren.

Sie legte Harrison auf die Rückbank. Pamela Sassers Beschützer war in übler Verfassung. Er atmete noch, aber Gesicht und Hände waren schon fast erfroren.

Esther Cruz nahm die Flasche Wild Turkey, die sie halb ausgetrunken hatte, ehe sie sich in die Wälder gewagt hatte, setzte sie an die Lippen des Fremden und träufelte ein paar Tropfen auf die blauen Lippen, die sich augenblicklich öffneten.

Der Körper reagierte schnell auf den hochprozentigen Alkohol, spürte die Leben spendende Energie und bat sofort um mehr. Esther ließ ihn noch ein paar Schlucke trinken, bevor sie die Flasche verschloss und losfuhr. Sie wusste nicht, wer dieser leblose Fremde auf der Rückbank ihres Wagens war, aber die erfahrene FBI-Agentin hoffte, dass er einige ihrer Fragen beantworten konnte.

Brasfield würde sofort erfahren, dass Harrison lebend entkommen war, wenn sein Killerkommando keinen Bericht ablieferte. Ihre Wohnung wurde mit Sicherheit von Brasfields Männern beschattet. Als die Scheinwerfer den Schneesturm durchdrangen, dachte sie über eine Möglichkeit nach, das Beschattungsteam zu ihrem Vorteil zu nutzen.

Allmählich entwickelte sie einen Plan, der allerdings ein großes Risiko barg, aber es war die einzige Möglichkeit, diesen Fall zu lösen. Wenn sie sich dem Verbrecherring nicht nähern konnte, musste sie die Verbrecher zwingen, sich ihr zu nähern.

Jackson Brasfield saß mit Preston Sinclaire auf der Rückbank der schwarzen Limousine. Pamela Sasser und drei von Brasfields Killern folgten in dem Lieferwagen.

»Pamela Sasser und Harrison Beckett sind ein ernsthaftes Problem«, sagte Brasfield. »Wir haben die Frau, doch wir können sie erst ausschalten, wenn wir sicher sind, dass es keine Kopie von diesem Computerprogramm gibt.«

»Beckett dürfte mittlerweile ausgeschaltet sein«, sagte Sinclaire, der auf die Uhr sah. »Hast du schon was von deinen Männern gehört, die hinter ihm her sind?«

Brasfield schüttelte den Kopf. »Keinen Funkkontakt, bis wir das Haus erreichen.«

Sinclaire nickte. »Wir müssen über Esther Cruz reden.«

Der stellvertretende Direktor des Militärgeheimdienstes senkte den Blick und erwiderte: »Ein Dutzend meiner besten Männer beschatten das Haus, in dem sie wohnt, und alle anderen Orte, an denen sie sich in der Regel aufhält. Früher oder später wird sie auftauchen, und dann ...«

»Dann bringst du sie um, nicht wahr? Wie im Parkhaus?«, sagte Preston Sinclaire, der auf das dunkle Land starrte.

»Diesmal geht nichts schief.«

Sinclaire schüttelte langsam den Kopf. »Das hast du schon mal gesagt.«

»Diesmal führe ich das Killerkommando persönlich an«, erwiderte Brasfield.

Sinclaire wandte ihm sein gebräuntes Gesicht zu und grinste ihn an. »Ach ja? Schön. Dann machst du dir jetzt also auch die Hände schmutzig. Freut mich, zu hören. Und was ist mit ihr?«

»In den Keller«, sagte Brasfield, der nicht auf Sinclaires sarkastische Bemerkung einging. »Sie wird uns alles sagen, was wir wissen wollen. Der Informant, den wir geschnappt haben, hat auch geredet.« Der General sah auf die Uhr. »Ich muss ins Pentagon.«

»Und wie erklärst du dein Kidnapping?«

»Ich bin ein ausgebildeter Geheimagent. Vergessen? Ich werde behaupten, dass ich eine kleine Gruppe von Terroristen, die mich ausschalten sollte, weil ich eines ihrer Trainingscamps in Übersee geschlossen habe, ausgetrickst habe. Das macht sich hervorragend in den Nachrichten und steigert meine Beliebtheit. Lass mich an der nächsten Tankstelle raus. Ich kümmere mich darum. Hamed sorgt dafür, dass die Frau redet.«

Fünf Minuten später hielt der Pkw an einer Texaco-Tankstelle. Sinclaire schaute dem General in die Augen. »Keine Fehler, Jackson. Esther Cruz muss sterben.«

»Wird sie«, antwortete der General, der ausstieg und die Tür zuschlug. Der Wagen raste davon.

Als Brasfield auf das öffentliche Telefon zuging, klingelte sein Pieper. Er sah sich die Nummer an, beschleunigte den Schritt, warf eine Münze in den Apparat und wählte die Nummer, die auf dem kleinen Display leuchtete.

»Wir haben sie gefunden«, sagte eine Stimme am anderen Ende der Leitung. »Wir haben Esther Cruz gefunden.«

13

Improvisieren und Siegen

*Jede Gefahr kann man auf verschiedene Arten
überwinden, wenn man bereit ist, alles zu tun
und zu sagen.*

Sokrates

WASHINGTON, D. C. *Samstag, 21. November*

Der Mann mit der Maske stieg sofort aus dem Lieferwagen, nachdem er in der dunklen, ruhigen Gasse hinter dem kleinen Wohnhaus angehalten hatte. Der Anführer der vier Mann starken Truppe hatte so etwas seit zehn Jahren nicht mehr gemacht, aber er war zuversichtlich, mit der Situation fertig zu werden.

Als er wendig wie eine Straßenkatze über den Bürgersteig schlich, wusste er, dass er Recht hatte. Der Anführer stieß die Hintertür auf und lief schnell über den abgenutzten Teppich durch die Eingangshalle, die zur Treppe führte. Es war ein Uhr morgens, und in dem Haus herrschte Stille. Die Bewohner schliefen mit Sicherheit.

Doch die Bewohner dieses dreistöckigen Gebäudes am Rande der Bundeshauptstadt interessierten den Anführer des Killerkommandos nicht. Er war hinter der Eigentümerin Esther Cruz her, der FBI-Agentin, die für Preston Sinclaire und sein Netzwerk zur Gefahr geworden war.

Einer der Spitzel hatte vor einer Stunde gesehen, dass Esther Cruz hier angekommen war. Das Ziegelsteinhaus verfügte über eine Garage mit Zugang zur Eingangshalle des

Gebäudes. Esther Cruz war in die Garage gefahren und hatte die Tür hinter sich geschlossen. Der Spitzel hatte seinen Vorgesetzten, den Anführer des Killerkommandos, sofort informiert. Der Befehl lautete, die Beschattung fortzusetzen und zu warten, bis Esther das Haus verließ. Die FBI-Agentin tauchte jedoch nicht auf.

Der Anführer, dem drei seiner Männer folgten, stieg schnell die Treppe hinauf. Esther Cruz wohnte im zweiten Stock.

★ ★ ★

Als Harrison Beckett, der auf einer Couch lag, mit den Augen blinzelte, sah er den Deckenventilator, der sich langsam drehte und immer wieder aus seinem Blickfeld verschwand. Der angenehme Duft frisch gebrühten Kaffees stieg ihm in die Nase. Er atmete tief ein und genoss die Wärme, die sich in ihm ausbreitete.

Wärme, Leben ... Pamela.

Als er sich streckte, erinnerten ihn die schmerzenden Gelenke sofort an seine Begegnung mit dem Tod. Allmählich klärte sich sein Blick, und die Erinnerung kehrte bruchstückhaft zurück. Er war durch den Schnee gerannt und hatte versucht, den Kugeln seiner Jäger zu entkommen, die ihm Pamela entrissen hatten. Die auf ihn geschossen hatten ... *Warum lebe ich noch? Wo bin ich?*

Harrison versuchte, sich aufzurichten, doch es gelang ihm nicht. Er war zu schwach. Sein Körper verlangte nach Ruhe, aber sein Verstand war hellwach. Pamela war in der Hand der Verfolger. Es blieb ihm nicht viel Zeit, denn sie würden Pamela zwingen, das Versteck der Diskette mit dem Computerprogramm preiszugeben.

Harrison musste nach Louisiana und den Universitätscampus absuchen. Er erinnerte sich genau an ihre Worte und das Versteck der Diskette. Zuerst einmal musste er herausbekommen, wo er war.

War er entführt worden? Wie und warum hatte er die Kälte überlebt? *Was, zum Teufel, war da draußen passiert?*

Harrison setzte sich hin und schaute sich um.

Er sah die unscharfen Umrisse einer Frau, die auf einem Stuhl an der anderen Wand des Zimmers saß. Um sie besser erkennen zu können, blinzelte er mehrmals. Es war eine Frau Mitte fünfzig mit grau meliertem schulterlangen Haar und einer markanten Nase. Die vollen Lippen über dem wohl geformten strengen Kinn grinsten den ehemaligen DIA-Agenten an. Harrison erinnerte sich an sie. Es war dieselbe Frau, die ihn fast enttarnt hätte, als er sie auf dem Parkplatz des Supermarktes außerhalb der Universität den Bruchteil einer Sekunde angestarrt hatte.

Als Harrison den Versuch machte aufzustehen, richtete die Frau eine Waffe auf ihn.

»Bleiben Sie, wo Sie sind.«

Harrison, den ihr strenger Ton ernüchterte, hob die Hände und setzte sich wieder auf das blaue Sofa. Er wandte seinen Blick von der Waffe ab und sah sich im Zimmer um. Alte, größtenteils teure Möbel standen auf dem braunen Teppich. Auf dem Couchtisch, der ihn von der Fremden trennte, stand eine Tasse dampfenden Kaffees. Durch die geöffnete Tür rechts von ihm sah er einen Kühlschrank, und links von ihm war ein kleiner Korridor. Da von unten dröhnende Rockmusik ins Zimmer drang, vermutete Harrison, dass sich diese Wohnung oder dieses Apartment nicht im Erdgeschoss befand. Er schlug die Beine übereinander und legte seine Hände auf die Oberschenkel.

»Sie waren so gut wie tot«, sagte die Frau in einem autoritären Ton, der zu ihrem strengen Aussehen passte.

Harrison erwiderte nichts und musterte die Fremde.

»Und Sie werden sterben«, fuhr sie fort, »wenn Sie mir

keinen guten Grund nennen, warum ich Sie am Leben lassen sollte.«

Harrison schaute auf die Tasse Kaffee, hob dann den Kopf und blickte in die strengen Augen der Fremden, die auf eine Antwort wartete.

»Nehmen Sie den Kaffee«, sagte sie und schwenkte die Waffe hin und her. Harrison sah, dass es eine Smith & Wesson 659 war. »Sollten Sie versuchen, mir den Kaffee ins Gesicht zu schütten, blase ich Ihnen das Gehirn aus dem Schädel.«

Möglicherweise ein Profi. Harrison beugte sich langsam vor, nahm die braune Tasse in die Hand und führte sie an seine Lippen. Der heiße Kaffee verbrannte ihm den Gaumen, aber er tat ihm gut und erwärmte ihn langsam von innen. Bevor er die Tasse wieder auf den Tisch stellte, trank er noch ein paar Schlucke.

»Ich höre«, sagte die Fremde. »Warum erzählen Sie mir nicht ganz einfach, wer Sie sind und was Sie mit Pamela Sasser zu tun haben?«

Obwohl Harrison keine Miene verzog, brachte ihn die Frage aus der Fassung. Wenn diese robuste Frau für Brasfield arbeitete, würde sie Harrison keine Fragen stellen, deren Antwort sie bereits kannte. Schließlich hatte Brasfield ihm persönlich die Mission übertragen. Andererseits könnte es auch ein Trick sein. Vielleicht gehörte sie zu Brasfields Soldaten und sollte Harrison weismachen, nicht zur DIA zu gehören.

Harrisons erster Gedanke war, sie hinzuhalten. Wenn sie tatsächlich eine von Brasfields Soldaten war, musste er auf jeden Fall Zeit gewinnen, um zu überlegen, wie er entkommen und die Diskette an sich bringen konnte. Wenn diese Frau allerdings *nicht* zur DIA gehörte, hätte Harrison die Möglichkeit, etwas Neues zu erfahren und vielleicht sogar Hilfe zu bekommen, um Pamela zu retten. Wer konnte diese

Fremde sein, wenn sie nicht zur DIA gehörte? FBI? Unwahrscheinlich. FBI-Agenten identifizierten sich, bevor sie jemanden verhafteten. Oder doch nicht? Und wenn diese Frau eine Undercover-Agentin war? Wenn das FBI dieses Gespräch auf Video aufzeichnete? Wie viele Personen hörten zu? Und wenn die Frau von der CIA war? Oder vielleicht vom Marine- oder Militärgeheimdienst? Möglicherweise war er auf einer ganz falschen Spur. Diese Frau könnte auch eine ganze normale Polizistin sein.

Es gab verschiedene Möglichkeiten. Harrison musste mehr über den beruflichen Hintergrund der Frau erfahren, bevor er Informationen an sie weitergab. Das Leben von Pamela Sasser hing von seinen nächsten Worten ab.

»Was haben Sie für ein Interesse an Pamela Sasser?«, fragte Harrison, der die Tasse in die Hand nahm und noch einen Schluck trank.

Die Fremde grinste ihn an. »Ich habe zuerst gefragt.«

»Wenn Sie zu denen gehören, die mich im Wald gejagt haben, müssten Sie die Antwort auf diese Frage kennen.«

»Ich gehöre nicht zu denen«, erwiderte sie mit finsterer Miene.

Harrison achtete weniger auf ihre Worte als auf ihre braunen Augen, in denen sich nicht nur Groll, sondern auch Aufrichtigkeit spiegelte. Die Antwort der Fremden ließ darauf schließen, dass sie nichts mit der DIA zu tun hatte, aber in den Fall verwickelt war. Andererseits war jeder Profi in der Lage, jeden beliebigen Gesichtsausdruck für jede Gelegenheit auf sein Gesicht zu zaubern. Harrison versuchte es damit, die Frau einer von drei Kategorien zuzuordnen: aufrichtig, aber kein Profi; ein aufrichtiger Profi oder ein hinterlistiger Profi. Aufgrund ihres ehrlichen Blicks, der ihre Aussage begleitete, schloss Harrison die Möglichkeit aus, sie könnte unaufrichtig und kein Profi sein.

»Beweisen Sie es«, sagte Harrison.

Sie stand auf, zog die Stirn in Falten, kniff die Augen zusammen und funkelte Harrison wütend an. Die Erschöpfung war ihr anzusehen.

»Jetzt hör mal zu, *Arschloch*«, sagte sie und wies mit der 659er auf Harrison. »Ich bin diejenige, die auf die Typen geschossen hat, die versucht haben, Sie und Pamela im *Cornstalk* in New Orleans zu töten. Und ich habe den vermummten Gestalten, die Sie mitten im Wald in gefrorenes Sushi verwandeln wollten, ein halbes Dutzend Kugeln in ihre Schädel gejagt. Wenn es nicht um meine persönlichen Interessen ginge, hätten Sie meinetwegen bis zum Frühjahr da liegen bleiben können. So, *Arschloch,* jetzt ist klar, auf welcher Seite ich *nicht* stehe, oder wollen Sie dieses blöde Spiel noch länger spielen, um mir auf den Zahn zu fühlen?«

Harrison trank den Kaffee aus und stellte die Tasse auf den Tisch. Dann presste er den Daumen auf die Unterlippe und musterte die Frau, die tief Luft holte und sich wieder auf den Stuhl setzte, mit kühlem Blick.

Das konnte natürlich auch ein Trick sein. Obwohl es stimmte, dass jemand im *Cornstalk* auf das Killerkommando geschossen hatte, erinnerte sich der ehemalige DIA-Agent genau, zumindest einen maskierten Killer gesehen zu haben, als Pamela und er sich neben dem Hotel versteckt hatten. Alles, was die Frau bisher gesagt hatte, könnte sie von Brasfield erfahren haben. Harrison beschloss, die Sache anders aufzuziehen. Die Tatsache, dass diese Frau ihn lebend gefangen genommen hatte, bedeutete, dass sie Informationen haben wollte, die Harrison besaß. Dieses Gespräch deutete auch darauf hin, dass diese Frau nicht im Besitz von Drogen war, sonst würde sie sich nicht mit so einem Plausch aufhalten. Harrison versuchte sein Glück.

»Was wissen Sie über Dr. Eugene LaBlanche?«, fragte Harrison.

Die Frau sah ihn misstrauisch an, dachte einen Moment nach und sagte: »Universitätsprofessor. Starb den Zeitungsberichten zufolge, die ich gelesen habe, an einer Herzattacke.«

»Glauben Sie immer, was in den Zeitungen steht?«

Die Fremde seufzte. »Sie sind genauso gut wie die Informationen, die der Presse zugespielt werden ... Hören Sie mal zu, mein Freund, die Leute, die hinter Ihnen her sind, haben mich fast erwischt. Das war heute Morgen. Ich habe Ihnen schon einmal gesagt, dass mir dieses Spielchen nicht gefällt.« Sie spannte den Hahn der 659er und richtete die Waffe auf Harrisons Leiste. »Was haben Sie mit Pamela Sasser zu tun? Ich würde mir an Ihrer Stelle sehr genau überlegen, was ich jetzt sage, sonst könnte heute der erste Tag Ihres Lebens sein, an dem Sie ohne Schwanz rumlaufen.« Die Frau warf Harrison eine kleine schwarze Brieftasche zu, die er öffnete. Auf einer Seite war eine Dienstmarke und auf der anderen ein Ausweis mit ihrem Foto.

Esther Cruz. FBI.

Harrison warf die Brieftasche auf den Tisch und schaute die FBI-Agentin nachdenklich an. Obwohl die Ausweise gefälscht sein konnten, beschloss Harrison, im Moment von der Echtheit der Papiere auszugehen, um zu sehen, ob ihn das weiterbrachte. »Zeichnen Sie das Gespräch auf?«

Die FBI-Agentin schüttelte den Kopf.

Harrison seufzte. Er konnte keinen großen Schaden damit anrichten, ihr bestimmte Informationen zukommen zu lassen. Wenn diese Frau für Brasfield arbeitete, würde sie die Informationen, die Harrison ihr jetzt offenbarte, bereits kennen. Falls Ausweis und Dienstmarke echt waren, wäre es nicht tragisch, wenn er ihr einige Informationen verriet. Vielleicht könnte ihm die FBI-Agentin sogar helfen.

Nach kurzer Überlegung, was er ihr verraten und was er für spätere Verhandlungen zurückhalten sollte, sagte Harrison in scharfem Ton: »Die DIA hat mich angeheuert, um Pamela Sasser umzubringen.«

Esther riss die Augen auf, neigte den Kopf zur Seite und schüttelte den Kopf. »Es war mir klar, dass Sie undercover arbeiten.« Sie zeigte auf den Tisch. Harrison sah seine braune Brieftasche neben dem dicken Kunststoffgürtel auf dem Glastisch liegen. »Drei unterschiedliche Führerscheine und US-Reisepässe, aber alle mit Ihrem Foto. Kreditkarten, die auf dieselben Namen ausgestellt sind, und ein Geldgürtel mit zehntausenden von Dollar. Ja, ich bin ganz sicher, dass Sie undercover arbeiten. Darüber sprechen wir später. Jetzt will ich zuerst mal wissen, warum die Militärs Sie angeheuert haben, damit Sie Pamela Sasser umbringen.«

»Die DIA behauptet, sie habe mit Dr. Eugene LaBlanche zusammengearbeitet und streng geheime Computertechnologie ins Ausland verkauft.«

»Haben Sie Dr. LaBlanche umgebracht?«

»Nein.«

»Warum haben Sie Pamela Sasser nicht umgebracht?«

Harrison dachte kurz über die Frage nach und entschied sich für eine ehrliche Antwort. »Die zahlreichen Verfolger haben mich misstrauisch gemacht.«

Esther lächelte. »Einer davon war ich. Ich habe Sie im *Residence Inn* in Aktion gesehen.«

Harrison nahm das mit ungerührter Miene zur Kenntnis.

»Und anschließend? Warum haben Sie Pamela Sasser nicht umgebracht, nachdem Sie sie entführt hatten?«

»Ich hatte das Gefühl, es handele sich hier um eine viel größere Sache.«

Esther grinste ihn an und entspannte sich ein wenig. Die Waffe war jetzt auf den Boden gerichtet. »Ach ja? Und warum interessiert Sie das? Sie sind doch nur ein Auftragskiller.«

»Das hat damit nichts zu tun. Ich wollte den Dingen auf

den Grund gehen. Und ich bleibe am Leben, weil ich vorsichtig bin«, erklärte Harrison in aufrichtigem Ton.

»Okay. Es geht vermutlich um eine große Sache, aber ich verstehe noch immer nicht, was Pamela Sasser damit zu tun hat.«

Harrison schaute auf seine Seiko. Seit der Schießerei im Wald waren schon fünf Stunden vergangen. Für Pamela Sasser zählte jede Minute. Er musste die Diskette an sich bringen, ehe die Killer es taten, sonst würde er sie verlieren.

»Hören Sie«, sagte Harrison Beckett, der sich nach vorn beugte, woraufhin Esther Cruz die 659er sofort wieder auf ihn richtete. »Pamela Sasser ist in großer Gefahr, und ich bin der Einzige, der weiß, wie wir sie lebend zurückbekommen.«

»Und wie?«

»Ich muss nach Louisiana und dort etwas holen, was die Killer unbedingt haben wollen.«

Esther Cruz schaute ihn wieder misstrauisch an, presste die Lippen aufeinander und blinzelte. Sie bemühte sich nicht mehr, ihre Mimik zu kontrollieren. »Und was soll das sein?«

Die Beantwortung dieser Frage barg ein großes Risiko. Wenn er der Fremden, die trotz alledem zu Brasfields Killern gehören könnte, die Wahrheit sagte, könnte er alles verlieren. Wenn er ausharrte und versuchte zu entkommen, könnte es zu spät sein, um Pamela zu retten. Außerdem schätzte er Esther Cruz so ein, dass sie ihm eine Flucht nicht gerade leicht machen würde.

Harrison war kein Spieler, aber jetzt musste er es versuchen. Er musste so schnell wie möglich die Diskette an sich bringen. »Ich werde dem FBI-Direktor die Geschichte erzählen, wenn er mir und Pamela Sasser Freiheit und Sicherheit garantiert.«

Esther schüttelte den Kopf. »Nein. Das FBI verhandelt nicht mit Verbrechern.«

»Diese Entscheidung liegt nicht bei Ihnen, oder? Ich

weiß, dass ich Informationen habe, mit denen ich Pamela Sasser retten kann, und vielleicht kann ich Ihnen helfen, Ihren Fall zu lösen, aber ich werde nicht darüber sprechen, ohne die volle Zusicherung des Direktors ...«

Harrison verstummte, als Esther aufsprang. »Pst«, sagte die FBI-Agentin, die einen Finger auf ihre Lippen presste. »Keinen Mucks.«

»Was ist los?«, flüsterte Harrison.

»Ich hab' im Treppenhaus Geräusche gehört.« Esther richtete die Waffe auf Harrison, schlich zur Wohnungstür und horchte.

Der Anführer des Killerkommandos stand mit der MP5, die auf das Schloss gerichtet war, vor der Tür. Seine Männer hatten fünf Minuten verloren, weil ihre Aktion im ersten Stock außerplanmäßig verzögert worden war. Ein alter Mann hatte mit einem Müllsack gerade seine Wohnung verlassen wollen. Der Anführer hatte keine andere Wahl gehabt, als ihm eine Kugel in den Kopf zu schießen. Anschließend hatten seine Männer die Leiche auch noch in die Wohnung schaffen müssen.

Der Anführer stellte seine Waffe auf Dauerfeuer ein, warf einen Blick in beide Richtungen und nickte. Seine Männer nickten zurück.

Der Anführer, der genau vor der Wohnungstür der Zielperson stand, drückte auf den Abzug. Die Holztür wurde von dem Kugelhagel zerfetzt.

★ ★ ★

Esther Cruz sprang von der Tür weg, als sie die Geräusche hörte.

»Was, zum Teufel, hat das zu bedeuten?«, fragte Harrison, der von der Couch aufstand.

Esther hob die Waffe und richtete sie auf seinen Kopf. »Hinsetzen, verdammt!«

Harrison setzte sich zwar nicht hin, bewegte sich aber auch keinen Millimeter. »Was ist da draußen los? Wer wohnt noch auf dieser Etage?«

Esther richtete die Waffe noch immer auf Harrison, während sie abwechselnd auf die Tür und den ehemaligen DIA-Agenten blickte, der drei Meter von ihr entfernt stand. »Niemand außer mir. Das Haus gehört mir. Die anderen Wohnungen auf dieser Etage sind nicht vermietet. Keine Bewegung, hab' ich gesagt!«

Esther öffnete die Tür einen Spalt, blickte auf den Korridor und schloss die Tür blitzschnell.

»Scheiße. Sie haben meine Wohnung umstellt«, sagte Esther mehr zu sich als zu Harrison. »Ich hatte Recht. Die Schweine haben mich aufgespürt.«

Harrison ging auf Esther zu. »Sie sind hier? Wie viele haben Sie gesehen?«

»Ich glaube vier. Sie stehen vor meiner Wohnung.«

»Vor Ihrer Wohnung? Ich dachte, dass hier ...«

»Eine meiner leer stehenden Wohnungen. Ich habe Ihnen doch gesagt, dass die Typen auch hinter mir her sind.«

Harrison nickte. »Wir müssen sie erledigen.«

»Was?«

»Wir werden sie erledigen. Wir beide.«

Esther schaute ihn ungläubig an. »Sie haben vielleicht Nerven.«

»Das meine ich verdammt ernst. Haben Sie noch eine Waffe?«

Esther runzelte die Stirn.

»Mein Gott! Wie sollen wir denn sonst ...«

Harrison verstummte, als sich Schritte näherten und erneut Schüsse zu hören waren. Esther und Harrison sahen sich in die Augen. Das Killerkommando näherte sich der

Wohnung. Sie würden das Haus nicht verlassen, bis sie alle Wohnungen durchsucht hatten.

»Verdammt! Keine Tricks, wer immer Sie auch sind.«

»Harrison Beckett.«

»Okay, *Mister Beckett*«, sagte Esther, die an ihm vorbeiging und einen Schrank öffnete. »Da.«

Harrison Beckett umklammerte die Beretta 92F, die Esther ihm in die Hand drückte. Mit geübten Fingern nahm er das Magazin mit fünfzehn Schuss aus der Beretta, überprüfte es auf Vollständigkeit und schob es wieder in die Waffe. Es dauerte nur Sekunden, bis der Profi die Waffe entsichert und durchgeladen hatte.

Wieder waren Schritte zu hören.

Esther umklammerte ihre Waffe mit der rechten Hand und richtete sie auf die Decke. Dann schaltete sie das Licht aus und stellte sich neben die Tür. Harrison übernahm die andere Seite. Der Lichtschein der Straßenlaternen vor den Fenstern drang durch die dünnen Gardinen und tauchte das Zimmer in mattes Licht.

Die Schritte verstummten. Harrison und Esther warfen sich auf den Boden und richteten die Waffen auf die Eindringlinge, die noch nicht durch die Tür gestürzt waren. Die Stille dauerte weitere zehn Sekunden an, die Harrison Beckett wie eine Ewigkeit erschienen. Dann dröhnte das ohrenbetäubende Schussfeuer in ihren Ohren. Holzsplitter und Teile des Schlosses und der Tür flogen ins Zimmer.

Zwei maskierte Männer in schwarzen Hosen und Pullovern folgten. Sie trugen Handschuhe und umklammerten mit beiden Händen ihre Maschinenpistolen, die den Raum mit Kugeln durchsiebten.

Harrison und Esther nahmen die Männer gleichzeitig unter Beschuss, während diese Möbel, Wände und Glas mit ihren schallgedämpften Automatikwaffen zertrümmerten.

Die beiden Killer fielen rücklings auf den Teppich. Ihre Waffen landeten vor Harrisons Füßen. Er nahm blitzschnell eine in die Hand, warf Esther die andere zu und schob die Beretta in seine Hose.

Sekunden später hörten sie schnelle Schritte. Die anderen Killer suchten das Weite. Als sich Harrison auf den Korridor rollte, hatten die Killer bereits das Erdgeschoss erreicht. Ein Motor wurde gestartet, der Wagen beschleunigte, blieb mit quietschenden Reifen stehen und raste mit Vollgas davon. Die Killer hatten sich aus dem Staub gemacht.

Harrison kehrte in die Wohnung zurück. »Sie sind weg. Profis.«

Esther, die neben einem der erschossenen Männer auf dem Boden kniete und ihm die Maske vom Gesicht riss, nickte.

»Kennen Sie den?«, fragte sie Harrison, der den Fremden musterte. Es war Ende zwanzig, hatte hellblondes Haar und einen Schnurrbart. Seine erloschenen blauen Augen starrten auf die Decke. Es war der Agent, mit dem sich Harrison nach dem Essen mit Jackson Brasfield auf der Treppe des Lincoln Memorial getroffen hatte.

»Einer von Brasfields Killern.«

Esther ging zu dem zweiten Toten, der ein Stück von dem anderen entfernt zu Boden gesunken war. Seine Brust war von vier Kugeln getroffen worden. Die FBI-Agentin zog ihm die Maske vom Gesicht und erstarrte.

»Was ist?«, fragte Harrison Esther, deren Oberkörper den Blick auf das Gesicht des Toten versperrte.

»Sehen Sie selbst.«

Harrison Beckett ging um Esther Cruz herum und warf einen Blick auf die zweite Leiche.

Er sah in das Gesicht des toten Generals Jackson T. Brasfield.

Zwei Stunden später ging der Direktor des FBI, Frederick Vanatter, durch die Absperrung, die die Polizei vor dem Eingang des kleinen Wohnhauses errichtet hatte. Der Direktor war hellwach, obwohl es erst kurz nach fünf Uhr morgens war. Nachdem er ein kurzes Telefonat mit Esther Cruz geführt und die unglaublichen Neuigkeiten erfahren hatte, war seine Müdigkeit blitzartig verschwunden. Bevor er hierher gefahren war, hatte er noch schnell am Dulles International Airport angerufen und einen sofortigen Flug nach Baton Rouge arrangiert.

Von zwei Bodyguards und zwei seiner engsten Mitarbeiter begleitet, stieg Vanatter die Treppe in der kleinen Eingangshalle in den zweiten Stock hinauf, wo sich Esther Cruz aufhielt.

Der Direktor marschierte an einem halben Dutzend Polizisten vorbei, die den Korridor bewachten, in die Wohnung, in der es stark nach Schießpulver roch. Im Wohnzimmer hielten sich ebenfalls ein halbes Dutzend Polizisten auf. Vanatter ging auf Esther zu, die mit dem Rücken an der Wand lehnte. Vor ihren Füßen lag ein Leichnam, der mit einer blauen Polizeidecke bedeckt war.

Esther Cruz drehte sich zu ihrem Chef um und stand auf. »Guten Morgen. Möchten die Herren einen Kaffee?«

»Mein Gott«, sagte Vanatter. »Wie sieht's denn hier aus?«

»Hier ist richtig aufgeräumt worden.«

»Schicken Sie alle raus«, befahl Vanatter einem seiner Assistenten. »Ich möchte ein paar Minuten mit Cruz allein sein.«

Der Agent nickte und drängte die Polizisten aus dem Zimmer. Der Direktor kniete sich neben die Leiche auf den Boden, hob die Decke hoch und betrachtete ein paar Sekunden Brasfields Gesicht.

»Und jetzt?«, fragte Vanatter. Er presste die Lippen zusammen und schüttelte ungehalten den Kopf, als er sich wieder aufrichtete.

Mutter Cruz rieb sich mit den Händen über die Augen. Nicht nur der Schlafmangel trieb sie an den Rand des Zusammenbruchs. Immerhin waren zwei Anschläge auf sie verübt worden. Hinzu kamen die Schießerei im *Cornstalk,* bei der sie fast draufgegangen wäre, und die Verfolgungsjagd in den eiskalten Wäldern.

Esther Cruz konnte tatsächlich kaum noch aus den Augen sehen. Sie blinzelte den Direktor an. »Als Erstes müssen unsere Leute in Louisiana ihre Positionen einnehmen. Beckett müsste in drei Stunden den Universitätscampus erreicht haben, und dann geht's los.«

»Wer steht ihm da unten zur Seite?«

»Wir haben eine ganze Reihe Agenten zu seiner Unterstützung abgestellt.«

Vanatter strich sich mit einer Hand über seinen kahlen Schädel. »Und was ist mit der Frau?«

»Sie haben Pamela Sasser, aber Beckett glaubt, dass sie ihr nichts antun werden, solange wir die Diskette haben. Er will verhandeln.«

Vanatter starrte tiefsinnig in die Ferne. »Wenn dieses Computerprogramm so wichtig ist, wie Harrison behauptet, können wir es ihnen doch nicht einfach übergeben.«

Esther seufzte. »Ich habe ihm mein Wort gegeben, dass wir ihm helfen werden, Pamela Sasser zurückzubekommen, Sir. Ich habe vor, mein Wort zu halten. Beckett musste mir seine Geschichte nicht erzählen. Brasfield hat ihn angeheuert, damit er Pamela Sasser umbringt. Und bei dem Treffen hat Beckett einen Mann gesehen, der angeblich zu der radikalen muslimischen Bruderschaft gehört. Beckett hat wenige Minuten nach der Schießerei im *Cornstalk* in New Orleans gegen diesen Mann gekämpft. Wir wissen auch von meinem Informanten bei der DIA, dass Brasfield Eugene

LaBlanche und Pamela Sasser umbringen wollte, weil dieses Computerprogramm eine Bedrohung für sein Netzwerk darstellt.«

»Inwiefern?«

»Zuerst helfen wir Harrison, Pamela zurückzubekommen, Sir. Dann wird er uns das und vieles mehr erzählen.«

»Das gefällt mir nicht, Cruz. Dieser Kerl könnte nur bluffen, damit er diese Frau zurückbekommt.«

»Vielleicht. Aber wir haben keine Alternative. Unser Hauptverdächtiger, General Jackson Brasfield, ist tot. Die Verbindung zum Netzwerk ist wieder einmal abgebrochen. Die Sache geht offensichtlich viel weiter als bis zum stellvertretenden Direktor der DIA, Sir. Harrison und Pamela sind unsere einzige Chance.«

»Scheiße. Wenn jemand in einer Position wie Brasfield geopfert werden konnte, wer steht dann an der Spitze des Verbrecherrings? Dieser Gedanke macht mir richtig Angst«, sagte Vanatter. »Wer ist dieser Harrison Beckett? Woher kommt er?«

»Teil unserer Abmachung war, dass ich keine Fragen stelle, die nicht zu unserem Fall gehören, und sich das FBI für seine und Pamela Sassers Sicherheit und Freiheit verbürgt.«

»Wenn sie überlebt.«

»Natürlich.«

Vanatter nickte. »Mich würde interessieren, ob wir im Computer etwas über Harrison finden. Nur um auf der sicheren Seite zu sein.«

Esther runzelte die Stirn. »Sir, ich habe ihm mein Wort gegeben.«

»Und das FBI steht zu seinem Wort, Cruz. Trotzdem können wir checken, wer dieser Typ wirklich ist. Rufen Sie die Spurensicherung. Sie soll in der ganzen Wohnung nach seinen Fingerabdrücken suchen.«

»Das wird nicht nötig sein, Sir.« Esther zeigte ihm eine Plastiktüte mit der Kaffeetasse, aus der Harrison getrunken hatte. »Ich habe seine Fingerabdrücke hier.«

Vanatter grinste Esther an.

»Vergessen Sie nicht, Sir, dass wir mit ihm ein Abkommen getroffen haben, und dabei ist es völlig gleichgültig, wer er ist. Wir helfen ihm, Pamela Sasser zurückzubekommen. Er hilft uns, den Verbrecherring zu knacken. Anschließend kümmern wir uns um ihn und Pamela Sasser. Falls seine Informationen dazu führen, den Verbrecherring auffliegen zu lassen, bekommt er das versprochene Geld.«

»Wenn ich an die Summe denke, sträuben sich mir die Nackenhaare, aber wir halten uns an die Abmachung. Trotzdem will ich wissen, mit wem wir es zu tun haben.«

Während Esther und Vanatter dieses Gespräch führten, bestiegen Harrison Beckett und vier FBI-Agenten die FBI-Maschine in Dulles. Der Direktflug nach Baton Rouge würde keine drei Stunden dauern.

MARYLAND *Samstag, 21. November*

Pamela Sasser stieg die Holztreppe hinunter, die vor einer Kellertür endete. Zwei Männer folgten ihr. Einer von ihnen war der bärtige Mann, mit dem Harrison in New Orleans gekämpft hatte. Er nannte sich Hamed.

Pamela wusste nicht, was sie erwartete, und Hamed hatte ihr verboten zu sprechen, wenn sie nicht dazu aufgefordert wurde. Die Beule an ihrem Kopf, der Bluterguss auf der linken Wange und die geplatzte Lippe erinnerten sie an den Schlag, den Hamed ihr verpasst hatte, weil sie es gewagt hatte, Fragen zu stellen. Er hatte so kräftig zugeschlagen, dass sie gegen einen Tisch geknallt war und die Besinnung verloren hatte. Als sie mit starken Kopfschmerzen aufgewacht war, lag sie gefesselt auf einem Bett. Jetzt brachten sie zwei Männer in einen anderen Raum.

Es machte sie schier wahnsinnig, dass bisher niemand nach der Diskette gefragt hatte. Niemand! Niemand hatte ihr überhaupt irgendeine Frage gestellt. Nachdem sie Harrison in dem verschneiten Wald aus dem Blick verloren hatte, hatten sie zwei bewaffnete Männer in einen Lieferwagen gestoßen, ihr die Augen verbunden und sie hierher gebracht – zu einem Haus mitten auf dem Lande. Sie wusste nicht, wo sie war. Die Fahrt hatte nicht lange gedauert – vielleicht knapp zwei Stunden. Vermutlich war sie in Virginia oder Maryland.

Sie stand vor einer Tür. Hamed ging an ihr vorbei, öffnete sie und stieß sie in den Raum.

»Beweg dich!«

Pamela fiel auf den Betonboden. Ihre Schulter und ihre Knie brannten, und die Kopfschmerzen kehrten augenblicklich zurück, aber sie sagte kein Wort. Sie sah im Geiste ihren Vater vor sich, der sie ins Schlafzimmer stieß und verprügelte, weil sie sich ihm verweigerte.

Pamela richtete sich mühsam auf. Ihre Knie und der linke Ellbogen waren aufgeschürft. Allmählich gewöhnten sich ihre Augen an das flackernde Oberlicht, und sie konnte die Gestalt erkennen, die mitten in dem großen Raum gefesselt auf einem Stuhl saß.

Es war ein kleiner drahtiger Mann, der nur Unterhosen und ein Hemd trug. Als er seinen Kopf langsam den Besuchern zuwandte, sah Pamela Sasser seine glänzenden Augen. Sie waren weiß und mit roten Streifen durchzogen. Blut, Schleim und weißer Schaum drangen aus seiner Nase und bedeckten die Oberlippe. Kinn, Nacken, Hemd und seine Unterhose waren mit Blut befleckt. Aber das war nicht nur Blut. Pamela sah schwarze Klumpen in dem Blut auf dem Boden neben dem Stuhl.

Der Mann atmete nicht normal. Er warf seinen Oberkörper hoch, hechelte nach Luft, kippte plötzlich nach vorn und erbrach sich. Pamela wich zurück, doch Hamed stieß sie ein Stück nach vorn auf den zuckenden Mann zu. Der Mann erbrach fast eine Minute lang immer wieder schwarzen Schleim. Er konnte eigentlich gar nichts mehr im Magen haben.

Als er sich nicht mehr erbrach, blieb er mit hängenden Schultern sitzen und starrte mit leerem Blick auf das schwarze Erbrochene.

»Schauen Sie sich Eddie López an«, sagte Hamed. »Er hat es gewagt, mir zu trotzen. Er hat verloren.«

Pamela war zu Eis erstarrt. Sie blickte benommen auf den Mann, der offensichtlich furchtbare Schmerzen litt.

»So verfahren wir bei uns zu Hause mit Verrätern. Zuerst haben wir seine Augen verbrannt – eins nach dem anderen. Anschließend wurde er gezwungen, fünf Liter Seifenwasser zu trinken, das mit ein paar Teelöffeln Bleichmittel versetzt war. Diese Lösung verursacht unerträgliche Schmerzen, da die Seife und das Bleichmittel die Magenwand und die Eingeweide wegfressen. Es kann Tage dauern, bis der Tod eintritt. Ich habe eine Stunde gewartet, bis die wahnsinnigen Schmerzen ihn zur Vernunft gebracht haben, und ihm dann angeboten, ihm eine Kugel in den Kopf zu jagen, wenn er mir die Informationen liefert, die ich haben will. Er hat mir *alles* gesagt.«

Hamed drehte sich zu Pamela um. »Wie gesagt, so verfahren wir in Ägypten mit Verrätern. Mit Männern. Frauen werden zivilisierter behandelt.«

Pamela starrte den bärtigen Mann trotzig an. Harrisons Erzfeind. Sie hasste alles an ihm. Er war Sinclaires Killer und für den Tod vieler Menschen verantwortlich – wahrscheinlich auch für die in Palo Verde. »Ist das der Grund, warum Sie noch am Leben sind?«, fragte sie in verächtlichem Ton. »Hat man Ihnen die *zivilisiertere* Behandlung zukommen lassen?«

Kaum hatte sie den Satz beendet, verpasste Hamed ihr eine schallende Ohrfeige. Sie fiel sofort zu Boden. Ihre Wange brannte, und ihr Kopf brummte entsetzlich. Sie spürte Hameds Hände auf ihrem Körper.

»Wo ist die Diskette?«, fragte er sie. Er kniete neben der auf dem Rücken liegenden Pamela, die nicht mehr klar denken konnte.

Sie hörte seine Worte kaum, denn die Schmerzen weckten alte Erinnerungen.

»Die Diskette!«, wiederholte Hamed, der ihre Oberschenkel umklammerte und sie an sich riss. »Wo ist sie?«

Pamela spürte die Hände ihres Vaters auf dem Körper. Der Geruch ihres Vaters stieg ihr in die Nase. Sie hörte seine Stimme und sah sein verzerrtes Gesicht, als er ihre Schenkel spreizte, um sich wieder an ihr zu vergehen. Das Schwein wollte sie vergewaltigen! Er hatte ihre Mutter verprügelt, und jetzt wollte er sich auf Pamela werfen. Aber sie würde es nicht geschehen lassen. Sie würde sich wehren!

Pamela spürte die Hände auf ihrer Jeans und hörte, dass der Reißverschluss geöffnet wurde.

»*Nein!*«

Zehn scharfe Fingernägel kratzten mit der ganzen Wut, die sich seit zehn Jahren in Pamelas Herzen aufgestaut hatte, durch sein Gesicht.

»Au!«

Sie hörte den Schrei des Mannes, der sie losließ und beide Hände vor sein blutendes Gesicht schlug. Als sie wieder zu sich kam, hörte sie andere Stimmen.

»Was geht hier vor?«, schrie ein anderer Mann.

Pamela stand schnell auf und zog den Reißverschluss hoch. Als Hamed vor Schmerzen auf die Knie sank, sah sie ein Gesicht, das sie zuvor nur im Fernsehen gesehen hatte.

Es war Preston Sinclaire in Gesellschaft mehrerer bewaffneter Männer. Der Präsident von Microtel trug eine blaue Jeans und ein rotes Baumwollhemd.

»Verdammt, Hamed! Ich habe Ihnen doch gesagt, Sie sollen mich rufen, wenn sie aufwacht!«

Der Ägypter richtete sich mühsam auf, drehte sich um und griff nach seiner Waffe. Pamela sah die tiefen Kratzer auf seinem Gesicht, und erst jetzt bemerkte sie, dass fast alle Fingernägel abgebrochen waren. Ihre Finger schmerzten so stark wie ihr Kopf, das Gesicht und die Rippen, aber sie hatte ihn von sich gestoßen.

Hamed zog die Waffe aus dem Holster, spannte den Hahn und richtete sie auf ihr Gesicht.

»Stop!«, schrie Sinclaire und stellte sich blitzschnell zwischen Pamela und Hamed. »Waffe runter! Ich brauche die Diskette!«

Hamed rührte sich nicht und starrte Pamela, die hinter Sinclaire stand und die Arme schützend auf ihre Brust presste, hasserfüllt an.

»Nehmen Sie die Waffe runter!«, wiederholte Sinclaire.

Langsam senkte Hamed Tuani die Waffe und sagte zu Sinclaire: »Wenn wir die Diskette haben, *gehört Sie mir!*«

Der Präsident von Microtel drehte sich zu Pamela um, als der Ägypter fluchend hinauslief.

»So, Miss Sasser. Endlich lernen wir uns kennen. Ich bin Preston Sinclaire«, sagte er freundlich, als lernten sie sich in einem Country-Club kennen.

»Ich *weiß,* wer Sie sind«, erwiderte Pamela, die sich mit dem Ärmel ihres Hemdes das Blut vom Kinn wischte. »Und ich weiß, was Sie wollen.«

Sinclaire neigte seinen Kopf zur Seite. »Reinigen Sie zuerst einmal Ihr Gesicht, und dann reden wir.«

»Danke, nicht nötig. Warum kümmern Sie sich nicht stattdessen um ihn?« Sie zeigte mit dem Kopf auf Eddie López.

Sinclaire grinste die schlanke Frau an und nickte dann einem seiner Bodyguards zu, der eine Maschinenpistole bei sich führte. »Sie haben gehört, was die Frau gesagt hat. Kümmern Sie sich um ihn.«

Der Bodyguard richtete die Waffe auf Eddie López und feuerte hintereinander drei Schüsse ab. Der Knall dröhnte in Pamelas Ohren, als die Kugeln Eddie López samt Stuhl in die Luft und anschließend zu Boden warfen. Aus seinem Gesicht und seiner Brust schoss das Blut.

Der Geruch des Schießpulvers lag in der Luft. Sinclaire wandte sich wieder Pamela zu, die vor Entsetzen erstarrte. »Möchten Sie, dass wir uns noch um jemanden kümmern, Miss Sasser?«

»Sie Mörder! Sie sind alle Mörder!«, schrie sie.

»Er war ohnehin so gut wie tot!«, sagte Sinclaire, der schulterzuckend auf den Leichnam blickte. »Wir haben ihn lediglich erlöst.«

Pamela holte tief Luft und presste die Lippen aufeinander. »Sie haben ihn kaltblütig ermordet, Mr. Sinclaire, genauso wie die Menschen in Palo Verde.«

Preston Sinclaire lächelte. »Jetzt kommen wir endlich zur Sache. Ich will die Diskette haben, Miss Sasser. Wo ist sie?«

»Vergessen Sie es!«

»Nein, Sie werden es mir sagen. So oder so, auf jeden Fall werden Sie es mir sagen.«

»Und wenn ich es nicht tue?«

Sinclaire schüttelte den Kopf. »Das wollen Sie doch sicher gar nicht wissen. Wenn Sie allen Ernstes glauben, Harrison Beckett würde Sie hier herausholen, haben Sie sich gewaltig geirrt. Meine Männer haben ihn getötet, nachdem wir Sie in unsere Gewalt gebracht haben.«

Pamela Sasser sah Sinclaire genau in die Augen. Sie erinnerte sich an Harrison Beckett in Aktion und sah im Geiste vor sich, wie er kämpfte, wie er mit ihr davonrannte und wie er sie gegen die Männer in den schwarzen Overalls verteidigte. Irgendwie spürte sie, dass er noch lebte.

»Sie lügen«, erwiderte sie im Brustton der Überzeugung, was sie selbst überraschte. Sie wusste nicht, warum sie angesichts des Todes so tapfer war. Vielleicht hatte es mit den Schmerzen in ihrer Jugend zu tun oder mit der Wende, die ihr Leben in den letzten Tagen genommen hatte. Vielleicht auch mit der Tatsache, dass sie einen Menschen getötet hatte. Auf jeden Fall wurde Pamela weniger von ihrer Angst als von ihrer ungeheueren Wut und Verachtung geleitet.

Sinclaire lächelte noch immer. »Tue ich das?«

»Beweisen Sie es mir«, sagte Pamela. »Zeigen Sie mir die Leiche, dann werde ich Ihnen sagen, wo die Diskette ist.«

Sinclaires Lächeln erlosch. »Sie sind in einer denkbar schlechten Position, um mit mir zu verhandeln. Außerdem steht mir nicht mehr der Sinn nach diesen kleinen Spielchen.« Er wandte sich an seine Bodyguards. »Helfen Sie Miss Sassers Erinnerung ein wenig auf die Sprünge. Bringen Sie sie nach oben.«

Als sich Sinclaire umdrehte und den Raum verließ, rissen die beiden Bodyguards brutal an ihren Armen. Pamela durchströmte dennoch ein Gefühl der Freude. Preston Sinclaire war nicht in der Lage, ihr Harrisons Leiche zu präsentieren. Das konnte nur bedeuten, dass Harrison noch lebte und versuchte, sie zu retten.

Aber wie?

Die Killer zerrten sie die Treppe hinauf in ein Badezimmer. Sinclaire war bereits anwesend und ließ Wasser in ein großes Waschbecken laufen. Durch ein vereistes Fenster neben der Badewanne drang zartes Sonnenlicht in den hell erleuchteten Raum.

Während einer von Sinclaires Bodyguards hinter ihr stand und ihre Arme auf dem Rücken umklammerte, gruben sich die Finger des anderen Mannes so fest in ihren Schädel, dass sie im ersten Moment glaubte, ihr Kopf würde zerspringen. Tapfer bemühte sie sich, die Schmerzen zu ertragen.

»Wo ist die Diskette, Miss Sasser?«

Die Diskette! Natürlich! Harrison beschafft die Diskette! Er weiß, wo sie ist, und versucht, sie zu beschaffen, um mich zu retten!

Bevor Sinclaires Handlanger ihren Kopf ins Wasser tauchte, holte Pamela tief Luft. Sie musste durchhalten und Zeit schinden, damit Harrison nach Louisiana fliegen und die Diskette aus dem Versteck holen konnte.

Als ihr Kopf schließlich ins Wasser gestoßen wurde, schloss sie die Augen und versuchte sich daran zu erinnern, wie viel Zeit vergangen war, seitdem sie in den Hinterhalt geraten waren. Wie lange war sie bewusstlos gewesen? Sie hatte draußen Licht gesehen, und darum mussten es mindestens zehn Stunden gewesen sein ... Luft. Sie brauchte unbedingt Luft, doch die Hand drückte ihren Kopf tief ins Waschbecken hinein. Sie hatte das Gefühl, ihr Brustkorb würde jeden Moment platzen, und sie musste gegen das übermächtige Bedürfnis einzuatmen ankämpfen.

Endlich riss die Hand, die sie ins Waschbecken drückte, sie an den Haaren hoch.

Luft!

Sie hatte noch Zeit einzuatmen, bevor ihr Gesicht wieder ins Wasser platschte. Eine Sekunde nach der anderen verging. *Wie viele? Zehn ... zwanzig ... dreißig.* Wieder legte sich starker Druck auf den Brustkorb. In ihrer Brust, den Armen und Beinen fing es an zu kribbeln. Der unerträgliche Kopfschmerz pochte in ihren Schläfen, hinter den Augen und im Nacken.

Als die Hand sie hochriss, hechelte sie hustend und keuchend nach Luft. Es dauerte einen Moment, bis sie Preston Sinclaire erkennen konnte.

»Wo, Miss Sasser? Wo ist sie?«, fragte er, ehe er auf die

Uhr schaute. Pamela konnte sehen, dass es fast zehn Uhr morgens war.

Fünf Sekunden herrsche Stille, und dann gab Sinclaire den Bodyguards ein Zeichen, ihren Kopf wieder ins Wasser zu stoßen.

»Warten Sie«, sagte sie, nachdem sie nachgerechnet hatte, wie viel Zeit seit ihrer Gefangennahme vergangen war. Es mussten etwa zwölf Stunden sein. Hinzu kam die Zeit, die sie brauchen würde, um die genaue Lage des Verstecks zu beschreiben, und die einer von Sinclaires Killern bräuchte, um die Diskette zu holen. Die Zeit müsste reichen. »Sie haben gewonnen. Ich werde Ihnen sagen, wo sie ist.«

Sinclaire lächelte, bedeutete seinen Handlangern, sie loszulassen, und reichte ihr ein Handtuch. »Ich wusste es.«

14

Identitäten

Die schlimmste aller Täuschungen ist die Selbsttäuschung.

Plato

Frederick Vanatter saß hinter dem großen Mahagonischreibtisch, als Esther Cruz das Büro betrat. In dem eleganten Zweireiher mit den Nadelstreifen sah Vanatter eher wie ein kahlköpfiger Don Corleone als der Direktor des FBI aus.

»Sie wollten mich sprechen, Sir?«, sagte Esther, die eine saubere Jeans, einen dicken Wollpullover und bequeme Schuhe trug. Sie fühlte sich entschieden besser, seitdem sie sich aus ihrer dem Kugelhagel zum Opfer gefallenen Wohnung frische Garderobe geholt und im Kellergeschoss des FBI, wo den Agenten ein Sportraum zur Verfügung stand, heiß geduscht hatte.

Vanatter bat sie herein. »Sie kennen Admiral Roman Keitherland, Cruz? Den Direktor der DIA.«

Esther Cruz war es schrecklich peinlich, den hoch gewachsenen grauhaarigen Direktor der DIA, der mit einem Buch in der Hand neben dem Regal an der linken Wand von Vanatters Büro stand, übersehen zu haben.

»O nein, Sir. Ich glaube, wir haben uns nie persönlich kennen gelernt.«

Keitherland lächelte Esther freundlich an. »Wie geht es Ihnen, Miss Cruz?«, fragte er in leisem Ton.

»Gut, Herr Admiral. Es ist mir eine Freude, Sie kennen zu lernen.« Der alternde Direktor der DIA, ein rechtschaffener Mann von siebenundsechzig Jahren, tat ihr Leid. Er würde in sechs Monaten in den Ruhestand gehen, und nun musste er die DIA mit einem angeschlagenen Ruf verlassen, weil ein korrupter Untergebener wie Jackson Brasfield unter ihm gearbeitet hatte. Aus Sicherheitsgründen wussten nur das ONI und das FBI über Brasfield Bescheid. Vanatter hatte es abgelehnt, den Direktor der DIA über den Tod und die Machenschaften des korrupten Generals zu informieren, um zu vermeiden, dass Informationen durchsickerten. Seit Brasfields Tod war nichts nach außen gedrungen, damit sich der Verbrecherring nicht urplötzlich in Luft auflöste.

Mit bleichen Händen und gerunzelter Stirn klappte Keitherland das Buch zu, stellte es wieder ins Regal und setzte sich gegenüber von Vanatter in einen Sessel. Esther nahm neben ihm Platz und schlug die Beine übereinander.

»Cruz, ich glaube, es gibt da etwas, was Sie über Harrison Beckett wissen sollten«, sagte Vanatter.

Esther beugte sich erstaunt vor, denn ihr entging der ernste Ton ihres Vorgesetzten nicht. »Ach ja?«

»Ich habe vorhin Harrisons Fingerabdrücke vom Computer checken lassen, und wissen Sie, was ich erfahren habe? Der Computer hat C-13 angegeben«, sagte Vanatter. Dieser Code war für Agenten des amerikanischen Geheimdienstes reserviert, die in Ausübung ihres Dienstes getötet worden waren.

»Wie bitte?«

»Sie haben ganz richtig verstanden.«

Esther schaute auf den blassen alten Mann in der weißen Marineuniform, die ihm zwei Nummern zu groß zu sein schien. Der Direktor der DIA nahm die Akte, die auf Vanatters Schreibtisch lag, in die Hand. Der Name Captain Daniel

Webster stand in großer schwarzer Schrift unten auf dem Aktendeckel.

Keitherland schlug die dicke Akte, in der auch Zeitungsartikel und Fotos abgeheftet waren, auf und blätterte sie durch. »Er ist einer von uns«, sagte er, während er das Foto eines Mannes in Postkartengröße herausnahm, das wenig Ähnlichkeit mit Harrison Beckett aufwies.

»Das ist der falsche Mann«, widersprach Esther. »Das ist nicht Harrison Beckett.

»Fingerabdrücke lügen nicht«, sagte Vanatter.

»Plastische Chirurgie«, fügte Keitherland leise hinzu.

Esthers Blick wanderte zwischen den beiden Männern der beiden mächtigsten Geheimdienste der Welt hin und her. »Wer ist er?«

»Was Sie jetzt hören werden, ist streng geheim«, sagte Keitherland. »Captain Daniel Webster war 1981 als Geheimagent der DIA in Kairo eingesetzt, um die Ermordung von Anwar Sadat zu verhindern. Unglücklicherweise wurde er zur Zielscheibe einer extremistischen Gruppe innerhalb des ägyptischen Militärs, die Sadat ausschalten wollte, um seine Friedensbemühungen mit Israel zu vereiteln. Korrupte DIA-Agenten unterstützten gemeinsam mit Angehörigen des Militärattachés der amerikanischen Botschaft das ägyptische Militär. Als sie aufdeckten, was Webster vorhatte, wurde er auf die schwarze Liste gesetzt.«

»Warum wollte die DIA, dass Sadat stirbt?«

»Militärverträge«, erwiderte der alternde Direktor der DIA. »Das Pentagon war in die Sache involviert. Offenbar kamen gewisse Militärs wie Brasfield mit Offizieren der DIA in Kairo zusammen, um Sadats Friedensbemühungen mit Israel zu vereiteln. Dadurch wären laufende Militärverträge über mehrere Milliarden Dollar hinfällig geworden.«

Esther schüttelte den Kopf und sah auf ihren Silberring. »Das waren diese Schweine, nicht wahr?«, fragte sie Vanatter schließlich. Sein Blick sprach Bände, und die erfahrene Agentin brauchte keine Antwort, um im Bilde zu sein.

»Verdammt! Wie viele Menschenleben müssen diese Dreckskerle noch zerstören, bevor wir sie schnappen?«

»Wir werden sie schnappen«, sagte Vanatter. »So nahe waren wir noch nie an ihnen dran. Das haben wir Ihnen und Harri ... Captain Webster zu verdanken.«

Esther spielte mit ihrem Ehering und fragte: »Was passierte danach mit Harrison?«

»Auf ihn wurde ein Killerkommando angesetzt«, erklärte Keitherland. »Er konnte jedoch entkommen. In Italien hat ihn schließlich ein anderes Killerkommando aufgespürt, und Webster starb bei einer Autoexplosion. Das dachten wir zumindest bis vor wenigen Stunden, bevor Ihr Direktor genauere Informationen eingeholt hat.«

»Aber wie konnte er denn ...«

»Er muss seinen eigenen Tod inszeniert haben, Miss Cruz. Es ist Ironie des Schicksals, dass wir ein paar Monate später Beweise für die große Ungerechtigkeit, die Captain Webster zugefügt worden war, erhielten. Einer der DIA-Agenten brach zusammen und verriet uns die Namen von vier anderen DIA-Funktionären. Bevor wir sie verhaften konnten, wurden sie alle umgebracht. Zwei starben bei Autoexplosionen. Die beiden anderen wurden in den Straßen von Kairo niedergeschossen. Auch derjenige, der gestanden hatte, starb durch Selbstmord. Um den Ruf der DIA zu schützen, wurden die Vorfälle vor der Presse geheim gehalten.«

»Und was passierte mit den Funktionären des Pentagon, die in die Sache verwickelt waren?«

»Nichts. Da alle Tatverdächtigen starben, wurde die Verbindung unterbrochen. Wir konnten sie nicht stellen. Nachdem wir noch ein Jahr erfolglos ermittelt hatten, wurde die Akte geschlossen. Wir hatten keine Anhaltspunkte, sondern nur eine Reihe von Toten. Vor fünf Jahren wurden die Ermittlungen erneut aufgenommen, nachdem ...«

Esther, die noch immer mit ihrem Ehering spielte, nickte. »Ich weiß.«

»Und jetzt taucht auf einmal dieser Daniel Webster wie aus heiterem Himmel auf«, fügte der Direktor der DIA hinzu.

»Mein Gott«, murmelte Esther, die auf ihrem Sessel zusammensackte. »Dann waren all diese Jahre ...«

»Er konnte es nicht wissen«, sagte Keitherland. »Die Verbindung war abgebrochen. Wir hielten ihn für tot, und er hatte sich offensichtlich eine neue Identität zugelegt.«

»Und einen neuen Job«, fügte Vanatter hinzu. »Wir dürfen nicht vergessen, dass der Kerl heute ein Killer ist.«

»Das stimmt«, sagte Esther. »Wir haben ihn zum Killer gemacht. Daniel Webster hatte keine andere Wahl, als Harrison Beckett, ein international gefragter Killer zu werden.«

Einen Augenblick herrschte Stille. Dann wandte sich Esther an Keitherland. »Da Brasfield jetzt tot ist, könnten wir uns doch seine Akten ansehen, oder? Vielleicht finden wir Beweise, die uns ...«

»Vergessen Sie nicht, dass Brasfield offiziell noch lebt«, sagte Vanatter.

»Richtig«, mischte sich Keitherland ein. »Zwei meiner zuverlässigsten Männer aus der Sicherheitsabteilung haben Brasfields Büro bereits durchsucht. Bisher haben sie nichts gefunden, außer ... Das wird Ihnen nicht gefallen, Miss Cruz.«

Esther wusste nicht, was sie noch zu erwarten hatte. Die Ungeheuerlichkeit dessen, was sie soeben erfahren hatte, war kaum noch zu übertreffen. »Was?«

»Sagt Ihnen der Name Eduardo López etwas?«

Esther Cruz lief es kalt den Rücken hinunter, als sie den Namen ihres Kontaktmannes im Pentagon und Keitherlands

Erklärung hörte. Ihr Kontaktmann war spurlos verschwunden und höchstwahrscheinlich von Brasfield ausgeschaltet worden.

Es herrschte bedrückende Stille.

»Cruz, haben Sie etwas von Harri ... Verdammt! Wie sollen wir ihn denn jetzt nennen?«, fragte Vanatter.

»Sein Name ist Harrison«, erwiderte Esther. »Und er müsste inzwischen die Universität von Louisiana erreicht haben.«

Vanatter stand auf, knöpfte seine Jacke auf, zog sie aus und legte sie ordentlich auf die rechte Seite seines Schreibtisches. Die braune Krawatte, das gestärkte weiße Hemd und die grauen Hosenträger kamen zum Vorschein. Er steckte die Hände in die Hosentaschen, drehte sich zum Fenster um und blickte auf die Skyline von Washington. »Verdammt! Es steht zu viel auf dem Spiel.«

»Unsere Spieler haben ihre Position auf dem Spielfeld eingenommen, meine Herren«, sagte Esther. »Wir müssen abwarten, wie sich die Dinge entwickeln.«

BATON ROUGE, LOUISIANA *Samstag, 21. November*

Der DIA-Agent bewegte sich durch die Menge, die sich vor dem Student's Union Building der Universität von Louisiana versammelt hatte. Die Jugendlichen lauschten gebannt den Worten eines Mannes mit langem Haar, der auf einer Bank stand und über die Politik der Studentenvertretung sprach. Dieser Platz wurde *Die Gasse der freien Meinungsäußerung* genannt. Hier versammelten sich jeden Nachmittag Studenten, um über das dringlichste Thema des Tages zu diskutieren. Sie wechselten sich auf dem provisorischen Podium ab.

Diese belanglosen Probleme interessierten den hoch gewachsenen Mann mit der dunkelbraunen Haut, der mit gesenktem Blick durch die Menge schlich, herzlich wenig. Er trug eine verwaschene Jeans, ein T-Shirt mit dem Logo einer Studentenvereinigung, weiße Turnschuhe, eine Baseballkappe und eine Sonnenbrille. Über seiner rechten Schulter hing ein rotgoldener Rucksack. In diesem Outfit fiel der Agent unter den Studenten überhaupt nicht auf. Er überquerte die Straße, ging zum Memorial Tower und bog am Fachbereich Anthropologie links ab.

Der Agent sah sofort die dichten Büsche auf der anderen Straßenseite des griechischen Amphitheaters, in dem ein Dutzend Akteure ein Drama einstudierten und doppelt so viele Studenten zuschauten. Mit gleichgültiger Miene näherte er sich einer Bank, die im Schutze wild wuchernder Büsche stand.

Er beugte sich hinunter und tastete mit seinen dicken Fingern die Unterseite der Bank ab, bis er an einen Gegenstand stieß, den er sofort abriss. Die 3,5-Zoll-Diskette steckte in mehreren Plastikbeuteln. Auf einem blauen Etikett stand: CSA-BU46. Er schob die Diskette in die Gesäßtasche seiner Jeans, nahm den Rucksack ab und zog ein kleines Funkgerät heraus.

»Alles klar. Ihr könnt mich abholen.«

»Schon unterwegs«, lautete die Antwort.

Der DIA-Agent eilte zur Westseite des Campus. Preston Sinclaire würde mit seiner Arbeit sehr zufrieden sein.

»Er hat das Objekt abgeholt«, sagte Harrison Beckett in sein kleines Mikro, das unter dem Revers versteckt war. Er saß mit einem Buch in der Hand in der Nähe des Fahnenmastes mitten auf dem freien Gelände vor dem Student's Union Building. Auch er fiel in seiner Jeans, dem roten T-Shirt und mit der Sonnenbrille unter den Studenten überhaupt nicht auf. Ein paar Dutzend Jugendliche, die mit Büchern auf dem gepflegten Rasen saßen und die Sonne genossen, und das

Pärchen, das ein paar Meter weiter rechts neben ihm saß und sich in die Augen schaute, waren ähnlich gekleidet.

»Bestätige. Er hat das Objekt abgeholt«, erwiderte der Special Agent des FBI, der sich unter die Studenten vor dem Amphitheater gemischt hatte.

»Lasst ihn gehen. Ich wiederhole. Lasst ihn gehen«, sagte Harrison, der sich zwingen musste, dem Mann, der gerade um die Ecke bog, nicht zu folgen. Harrison hatte bereits alles eingefädelt, um seinen Plan zu realisieren, und der ehemalige DIA-Agent konnte nur hoffen, dass er funktionierte. Pamela Sassers Leben stand auf dem Spiel.

15

Feinde

Wenn wir einen Menschen hassen, so hassen wir in
seinem Bild etwas, was in uns selber sitzt.

Hermann Hesse

MARYLAND *Samstag, 21. November*

Es war spät am Abend, als Hamed Tuani die Diskette in der Bibliothek des viktorianischen Herrenhauses in den Microtel-Computer steckte. Hinter ihm stand Pamela Sasser. Preston Sinclaire saß von drei Bodyguards flankiert am Tisch.

Hamed starrte gebannt auf den Monitor, auf dem er das Menü des Computerprogramms erwartete. Es tat sich nichts.

»Was hat das denn zu bedeuten?«, schrie Hamed, während er über seine rechte Schulter auf Pamela Sasser schaute.

Pamela sah blass aus. Ihre rechte Wange war von blauen Flecken übersät, und ihre Lippen waren geschwollen. Sie atmete tief ein und schüttelte den Kopf. »Ich weiß es nicht. Vielleicht ist sie beschädigt worden.«

»Wenn Sie uns angelogen haben ...«, sagte Sinclaire in drohendem Ton. Er funkelte Pamela Sasser wütend an.

»Ich habe Ihnen alles gesagt, was ich über das Computerprogramm weiß«, sagte sie. »*Alles.*«

Hamed legte die Diskette noch einmal ein und gab einen UNIX-Befehl ein, um auf den Inhalt der Diskette zugreifen zu können. Sofort darauf erschien in der Mitte des Zwanzig-Zoll-Monitors die Information:

UNIX Version 8.0.1
Laufwerk A
Dateien >>>Kairo.TXT
Datenende

Kairo? Webster!
Hamed lehnte sich auf dem Ledersessel zurück und blickte verächtlich auf den Monitor. *Das war unmöglich!*

Er klickte mit Hilfe der Maus die einzige Datei auf der Diskette an. Der Dateiname wurde schwarz, und auf dem Monitor war sekundenlang nichts zu sehen, bis eine Nachricht erschien.

Hamed las die beiden Abschnitte langsam durch. Als er alles gelesen hatte, las er die Nachricht abermals durch. Er fasste sich mit der Hand ans Ohr und erinnerte sich an den Tag in Kairo, den kurzen Zweikampf mit dem abtrünnigen DIA-Agenten und die unerträglichen Schmerzen in seiner Brust und seinem aufgeschlitzten Unterleib, aus dem die Eingeweide hervorquollen.

Nur durch ein Wunder Allahs hatte er überlebt.

Ja, Hamed hatte gegen den teuflischen Daniel Webster schon einmal gekämpft und verloren. Zuvor hatte er jedoch Layla Shariff liquidiert, die Hure, die Daniel Webster in die Arme geschlossen hatte, nachdem er den sterbenden Hamed keine zwei Meter entfernt zurückgelassen hatte. Hamed Tuani hatte nach dem Kampf nicht das Bewusstsein verloren. Trotz der unerträglichen Schmerzen hatte er die Klagerufe des Amerikaners hören können.

Hamed Tuani hatte Daniel Webster schon einmal Leid zugefügt. Und diesmal würde er ihn noch stärker büßen lassen. Die Worte, die er soeben gelesen hatte, konnte nur jemand geschrieben haben, der diese Frau innig liebte. Der ehemalige ägyptische Oberst wusste ganz genau, wie er diese Gefühle zu seinem Vorteil nutzen konnte.

Hamed stand auf und sagte zu Preston Sinclaire: »Wir sind ausgetrickst worden. Er schlägt einen Handel vor.«

»Was?«, rief Sinclaire, der ebenfalls aufstand. »Einen Handel?«

»Ja. Die Diskette gegen die Frau.«

»Mein Gott!«

»Er verlangt auch, dass ich ihm die Frau persönlich überbringe.«

»Bringt sie weg!«, schrie Sinclaire. »Ich will sie nicht mehr sehen!«

Als die Bodyguards Pamela wegbrachten, sank der Präsident von Microtel auf einen Stuhl und schlug die Hände vors Gesicht. »So eine verdammte Scheiße! Wir sind verloren, wenn wir zustimmen, und wir sind verloren, wenn wir es nicht tun.«

»Es gibt noch einen Ausweg«, sagte Hamed.

»Und welchen?«

»Ich überbringe die Frau und komme mit der Diskette zurück.«

»Sie sind ja verrückt, Hamed. Es wird dort von FBI-Agenten nur so wimmeln. Ich habe von den Männern, die Webster umbringen sollten, nichts mehr gehört. Und die Männer, die Brasfield angeführt hat, um Esther Cruz auszuschalten, sind auch verschwunden. Wir müssen davon ausgehen, dass Brasfield tot ist und Webster und Cruz sich gegen uns verbündet haben. Dieses Treffen ist eine Falle.«

»Vermutlich«, stimmte Hamed zu. »Wenn sie zusammenarbeiten, weiß das FBI von der Existenz der Diskette. Aber mit Bestimmtheit können wir das nicht sagen. Webster behauptet, allein zu arbeiten. Da niemand unseren Agenten abgefangen hat, als er die Diskette auf dem Campus an sich genommen hat, könnte es stimmen. Vergessen Sie nicht, dass Webster ein Geächteter, ein Verbrecher ist. Er wird vermutlich versuchen, dem FBI aus dem Weg zu gehen. Zudem ist er ein Einzelgänger.«

»Das gefällt mir trotzdem nicht«, sagte Sinclaire.

»Wir haben keine andere Wahl. Wenn wir nicht auf sein Angebot eingehen und die Frau töten, werden das FBI und vermutlich die Nuklearkontrollbehörde die Diskette in die Hand bekommen. Angesichts der Lage sind wir gezwungen, uns mit ihm zu treffen ... Oder wir lösen hier alle Konten auf und gehen nach Südamerika.«

»Das habe ich bereits veranlasst. Ich will verdammt sein, wenn ich den Rest meines Lebens hinter Gittern verbringen sollte, nachdem ich so hart gearbeitet habe. Falls Webster das FBI bereits kontaktiert hat, müssen wir auf Plan B zurückgreifen«, sagte Sinclaire, der in der Bibliothek auf und ab ging. »Aber selbst wenn wir auf seinen Vorschlag eingehen, muss Pamela Sasser sterben.«

»Und sie wird sterben«, erwiderte Hamed, der sich über den Bart strich. »Ich weiß, wie wir die Diskette bekommen und den Verräter Webster und seine neue Hure ein für alle Mal ausschalten, selbst wenn das FBI auf seiner Seite steht.«

»Wie, zum Teufel, wollen Sie das denn anstellen?«

Hamed lächelte.

FBI-ZENTRALE, WASHINGTON, D. C. *Samstag, 21. November*

Harrison Beckett, dem vor Erschöpfung speiübel war, wurde von drei FBI-Agenten begleitet, als er die Treppe zum vierten Stock des J. Edgar Hoover Gebäudes hinaufstieg. Dort erwarteten ihn Frederick Vanatter, Esther Cruz und ein dritter Mann. Harrison erkannte den dürren Mann in der weißen Marineuniform sofort. Es war Roman Keitherland, der Direktor der DIA.

Vanatter, der ein zerknittertes weißes Hemd mit aufgekrempelten Ärmeln trug, saß hinter seinem Schreibtisch und hielt eine heiße Tasse Kaffee in der rechten Hand. Er hatte die beiden obersten Hemdknöpfe geöffnet und seine Krawatte gelockert. Esther Cruz und Keitherland saßen Vanatter gegenüber.

Als die drei Agenten den Raum verlassen hatten, ging Esther auf Harrison zu und warf ihm einen gequälten Blick zu. »Ich sage es Ihnen nur ungern, aber ich fürchte, wir wissen, wer Sie wirklich sind.«

Harrison Beckett stand erstarrt neben der Tür des großen Büros. Er musterte die drei Anwesenden und wusste nicht, was er sagen sollte. Wie würden das FBI und die DIA die Nachricht aufnehmen, dass der Mann, mit dem sie zusammengearbeitet hatten und der sie zu dem Verbrecherring führen konnte, vor vielen Jahren von der DIA auf die schwarze Liste gesetzt worden war?

Keitherland stand auf und sah ihn freundlich an, womit Harrison Beckett nicht gerechnet hatte.

»Guten Tag, Daniel Webster.«

Harrison Beckett hörte, wie der Mann in einem etwas heiseren Ton seinen Namen aussprach, den er seit den Ereignissen in Rom nicht mehr gehört hatte. Plötzlich vernahm er noch eine andere Stimme. Harrison rieb sich über die Ohren. Der Fremde flehte in rauem Ton um sein Leben, als zwei Daumen ihm unerbittlich die Luft abschnürten. Wie Paukenschläge hallten die Worte in Harrisons Kopf: *»Bitte ... nein ... ich will nicht sterben ...«*

Harrison schloss unwillkürlich die Augen und presste seine Hände gegen die Schläfen. Er wollte dieser Welt entfliehen, die ihn immer wieder an seine Sünden und an Rom erinnerten.

Der geächtete DIA-Agent Captain Daniel Webster entkam der Liquidierung. Seine Informantin, Layla Shariff, wurde

*am Einsatzort liquidiert. Webster muss mit äußerster Dring-
lichkeit ausgeschaltet werden.*

Das war damals das Leben von Daniel Webster. Das waren seine Lebensbedingungen: töten oder getötet werden –
das Paradoxon eines Geächteten.

Harrison öffnete langsam die Augen, senkte die Arme und
blickte auf die bestürzten Anwesenden. »Ich ... mein Name
war Daniel Webster, DIA-Agent, Code A45821BXZ. Am
ersten Oktober 1981 wurde meine Liquidierung angeordnet,
und am 12. November 1981 wurde ich in Rom liquidiert.«

Esther Cruz ging auf Harrison Beckett zu und strich ihm
über die Schulter. »Sie verstehen es nicht, nicht wahr?«

Harrison schaute in das erschöpfte Gesicht seiner neuen
Kollegin. »Was gibt es da zu verstehen?«

»Der Liquidationsbefehl war ein Irrtum, Mr. Webster«,
sagte Keitherland in sachlichem Ton.

Harrison starrte den alternden Direktor der DIA schweigend an. *Ein Irrtum?* Das Pentagon hatte den Befehl persönlich erteilt. Nur das Pentagon, der Direktor der DIA, hatte
die Macht, einen Agenten zum Abschuss freizugeben.

»Wir haben den Irrtum sechs Monate nach der Autoexplosion in Rom erkannt«, fügte Keitherland hinzu.

Harrison, vor dessen Augen sich alles drehte, trat einen
Schritt zurück. Er hatte Angst, zu Boden zu sinken. *Sechs
Monate später! Siebzehn Jahre lang* war er auf der Flucht
gewesen und hatte mit der stetigen Angst, die DIA könnte
eines Tages das Täuschungsmanöver in Rom aufdecken, und
mit seiner Schuld gelebt. Mit dieser *verfluchten* Schuld,
zwei unschuldige Menschen getötet zu haben!

»Nach all den Jahren«, murmelte Harrison, der am ganzen Körper zitterte. »Nach all den Jahren des Versteckspiels,
nach all den Albträumen ... O mein Gott ...«

Esther führte Harrison zu einem Sessel. »Der Albtraum
ist vorbei.«

16

Unerwartete Schwierigkeiten

*Wenn unsere Taten zeitweilig das Leben anderer zu
erschweren scheinen, dann nur, weil die Geschichte
das Leben aller erschwert hat.*

John F. Kennedy

WASHINGTON, D. C. *Samstag, 22. November*

Mutter Cruz stellte die schwere Tasche auf den
nassen Boden der Kanalisation ein paar Meter unterhalb der
Straße gegenüber dem Lincoln Memorial. Der Gestank des
faulenden Wassers stieg ihr in die Nase, als sie die Tasche
öffnete und die Kevlar-Weste herausnahm, die sie über ihre
dünne schwarze Strickjacke zog. Ihre Hose war ebenfalls
schwarz.

Nachdem Esther die schusssichere Weste mittels der
Klettverschlüsse richtig befestigt hatte, beugte sie sich vor
und zurück und ließ die Arme kreisen, um sicherzustellen,
dass ihre Beweglichkeit durch die Schutzweste nicht beein-
trächtigt wurde. Dann befestigte sie die dicken Schutzpols-
ter auf Ellbogen und Knien.

Über den Schutzpanzer zog sie die Weste mit der Ausrüstung. Diese hatte eine ganze Reihe von eingenähten und
aufgenähten Taschen und einen stabilen Reißverschluss.
Esther steckte zwei Nebelgranaten in die aufgenähten Taschen über der rechten Hüfte und eine Taschenlampe in die
Tasche über der linken Hüfte. Die Smith & Wesson 659
schob sie in die Tasche in der Mitte der Weste, die mit ei-

nem Klettverschluss gesichert wurde. Genau darunter steckte ein Ersatzmagazin mit fünfzehn Schuss, das schon befestigt war.

Esther sprang mehrmals hoch, überprüfte ihre Beweglichkeit in der schweren Weste und lauschte auf Geräusche. Es war nichts zu hören. Jetzt nahm sie die bereits zusammengesetzte Heckler & Koch PSG-1 Infrarotmaschinenpistole aus der Tasche, die über das schnellste Dauerfeuer mit höchster Treffsicherheit für weite Ziele verfügte.

Von den drei Magazinen mit zwanzig Schuss schob sie eins ins Gewehr und verstaute die beiden anderen in einer aufgenähten Tasche neben der 659.

Anschließend zog Esther eine schwarze Skimaske über den Kopf, in der Schlitze für die Augen eingearbeitet waren. Sie hängte sich die Waffe über die Schulter, nahm die Taschenlampe in die Hand und ging auf eine Stelle zu, die sie sich genau eingeprägt hatte.

Als sie unter dem etwa einen Meter breiten Hohlpfosten ankam, an dem eine große Werbetafel in der Nähe des Denkmals befestigt war, fasste sie an den Griff direkt über ihrem Kopf.

Die schwere Metalltür sprang auf. Sie führte zu einem senkrechten Tunnel mit einer Metallleiter an der Seite. Esther stieg die Stufen hinauf, bis sie vor einer zweiten Tür stand. Neben dem Griff befand sich ein Kombinationsschloss.

Die FBI-Agentin richtete die Taschenlampe auf den Griff, gab eine Nummer ein und drehte an dem Griff. Diesmal musste sie die runde Tür aufstoßen. Nachdem sie durch die Öffnung gekrochen war, schloss sie die Tür und schaute nach oben. Der lange senkrechte Tunnel, der in Wahrheit der hohle Teil des Pfostens war, verfügte auch über eine Metallleiter an der Seite. Esther stieg die zahlreichen Stufen nach oben hinauf.

Fünf Minuten später erreichte sie am Ende der Leiter einen dritten Griff der letzten Tür, die sie langsam nach unten senkte.

Die Sonne blendete sie. Sie blinzelte mit den Augen, um sich an das Licht zu gewöhnen, und wartete ein paar Minuten, bevor sie den Kopf hinausstreckte und ihren Blick über das Gebiet schweifen ließ. Ihr Blick auf das Denkmal, den Reflecting Pool und das Washington Monument war ausgezeichnet.

Der Pfosten endete an der Oberkante der Werbetafel. Er war von der Straße aus nicht zu sehen und lag vor dem Reflecting Pool. Esther Cruz sah Harrison Beckett, der am Ende des Pools auf dem Rasen auf und ab ging.

Nachdem sie den kurzen Kolben der PSG-1 unter ihre Achsel geklemmt und den Kopf auf die Schulter gelegt hatte, schaute sie durch das Hendsoldt Zielfernrohr, das für weite Entfernungen nicht besonders gut geeignet war. Sie schätzte ihre Schussweite auf etwa fünfhundert Meter und regulierte die Entfernung für ihre Zwecke.

Aufgrund der schwarzen, glänzenden Rückwand der Werbetafel und des hellen Sonnenlichts fiel Esther nicht auf. Sie zog das Funkgerät aus einer mit Klettverschluss verschlossenen Tasche und stellt es auf Main One ein. Für die Operation waren zwei Gesprächskanäle vorgesehen. Auf der ersten Frequenz, Main One, wurde die Verbindung zwischen allen Agenten und Harrison sichergestellt. Die zweite Frequenz, Main Two, übertrug das Output eines Audio-Verstärkers, der mit einer Parabolantenne von einem halben Meter Durchmesser verbunden war, die zwei FBI-Agenten oben auf dem Lincoln Memorial kontrollierten. Einer der beiden Agenten, der Main Two kontrollierte, musste jeden, der auf Main One zuhörte, auf den neuesten Stand bringen, wenn die Operation begonnen hatte. Ihre Leute hatten das ganze Gebiet durchkämmt und nichts gefunden. Keine Spitzel, keine Heckenschützen oder Bodyguards waren in der Nähe des West Potomac Parks gesichtet worden. Esther sah nur FBI-Agenten durch ihr Zielfernrohr: Pärchen, die leere Kinderwagen schoben; Touristen und Besucher, die das Vietnam Veterans Memorial besichtigten; Jogger, die auf dem Pfad neben dem Fluss herliefen; zwei Dutzend Touristen, die vor den Stufen des Lincoln Memorial standen, Fotos schossen und den Worten ihres Fremdenführers lauschten. All diese Personen waren bewaffnete FBI-Agenten, die auf ihren Einsatz warteten. Bis sie den Befehl zum Einsatz erhielten, spielten sie ihre Rollen. Esther Cruz gab die Befehle, und niemand würde ohne ihren Befehl eine Bewegung machen.

Esther war zufrieden. Sie bedeckte sich mit einem schwarzen Poncho, beobachtete durch das Zielfernrohr den Park und ließ ihren Blick vom Reflecting Pool am Vietnam Veterans Memorial vorbei bis zur Constitution Avenue wandern. Dann überprüfte sie die andere Seite des langen Pools bis hin zum Potomac.

Alles klar.

Harrison Beckett trug einen blauen Overall und eine schusssichere Weste. Er zog noch einmal an seiner Zigarette und schaute zum fünften Mal innerhalb von drei Minuten auf die Uhr. Allmählich wurde er ungeduldig, und er wusste, dass das ein Fehler war, aber er konnte nichts dagegen tun. Bei dem Gedanken, Pamela Sasser endlich wiederzusehen, fröstelte er. Der ehemalige DIA-Agent, der am Rande des Reflecting Pools auf und ab ging, war müde und erschöpft. Er hatte in den vergangenen zwei Tagen nur auf dem Rückflug von Louisiana Gelegenheit gehabt, kurz zu schlafen. Nach dem Gespräch in Vanatters Büro hatte er den Rest der Nacht wach gelegen. Die Enthüllungen hatten ihn entsetzlich schockiert, besonders Esthers Nachricht, dass derselbe Verbrecherring, der für seinen Sturz bei der DIA verantwortlich war, ebenfalls die Verantwortung für die jüngste Katastrophe tragen könnte. Das erklärte auch das erneute Auftreten von Laylas Mörder in diesem Fall.

Harrison erholte sich schnell von seinem ersten Schock und erinnerte das FBI an die Zusicherung, ihm und Pamela Freiheit und Sicherheit zu gewähren und sie für die Informationen über das Netzwerk und die Lieferung der Diskette zu bezahlen. Bis er Pamela zurückhatte, stützte er sich noch immer auf seinen einzigen Trumpf: die Tatsache, dass Preston Sinclaire offensichtlich mit Brasfield zusammengearbeitet hatte.

Nachdem Harrison Beckett vier Tassen Kaffee getrunken und drei Doughnuts gegessen hatte, war er bereit, die wichtigste Mission seines Lebens zu erfüllen. Er durfte nicht versagen.

»Zielpersonen gehen am Vietnam Memorial vorbei. Verhaltet euch alle ganz ruhig. Harrison, sie kommen auf Sie zu.«

Der monotone Ton von Esther Cruz hallte in der fleischfarbenen Ohrmuschel, die mit einem dünnen Kabel, das unter seinem Overall steckte, verbunden war.

Harrison wandte sich zu der langen, hundert Meter entfernten Granitwand um und sah zwei Gestalten, die in seine Richtung gingen. Ein Mann und eine Frau. Der Mann hatte eine kleine Aktentasche bei sich. Harrison zog noch ein letztes Mal an der Zigarette, bevor er die Kippe auf den Rasen warf.

Sein Herz klopfte zum Zerspringen, und er bekam kaum noch Luft. Er atmete tief ein und langsam durch die Nase aus. Endlich konnte er Pamela genau erkennen. Sie war aschfahl, und ihre blaugrünen Augen waren glasig und blutunterlaufen. Das Muttermal über ihren geschwollenen Lippen zuckte, als die zarte Gestalt in einem grauen Trenchcoat drei Meter vor Harrison Beckett stehen blieb. Harrison erkannte an ihrem entschlossenen Blick, dass ihr Verstand hellwach war, auch wenn sie körperlich misshandelt worden war.

Harrison musste seine Wut unterdrücken, als Laylas Mörder in Jeans und Lederjacke vor ihm stand. »Ich hätte Sie töten sollen, als ich die Gelegenheit dazu hatte.« Harrisons Stimme war so kalt und hart wie sein Blick, den er Hamed zuwarf.

»Die Diskette«, sagte der Ägypter, der über die Bemerkung mit einem Schulterzucken hinwegging und Harrison mit seinen Blicken durchbohrte.

Harrison griff in seine Jacke und zog die schwarze Diskette hervor. »Pamela, komm zu mir.«

Hamed lächelte und sagte: »Sind Sie sicher?«

Nachdem Harrison den bärtigen Mann aufmerksam gemustert hatte, winkte er Pamela zu sich. Hamed nickte, und Pamela ging zu Harrison, der am Rand des Reflecting Pools stand.

»Die Diskette«, wiederholte Hamed und streckte seine Hand aus. »Keine Tricks diesmal, oder sie ist tot.«

Harrison reichte ihm die Diskette und wandte sich sofort darauf Pamela zu. »Alles in Ordnung?«

Sie schüttelte langsam den Kopf, knöpfte den Trenchcoat auf und ließ ihn zu Boden gleiten. Harrisons Herzschlag setzte einen Moment aus, als er die Dynamitweste sah.

Die Killer hatten ihr eine Bombe um die Brust geschnürt!

Die dicke Weste reichte von der Taille bis zum Nacken. Mehrere Kabel waren durch braune Röhrenstecker mit einem kleinen Kästchen in der Mitte ihrer Brust verbunden. Aus dem Kästchen ragte eine kleine Antenne hervor. Auf einer Anzeige stand 1:37:00, und die Zeit lief. Der Auslöser war so eingestellt, dass die Bombe in etwa anderthalb Stunden hochgehen würde. Ein grünes Licht auf der Anzeige wies darauf hin, dass der Sprengstoff nicht aktiviert war. Harrison kannte diese Fallen und suchte hektisch nach Schwächen in der Konstruktion.

★ ★ ★

Esther Cruz griff sofort nach dem Funkgerät. »Bombe! Ich wiederhole: Bombe! Jeder bleibt an seinem Platz. Ich wiederhole: Jeder bleibt an seinem Platz. Niemand schießt! Das ist ein Befehl!«

Esther Cruz legte das Funkgerät vor ihre Füße und drückte das rechte Auge ans Zielfernrohr. Der Feind hatte den Spieß umgedreht, und sie fluchte, weil sie diesen Auftritt nicht vorhergesehen hatte. Das erklärte auch, warum in diesem Gebiet keine »feindlichen Soldaten« gesichtet worden waren. Die Bombe an Pamelas Körper war die Versicherung des Verbrecherrings. Wenn die Agenten, die sich hier aufhielten, den Überbringer festnahmen, würde die Bombe Pamela Sasser zerfetzen.

»Die Reichweite der Fernzündung beträgt fünf Meilen«, sagte Hamed, als er seine Aktentasche öffnete und ein Notebook herauszog, das bereits eingeschaltet war. Außerdem zog er ein paar glänzende Handschellen aus der Tasche und warf sie Harrison zu. »Legen Sie die Handschellen an. Ich möchte die beiden Turteltauben nicht länger trennen.«

Harrison fing die Handschellen auf, ohne sie jedoch anzulegen.

»Los, oder sie fliegt sofort in die Luft. Meine Männer beobachten alles. Ich muss nur das Signal geben, und dann verlieren Sie sie, wie Sie die Hure Layla Shariff verloren haben.«

Harrison durchbohrte Hamed mit seinem Blick. »Das werden Sie noch bereuen.« Harrison drehte sich zu Pamela um, in deren Augen sich blankes Entsetzen spiegelte. »Es ist alles in Ordnung«, sagte er zu ihr. »Jetzt sind wir zusammen.« Er legte eine Handschelle um ihre linke Hand und eine um seine rechte Hand. Pamela umklammerte seine Hand und schaute ihn ängstlich an.

Hamed kniete sich auf den Rasen, legte die Diskette ein und rief die Datei auf. Das System bootete hoch, und es erschien die Menüleiste, die Pamela während des Verhörs beschrieben hatte. Der Killer zog die Diskette aus dem Notebook und eine kleine Plastiktüte aus seiner Tasche, ließ das Notebook auf dem Rasen stehen, stand auf, steckte die Diskette in die Plastiktüte und verschloss sie luftdicht.

»Damit ist unsere Transaktion beendet«, sagte Hamed, der die Diskette in seine Tasche steckte. »Die Anzeige auf der Weste sagt Ihnen, wie viel Zeit Ihnen bleibt. Ich habe gerade genug Zeit, um zu meinen Leuten zurückzukehren und die Fernzündung zu deaktivieren. Wenn Sie mir folgen, wird einer meiner Männer, der alles aus der Nähe beobachtet, die Detonation auslösen. Dann kann die Polizei die Fetzen von Ihnen beiden bis zum Weißen Haus aufsammeln.«

»Und woher weiß ich, dass Sie Ihr Wort halten?«

Der Killer lächelte. »Sie Idiot! Sie müssen doch wissen, dass Sie keine andere Wahl haben.«

Nach diesen Worten drehte er sich um und ging davon. Harrison packte mit der linken Hand die Lederjacke. »Nicht so eilig, du Arschloch!«

Der ehemalige DIA-Agent hob seine andere Hand, die an Pamelas gefesselt war, hoch, packte Hamed und hielt ihn fest, bis die Agenten ihn erreichen konnten. Seine Männer, die die Szene beobachteten, würden die Bombe sicherlich nicht zünden, solange ihr Anführer nur wenige Schritte entfernt war.

Der Killer ging in die Hocke, drehte sich auf dem linken

Bein herum, hob das rechte auf Schienbeinhöhe und trat Harrison die Beine weg.

Harrison fiel auf den Rasen und riss Pamela mit.

Der Killer rannte davon, als die Agenten herbeieilten.

Harrison Beckett war im ersten Moment benommen, ohne jedoch den Ernst der Lage zu vergessen. Er stand schnell auf, half Pamela auf die Füße und schaute dem fliehenden Hamed hinterher, der bereits ein kleines Kästchen aus der Tasche gezogen hatte. *Ein Funkgerät? Die Fernzündung?*

Harrison wusste, dass er und Pamela nur noch Sekunden zu leben hatten, und ohne lange nachzudenken, tat er das einzig Richtige in dieser Situation. Er sprang mit Pamela in den Reflecting Pool.

Das kalte Wasser brannte auf der Haut, und er fing sofort an zu zittern, aber die Alternative war weit weniger reizvoll. Als Harrison aufstand, reichte ihm das Wasser bis zur Taille.

»Die Weste muss unter Wasser bleiben!«, schrie er, als Pamela sich aufrichten wollte. Ihre Lippen bebten.

»Es ist eiskalt«, stammelte sie. Ihr kurzes nasses Haar klebte an ihrem Kopf.

»Es ist unsere einzige Chance!«, sagte er und tauchte wieder ins flache kalte Wasser. Die Anzeige war noch immer grün. Das Wasser verhinderte die Detonation der Bombe, die um ihre Brust geschnürt war.

»Ich will dich nicht verlieren!«, sagte er, als er auftauchte.

Pamelas verzerrtes Gesicht entspannte sich ein wenig, als sie das hörte. Harrison Beckett zog die zitternde Pamela ganz nahe zu sich heran. Von ihren Wangen und ihrer Nase tropfte das Wasser auf das Muttermal. Ihre geschwollenen Lippen färbten sich blau. »Ich will dich nicht verlieren«, sagte er noch einmal, bevor er sie in die Arme schloss.

FBI-Agenten strömten auf Hamed Tuani zu, der, so schnell er konnte, zum Potomac River lief. Der kalte Wind blies ihm ins Gesicht, und seine Beine brannten.

Vier Agenten hatten sich ihm bis auf sieben Meter genähert, als sie zu Boden fielen, nachdem aus einer schallgedämpften Waffe Kugeln auf ihre schusssicheren Westen geprallt waren. Sie fassten sich an ihre geschundenen Brustkörbe und versuchten, sich aufzurichten, doch Hamed war schon an ihnen vorbeigerannt. Fünf Jogger, die auf ihn zuliefen, fielen sofort zu Boden, als unzählige Kugeln neben ihnen im Boden einschlugen und ihre Westen und ungeschützten Beine streiften.

Trotz des Tumultes und der schmerzenden Beine wartete Hamed Tuani auf die Explosion, die das Ende von Daniel Webster und Pamela Sasser bedeuten würde. Aber die Explosion erfolgte nicht.

Esther Cruz suchte verzweifelt den Schützen mit der schallgedämpften Waffe, der soeben mehrere ihrer Männer zu Fall gebracht hatte. Es war zwecklos, das Funkgerät zu benutzen, da ein Dutzend Agenten auf einmal sprachen und ein zu Fall gebrachter Agent vor Schmerzen direkt in sein Mikro schrie.

Die FBI-Agentin war eine geduldige Frau, und ihr kühler Kopf machte sich bezahlt, als zwei weitere Agenten, die den Flüchtenden gerade schnappen wollten, zu Boden sanken. Diesmal konnte sie an der Fallrichtung die Schussrichtung bestimmen: einer der Bäume, die auf der Westseite des Lincoln-Denkmals standen. *Wie konnten wir diesen Kerl nur übersehen?*

Esther Cruz nahm die dunkle Gestalt, die auf halber Höhe im Baum versteckt war, ins Visier und drückte zweimal ab. Die Gestalt stürzte zu Boden.

Hamed Tuani sah, dass der Schütze vom Baum fiel, nachdem zwei Schüsse abgefeuert worden waren. Als ein FBI-Agent sich ihm bis auf zwanzig Meter genähert hatte und sechs weitere Agenten auf ihn zurannten, zog Hamed Tuani den Sicherheitsring einer Nebelgranate und warf sie auf die sich nähernden Agenten.

Nach der lauten Explosion breiteten sich blaue Rauchwolken aus, die in einem Umkreis von zwanzig Metern alles einhüllten.

Hamed bog sofort links ab und zog eine zweite Granate aus der Tasche, während er kaum dreißig Meter vom Fluss entfernt weiterlief. Aus verschiedenen Richtungen rannten Agenten auf ihn zu. Als Hamed einen Rasen erreichte, der direkt zum Fluss führte, kehrte er kurz zum Potomac Parc um und warf die Granate auf die Agenten.

Eine weitere Explosion. Die zweite Wolke trieb auf die erste zu und nahm Hamed die Sicht auf den Fluss, der den Park im Süden begrenzte.

Blaue Rauchwolken hüllten Hamed Tuani ein, bevor einer der Agenten ihn einholen konnte. Hamed entsicherte die dritte und letzte Granate und warf sie mit voller Wucht in Richtung des Flusses.

Eine dritte Explosion. Die neue blaue Rauchwolke vermischte sich mit der zweiten Wolke und breitete sich über dem Wasser aus. Die Brust des ehemaligen ägyptischen Obersts brannte vom schnellen Einatmen der kalten Luft, aber er konnte das Tempo nicht drosseln. Er musste das Wasser erreichen, ehe sich die Wolken in der Morgenbrise auflösten.

In der Ferne heulten Sirenen. Schüsse und Schreie waren zu hören. Hamed konnte die Schritte und das schwere Atmen der FBI-Agenten hören, die in dem dicken Rauch in alle Richtungen liefen. Nicht ein Einziger von ihnen kam nahe genug an ihn heran. Und schon berührten die Füße des Terroristen das Wasser.

Er rannte immer weiter. Die Wolke löste sich bereits auf, und das Wasser reichte ihm bis zu den Knien. Ganz in seiner Nähe sprangen Agenten ins Wasser. Hamed Tuani zog eine Schwimmbrille aus der Tasche, blieb kurz stehen, als ihm das Wasser bis zur Taille ging, setzte die Brille auf, holte tief Luft und tauchte unter. Unter Wasser zog er Jacke und Hose aus. Darunter trug er einen Neoprenanzug, der seinen Körper warm hielt. Dank der Bleigewichte, die in die Kleidungsstücke eingenäht waren, sanken sie auf den Boden des Flusses, sodass die Agenten sie nicht auf der Wasseroberfläche erblickten. Ein Bleigurt sorgte dafür, dass Tuani nicht an die Oberfläche trieb, während er mit den Armen ruderte und mit den Beinen paddelte. Die Diskette steckte in einer isolierten Tasche seines Neoprenanzuges.

Vor ihm und unter ihm war Licht. Hamed schwamm auf dem Grund des Flusses auf das Licht zu. Sein Kopf pochte von dem anstrengenden Lauf, und die Ohren brummten von dem steigenden Druck im Wasser. Sein Körper schrie nach Sauerstoff, und sein Verstand drängte ihn aufzutauchen. Doch das konnte er nicht. Die Rauchwolken lösten sich bereits auf, und daher hätten die FBI-Agenten ihn sehen können. Er musste auf das sich nähernde Licht zuschwimmen, bevor seine Lungen platzten.

Allmählich wurde er immer schwächer, und sein Blick verlor an Schärfe. Der Sauerstoffmangel wurde von Sekunde zu Sekunde unerträglicher. Hamed Tuani bekämpfte den übermächtigen Drang, einzuatmen und seine Lungen mit Luft zu füllen. Er musste durchhalten, bis er die Sicherheit des Lichtes erreicht hatte.

Es kostete ihn größte Kraftanstrengung weiterzuschwimmen. Er zwang seinen Körper durch das kalte dunkle Wasser auf das Licht zu, das er nie erreichen würde, doch er schaffte es. Der Ägypter sah zwei Hände, die ihn heranzogen und ein

Mundstück festhielten, das mit einem Tauchgerät verbunden war. Das bedeutete Sauerstoff und Leben.

Steife Finger steckten ihm das Mundstück zwischen die Lippen. Hamed Tuani atmete tief ein und aus, atmete erneut ein und schloss die Augen, als der Sauerstoff jede Faser seines Körpers erreichte. Er hatte es geschafft. Er hatte gegen ein ganzes Heer von Agenten gesiegt, die ihn alle unterschätzt hatten.

Tuani setzte sich den kleinen Presslufttank auf den Rücken und entfloh mit seinem Team den leeren Klauen des FBI.

Harrison Beckett, der bis zum Hals in dem fünf Grad kalten Wasser hockte, drückte die zitternde Pamela an sich. Ein uniformierter Beamter des Sprengstoffdezernates kam mit einer großen Drahtschere auf sie zu. Zwei Dutzend Agenten hielten sich in der Nähe auf. Ein Krankenwagen traf ein, um die Verletzten ins Krankenhaus zu bringen. Ein Mann hatte eine Schussverletzung am Bein, und mehrere Agenten hatten schmerzhafte Brustquetschungen erlitten, die zum Glück nicht lebensgefährlich waren.

Als die Beamten des Sprengstoffdezernates eintrafen, hockten Harrison und Pamela bereits fünf Minuten in dem eiskalten Wasser. Das vordringlichste Problem war nicht die Bombenentschärfung. Wenn der Zeitzünder die Bombe in neunzig Minuten zünden würde, wären Harrison und Pamela längst an Unterkühlung gestorben.

»Wir schneiden als Erstes die Handschellen durch, damit Sie aus dem Wasser steigen können, und dann kümmern wir uns um sie«, sagte der Mann. Er trug einen schwarzen Schutzanzug, einen Helm mit Visier und an Brust, Armen und Beinen schusssichere Panzer. Es gefiel Harrison ganz und gar nicht, dass der Mann aussah, als gehöre er zu einem Killerkommando.

»Vergessen Sie es«, erwiderte Harrison in krächzendem Ton, ohne seinen Blick von Pamela Sasser abzuwenden. »Ich lasse sie nicht allein!«

»Seien Sie doch vernünftig, Mister! Die Bombe kann jeden Moment losgehen ...«

»Sie verschwenden Ihre Zeit!«, schrie Harrison, als Esther Cruz, die auch einen schwarzen Schutzanzug trug, auf sie zurannte. »Sehen Sie denn nicht, dass wir uns hier zu Tode frieren?«

»Was ist los?«, fragte Esther keuchend. Sie hockte sich an den Rand des Reflecting Pools.

»Sagen Sie diesem Kerl, dass er sich später um die Bombe kümmern soll, verdammt! Ihr müsst uns irgendwie aufwärmen, sonst sind wir in zehn Minuten tot! Und wir können nicht aus dem Pool steigen. Wir sind nur deshalb noch am Leben, weil der Auslöser unter Wasser ist.«

»Sind Sie sicher, dass das Gerät noch funktioniert?«

»Ja, und die Uhr tickt.«

Als Esther Cruz sich mit einer Hand durchs Haar strich, klirrte ihre Ausrüstung. Harrison hatte Recht. Die Sprengstoffexperten konnten warten. Sie mussten zuerst eine Möglichkeit finden, die beiden aufzuwärmen. Sie konnten auf gar keinen Fall aus dem Wasser steigen. Es bestand die Möglichkeit, dass der ferngesteuerte Auslöser noch immer aktiviert war. Wenn Pamela Sasser mit der Weste aus dem Wasser stieg, könnte die Explosion erfolgen. Sie saßen in der Falle.

Plötzlich sah Esther Cruz wieder vor Augen, wie der Wagen, in dem ihr Mann saß, in die Luft flog.

Dazu ist jetzt keine Zeit! Denk nach ... Es muss doch eine Möglichkeit geben. Für Arturo war es zu spät, aber diesen beiden könnte vielleicht noch geholfen werden. Es muss eine Möglichkeit geben. DENK NACH!

Sie drehte sich um und dachte scharf nach. Diese FBI-

Operation durfte auf gar keinen Fall in einer Katastrophe enden. In diesem Augenblick fuhr der Krankenwagen, gefolgt von zwei Streifenwagen davon. Die weißen Auspuffgase schwebten durch die Luft.

Auspuffgase ... heiße Auspuffgase!

Sekunden später schrie Esther Cruz ihren Agenten Befehle zu, und einige von ihnen glaubten im ersten Moment, sie hätte den Verstand verloren. Doch augenblicklich leuchtete ihnen die ausgezeichnete Lösung für die missliche Lage von Harrison Beckett und Pamela Sasser ein.

»Harr... Harrison«, sagte Pamela, die ihren Kopf an seine Schulter schmiegte, während Harrison seinen warmen Atem auf ihren Nacken blies. »Mir ist so kalt!«

Harrison drückte sie an sich. Was konnte er sonst tun? Das eisige Wasser wurde allmählich lebensbedrohlich. Harrison, der am ganzen Leib zitterte, strich ihr mit seinen geschwollenen Fingern übers nasse Haar. Er nahm die Aktivitäten rund um den Reflecting Pool kaum noch wahr. Mehrere Autos standen mit laufenden Motoren in der Nähe. Harrison Beckett war wie benommen und verlor allmählich die Orientierung. Er konnte sich nicht mehr bewegen. Sein Overall war entsetzlich kalt, und er verlor das Gefühl in den Beinen.

»Halt durch, Pamela«, hörte er sich flüstern, während er noch immer seinen warmen Atem auf ihren Nacken hauchte. »Halt durch!«

»Ich ... ich kann nicht mehr«, murmelte sie so leise, dass ihre Worte den Lärm der laufenden Motoren kaum übertönten.

Harrison schloss die Augen und atmete tief den süßen Duft von Pamela Sasser ein, die in seinen Armen zitterte. Dies war seine zweite Chance, seine zweite Liebe. Er hielt das Versprechen in den Armen, eine Zukunft zu haben und ein normales Leben führen zu können, doch die Kälte raubte ihm allmählich jede Hoffnung. Das eiskalte Wasser, das sie zunächst gerettet hatte, wurde nun für Harrison Beckett und Pamela Sasser zu einer lebensgefährlichen Bedrohung. Immer weiter drang die Kälte in ihre Körper ein und beraubte sie der Leben erhaltenden Wärme.

Harrison weigerte sich dennoch aufzugeben. Er wies den Gedanken zurück, so schnell zu kapitulieren.

»Halt durch, Pam. Du musst durchhalten«, wiederholte er. Pamela murmelte etwas, was er nicht verstand.

»Ich bin da ...« Auch Harrison brachte jetzt keinen Ton mehr heraus. Seine Kiefer gehorchten ihm nicht mehr. Er sehnte sich nach der Hitze Süd-Louisianas, nach dem warmen, trüben Wasser der Sümpfe. Harrison schloss die Augen und spürte die Wärme, als er leise und schnell auf seine Jäger zuschwamm. Seine Stirn war mit Schweiß bedeckt, und Schweißperlen rannen über seine Wangen.

Schweiß. Hitze.

Ihm wurde warm, und er spürte die Wärme ringsumher. Obwohl er nichts sah und hörte, spürte Harrison, dass sich etwas bewegte. Die Hitze kam nicht von innen. Warmes Wasser drang an seinen Rücken, und er roch den Gestank der Abgase. Pamela schmiegte sich enger an Harrisons Brust und zwängte einen Oberschenkel zwischen seine Beine.

Harrisons Arme und Beine erwärmten sich und kurz darauf sein Bauch und seine Brust. Pamela schmiegte sich wie eine Katze an seinen Körper. Sie strich mit ihrem Gesicht über sein Kinn und streichelte mit ihrer freien Hand über seinen Rücken. Als sie den Mund öffnete, strich ihr warmer Atem über seinen Nacken.

Harrison verlor jedes Zeitgefühl. Er wusste nicht, wie lange sie eng aneinander geschmiegt im Reflecting Pool standen, die Wärme aufnahmen und sich gegenseitig wärmten. In einem Taumel des Glücks pressten sie sich aneinander.

Ihre Sinne verschmolzen miteinander, und sie hofften beide, dieser Freudentaumel würde nie ein Ende nehmen.

Langsam wich Pamela Sasser von Harrison Beckett ab, schaute ihm in die Augen und lächelte.

★ ★ ★

Esther Cruz saß am Rande des Pools und hielt einen der vier Feuerwehrschläuche fest, die sie und ihre Agenten an den Auspuffrohren von vier Fahrzeugen – zwei Streifenwagen und zwei FBI-Fahrzeugen – befestigt hatten. In den Fahrzeugen saßen Agenten, die aufs Gaspedal drückten, damit die heißen Abgase durch die Schläuche ins Wasser strömten. Schon nach kurzer Zeit war das Wasser in dieser Ecke des Reflecting Pools angenehm warm wie in einem Schwimmbad. Die Feuerwehrschläuche, die Esther in fünf Meter lange Stücke geschnitten hatte, gehörten zu dem Feuerwehrwagen, den jemand gerufen hatte, weil er den blauen Rauch für Feuer gehalten hatte.

Mithilfe mehrerer Feuerwehrmänner hatten FBI-Agenten die schweren Schläuche an den Rand des Pools geschleppt, während andere mit vier Fahrzeugen rückwärts an die Stelle heranfuhren, an der Harrison und Pamela hockten. Die Sprengstoffexperten stellten große Schilder ins Wasser, um die beiden vom Rest des Pools abzuschneiden. Alles andere war ein Kinderspiel. Die Schläuche wurden mit starkem Klebeband von der Feuerwehrwache an den Auspuffrohren der Fahrzeuge befestigt und die Motoren angelassen.

Nachdem Harrison und Pamela sich eine Viertelstunde in der behelfsmäßigen heißen Wanne aufgewärmt hatten, dauerte es noch einmal eine halbe Stunde, bis das Bombendezernat die Weste entschärft hatte. Anschließend wurden sie zum Georgetown University Hospital gebracht, wo sie beide wegen leichter Unterkühlung behandelt wurden.

»Das FBI weiß alles«, sagte Hamed, der vor Preston Sinclaire stand. »Webster hat sich mit ihnen verbündet.«

Preston Sinclaire hielt die Diskette in der rechten Hand und sank auf die Ledercouch in seinem Salon. Die Neuigkeiten konnten nicht schlimmer sein. Und Pamela Sasser hatte überlebt. *Sie hatte überlebt!*

Pamela Sasser würde als Hauptbelastungszeugin der Staatsanwaltschaft aussagen. Sie würde die Verbindung zwischen der Katastrophe in Palo Verde und dem Perseus-Chip herstellen und Preston Sinclaires Verantwortung für mehrere Todesfälle in der letzten Woche beweisen.

Die Situation war außer Kontrolle geraten. Sein Netzwerk war aufgeflogen.

Preston Sinclaire, der von seinen engsten Mitarbeitern umringt war, sagte zu Hamed Tuani: »Plan B ist jetzt unsere einzige Alternative. Wir reisen sofort ab.«

EPILOG

WASHINGTON, D. C. *Montag, 23. Dezember*

Esther Cruz trug einen Wollpullover, eine verwaschene Jeans, Sneakers und ihren mit Türkisen besetzten Silberschmuck, als sie das Büro des FBI-Direktors Frederick Vanatter betrat. Er hielt den zehnseitigen Bericht in der Hand, den Esther heute Morgen fertig gestellt hatte. Als Esther das Büro betrat, schaute er kurz hoch, nickte und bat seine erfahrene Agentin, in dem Sessel gegenüber dem großen Mahagonischreibtisch Platz zu nehmen.

»Ich bin gleich fertig«, sagte Vanatter, der auf das Dokument sah, das auf jeder Seite den roten Stempel trug: NUR FÜR DEN FBI-DIREKTOR BESTIMMT.

Esther nahm Platz, schlug die Beine übereinander und schaute sich in dem Büro um, während Vanatter las. Sie hatte viel Zeit. Im Grunde hatte sie alle Zeit der Welt, denn sie hatte sich für drei Monate vom Dienst freistellen lassen.

Nachdem Pamela ihre Informationen enthüllt hatte, stürmte das FBI, dem ein richterlicher Durchsuchungsbeschluss vorlag, die Microtel-Zentrale, um zu recherchieren, welche Kunden bei Microtel Geräte und vor allem den Perseus-Microprozessor gekauft hatten. In weniger als vierundzwanzig Stunden wurde jeder einzelne Industrienutzer des Perseus kontaktiert. Aus Produktionsfirmen, Krankenhäusern, Düsenflugzeugen und von Montagestraßen wurden die Geräte eingezogen. In vier Kernkraftwerken wurden die Kontrollsysteme auf analoge Backup-Systeme umgestellt, bis sie durch andere Systeme ersetzt werden konnten. Eine von der Nuklearkontrollbehörde durchgeführte Ermittlung in Zusammenarbeit mit dem FBI und dem neuen Microtel-Vorstand bestätigte die Richtigkeit von Dr. Eugene LaBlanches Behauptung, dass der Fehler im Perseus zu der verheerenden Katastrophe geführt hatte. Als schließlich eine Woche später alle Zeitungen über die Verbindung zwischen Microtel und Palo Verde berichteten, sanken die Microtel-Aktien an einem einzigen Tag um achtundsechzig Punkte. Sofort kamen in der Wall Street Gerüchte über eine feindliche Übernahme durch ein Konkurrenzunternehmen auf. Der neue Vorstand von Microtel verhandelte mit mehreren Banken, um eine Übernahme zu verhindern. Der Vorstand rief außerdem alle in Industrie und Wirtschaft eingesetzten Perseus-Chips zurück, was beinahe dreihundert Millionen Dollar kostete. Entschädigungsklagen der wütenden Bevölkerung von Arizona überschwemmten die Rechtsabteilung von Microtel in einem solchen Ausmaß, dass die Regierung sich einschalten musste, um das Unternehmen vor dem Konkurs zu retten. Die Verhandlungen dauerten an.

Das FBI, die DIA und das ONI studierten die Personalakten von Preston Sinclaire, Jackson Brasfield und einem Dutzend anderer hoher Offiziere des Pentagons. Die Untersuchungen führten zu Geheimkonten auf den Cayman Islands und den Bahamas. Unglücklicherweise waren die meisten dieser Gelder bereits auf andere Konten überwiesen worden, als das FBI der Spur eine Woche nach den Vorfällen im West Potomac Park nachging. Dennoch konnte das FBI, nachdem sich die Aufregung gelegt hatte, Anlagen in den Vereinigten Staaten von Amerika im Wert von über hundert Millionen Dollar beschlagnahmen. Etwa die Hälfte der zum Netzwerk gehörenden Verbrecher konnte verhaftet werden. Einige, die versuchten, mit dem FBI zu verhandeln, sagten im Prozess aus, dass Preston Sinclaire der Kopf des

Verbrecherrings sei. Insgesamt wurden siebenundsechzig Personen verhaftet.

Esther Cruz sah auf dem großen Fenster hinter Vanatter ihre gerunzelte Stirn, als sie an Preston Sinclaire und den harten Kern des Verbrecherrings dachte, die dem FBI entwischt waren. In der letzten Woche hatte das FBI von der amerikanischen Botschaft in Mexico City einen Bericht erhalten. Der mexikanischen Staatsanwaltschaft lag ein Protokoll über eine Schießerei auf einem kleinen Flugplatz auf der Halbinsel Yucatán an der Grenze zu Belize vor. Offenbar waren drei Angestellte und zwei Mechaniker erschossen worden, nachdem ein zweimotoriges Flugzeug gelandet war, um nachzutanken. Jemand hatte sich die Nummer der Maschine aufgeschrieben, und diese stimmte mit einer VIP-Maschine von Microtel überein.

Obwohl alle Polizeidienststellen in ganz Mittelamerika die Daten der flüchtigen Maschine erhalten hatten, machte sich Esther keine großen Hoffnungen. Es war ziemlich schwierig, mit den langsam arbeitenden und ziemlich korrupten mexikanischen Behörden zusammenzuarbeiten. In Mittelamerika wusste man nie, was man zu erwarten hatte. Die Kommunikation war eine einzige Katastrophe, und die Regierungen in Ländern wie Guatemala, El Salvador, Honduras und Nicaragua hatten viel zu viel eigene Probleme, um sich um Preston Sinclaire und seine Komplizen zu kümmern. Außerdem waren diese Regierungen so korrupt, dass Sinclaire keine Probleme haben würde, sich aus jeder Situation freizukaufen. Esther fragte sich, ob Sinclaire die mexikanischen Behörden nicht bereits bestochen hatte, damit er nach Süden fliehen konnte.

»Es ist wirklich ein Jammer mit Sinclaire«, sagte Vanatter, der den Bericht auf den Schreibtisch warf und sich über die Augen rieb. »Wir hätten ihn fast geschnappt.«

»Zumindest haben wir dieses Schwein angezeigt, Sir«,

sagte Esther. »Wir haben seine korrupte Maschinerie gestoppt, bevor sie noch mächtiger wurde, und verhindert, dass er die Kontrolle über das Weiße Haus an sich reißt.«

Vanatter lächelte. »Das ist uns mit Ihrer Hilfe gelungen.«

Esther zuckte mit den Schultern. »Alle haben sich mächtig ins Zeug gelegt, Sir.«

Vanatter nickte. »Und was wollen Sie in Ihrem Urlaub machen?«

»Wahrscheinlich werde ich einige Zeit durch Kanada und Alaska reisen. Ich habe mir gerade einen Geländewagen mit Vierradantrieb gekauft.«

Der FBI-Direktor hob eine Augenbraue. »Hm. Hört sich gut an.«

»Man sollte so etwas machen, solange man noch jung genug ist.«

Vanatter knurrte leise, nahm den Bericht in die Hand, stand auf und blätterte ihn durch. »Ich habe heute Morgen die Berichte über Microtel gelesen. Es sieht so aus, als würde das Unternehmen trotz der Katastrophe überleben.«

Esther nickte.

Vanatter schaute sich die letzte Seite des Berichtes noch einmal an. »Und Harrison Beck ...«

»Webster, Sir. Sein Name ist Daniel Webster.«

In Vanatters Miene spiegelte sich leichter Groll. »Okay. Und das sind die Wünsche von *Daniel Webster?*«

»Ja, das sind die Wünsche von Pamela Sasser und Daniel Webster – abgesehen von dem Geld, das wir bereits auf ihr gemeinsames Konto auf den Cayman Islands überwiesen haben.«

»Erinnern sie mich nicht *daran*«, knurrte Vanatter.

»Abgemacht ist abgemacht, Sir.«

»Aber hier wird kein Zielort angegeben. Nur der Pilot und eine voll getankte Privatmaschine werden verlangt.«

»Sie werden den Piloten informieren, wohin er fliegen

soll, wenn er in der Luft ist. Sie brechen hier alle Zelte ab, und das ist nur zu verständlich. Auch ich habe Gründe, warum ich mich für eine Weile aus dem Staub mache, Sir. Ich finde, ich sollte warten, bis sich die Lage etwas beruhigt hat, bevor ich die Ermittlungen fortsetze.«

»Das kann ich Ihnen nicht verübeln. Und ich kann auch diesen beiden keinen Vorwurf machen, dass sie verschwinden wollen.« Vanatter ging zu einem kleinen Reißwolf, schob das Dokument hinein und drückte auf den Knopf. Das Gerät sprang an, zog alle zehn Seiten ein und verwandelte sie innerhalb von Sekunden in Konfetti.

»Das war's dann wohl?«, fragte Esther, als die Beweisfetzen von Harrisons und Pamelas letztem bekannten Aufenthaltsort in den Papierkorb fielen.

»Ja, das war's. Und genießen Sie Ihren Urlaub.« Vanatter streckte einen Arm aus. Esther stand auf und schüttelte seine Hand.

Zehn Minuten später fuhr sie aus dem Parkhaus in den sonnigen Nachmittag hinaus.

Esther Cruz setzte sich eine Sonnenbrille auf, als sie ihren voll getankten Explorer durch den trägen Stadtverkehr steuerte. Sie lächelte, aber nicht, weil jetzt ein ausgedehnter Urlaub vor ihr lag. Esther Cruz wäre nicht im Traum darauf gekommen, Urlaub zu nehmen, solange die Mörder ihres Mannes noch auf freiem Fuß waren.

Sie lächelte, weil sie eine Schlacht gewonnen und den Feind gezwungen hatte, sich zurückzuziehen und sich in Mittelamerika zu verstecken. Sie hatte ihren Feind gezwungen, im Süden Unterschlupf zu suchen.

Süden.

Esther Cruz fuhr auf der Interstate 66 in Richtung Osten bis zur Anschlussstelle der I-81. Auf dieser Autobahn fuhr sie jedoch nicht Richtung Norden nach Kanada, sondern nach Süden durch Virginia und nach Tennessee. Sie hielt in

Motels an, um zu schlafen und zu essen, und setzte sich wieder hinters Steuer.

Esther genoss den Anblick der Landschaft und klopfte zu den Klängen von *Rancheras,* die aus den acht Lautsprechern ihrer erstklassigen Stereoanlage drangen, mit den Fingern auf den Lederbezug des Lenkrads. Auf dieser Anlage hörte sie sich auch die Spanischkassetten an, die sie in der letzten Woche in einem Reisebüro in Maryland gekauft hatte. Esther hatte zwar in ihrer Jugend Spanisch gelernt, aber ein kleiner Auffrischungskurs konnte nicht schaden.

Sie hörte sich spanische Wörter und Sätze an, die sie schon seit Jahrzehnten nicht mehr gehört hatte, als sie Arkansas durchquerte und Texas erreichte. Noch immer lächelte sie.

Sie hatte die erste Schlacht gewonnen und ihren Feind zum Rückzug gezwungen, und während dieses übereilten Rückzugs würde ihre Beute, wo immer sie auch war, auf ihre überraschende Ankunft besonders unvorbereitet sein.

Esther lächelte.

Sie lächelte, als sie die I-35 erreichte, durch Dallas und dann hinunter nach Austin und San Antonio fuhr. Schließlich kam sie eine Stunde vor der Abenddämmerung in Laredo am Rio Grande an.

Mexiko.

Esther Cruz lächelte, als sie den legendären Fluss überquerte, um sich ihrer Beute zu nähern.

Als die Vereinigten Staaten von Amerika hinter einer Staubwolke verschwanden und die großen Räder ihres Geländewagens Steine und Staub in die Luft wirbelten, blickte Esther Cruz auf den Silberring an ihrem Ringfinger, auf dem sich das rote Licht der untergehenden Sonne spiegelte.

Ich werde diese Schweine schnappen, Arturo. Das bin ich dir schuldig!

An dem Tag, als Esther Cruz die Vereinigten Staaten von Amerika verließ, verwandelte sich Harrison Beckett dank der Kunst eines ausgezeichneten plastischen Chirurgen in Bethesda in Daniel Webster. Er und Pamela bestiegen eine Privatmaschine und wurden zum JFK International Airport geflogen, wo der ehemalige DIA-Agent schon alles in die Wege geleitet hatte, um das Land zu verlassen. Daniel Webster und Pamela Sasser wussten, dass das FBI oder ein anderer Geheimdienst sie möglicherweise beschatteten, als sie eine unvergesslich schöne Woche in Rom verbrachten. Sie benahmen sich wie Touristen, während Daniel auf der Suche nach einer Frau war, die Pamela Sasser ähnlich sah. Ende der Woche hatte er sie gefunden. Es war eine Lehrerin, die an einem Austauschprogramm teilnahm.

Das Treffen fand in einem kleinen Café drei Blocks vom Kolosseum entfernt statt. Nachdem sie sich geeinigt hatten, wechselte das Geld den Besitzer. Eine Woche später kehrte Daniel Webster in Begleitung einer Frau, deren Reisepass sie als Pamela Sasser auswies, in die Vereinigten Staaten zurück. Am gleichen Tag ging im Büro von Frederick Vanatter der Bericht ein, dass das Paar in die Vereinigten Staaten zurückgekehrt sei.

Genau einen Monat später verbrachte ein höherer Bankangestellter in Zürich eines Nachmittags eine Stunde damit, die Geldgeschäfte für eine Frau mit kurzem roten Haar und einer leicht gebräunten Haut zu erledigen. Sie hatte ihm die korrekte Kombination der Nummern und Buchstaben vorgelegt, um Zugang zu einem kürzlich eröffneten Konto zu bekommen. In der Schweiz waren weder Name noch Ausweis erforderlich, um die zahlreichen Geldgeschäfte zu tätigen. Dazu gehörte auch die sechsmonatige Anmietung eines Apartments in Zürich mit Blick auf den See und die Überweisung eines Teils der Gelder an eine Bank in Nairobi. Der Banker, den die ganzen Geschäfte ein wenig neugierig machten, fragte die Dame mit den blaugrünen Augen und dem Muttermal über der Oberlippe dennoch, woher sie komme. Sie erwiderte nur, dass ihre Vorfahren aus den Südstaaten stammten.

Als Daniel Webster einen Monat später sicher war, dass die DIA, die CIA und das FBI sich nicht mehr für ihn zu interessieren schienen, verließ er heimlich für immer die Vereinigten Staaten von Amerika und ging nach Mexiko. Einen Monat später erhielt die kenianische Regierung das großzügige Angebot eines vermögenden Ausländers für den Kauf eines einhundertzwanzig Hektar großen Grundstücks zwischen dem Lake Viktoria und dem Serengeti Nationalpark in West-Kenia. Obwohl das Land nicht zum Nationalpark gehörte, lebten hier viele wilde Tierarten, vor allem Grévy-Zebras, Somalia-Strauße, viele Pavianherden sowie zahlreiche Nilpferde und Krokodile am Ufer des Sees. Nachdem der Fremde einen Vertrag unterschrieben hatte, das Land und die Tiere zu schützen, stimmte die kenianische Regierung einer hundertjährigen Pacht des Landes an den exzentrischen Mann unbekannter Herkunft zu. Er wollte anonym bleiben, und aufgrund der hohen Geldsumme beschloss die kenianische Regierung, seinen Wunsch zu respektieren. Der Pachtvertrag wurde schließlich im Mai unterzeichnet.

Schon bald fingen die Bewohner von Musoma, einer Stadt von etwa fünfundachtzigtausend Einwohnern am Ufer des Lake Viktoria, an, über den Fremden zu tuscheln, der auf den fernen Hügeln mit Blick auf die Ebene, die zum See führte, ein großes Haus baute. Er fuhr mit einem Toyota Land Cruiser einmal pro Woche in die Stadt, um Bauholz und andere Baumaterialien zu kaufen. Außerdem stellte er für einige Zeit Arbeiter ein, die ihm beim Bau des Hauses, der sich bis in den Sommer hinzog, helfen sollten. Im September konnten die Einwohner der Stadt am See nachts die Lichter im Haus oben auf den Hügeln brennen sehen.

Eines Tages Ende Oktober kam der Fremde in die Stadt und kaufte im größten Geschäft einen großen Teil des zum Verkauf angebotenen Mobiliars. Dazu gehörten auch ein großes Bett, ein Mahagoni-Esstisch, zwei Wohnzimmereinrichtungen, Möbel für die Veranda und seltsamerweise ein Kinderbett, verschiedenes Kinderspielzeug und Kinderkleidung.

Eines Tages Anfang November landete am Musoma Regional Airport eine zweimotorige Shuttle-Maschine der Kenya Airways aus Nairobi. Einige der Stadtbewohner, die sich an diesem sonnigen Sonntagnachmittag zufällig am Flughafen aufhielten, wurden Zeugen einer sonderbaren Begegnung.

»Der Mann vom Hügel«, wie Daniel Webster von den Einwohnern genannt wurde, war mit seinem Land Cruiser in die Stadt gefahren und hatte den Wagen auf dem Kiesplatz hinter dem Flughafengebäude des kleinen Regionalflughafens abgestellt. Die Bewohner berichteten, wie elegant der »Mann vom Hügel«, der ein Dutzend Rosen in der Hand hielt, an diesem Tag gekleidet gewesen sei. Neben den üblichen abenteuerlustigen amerikanischen, europäischen und japanischen Touristen, die auf dem Weg zu einer Fotosafari waren, sahen die Einheimischen eine große schlanke Frau Anfang dreißig aus dem Flugzeug steigen. In den Armen hielt sie einen Säugling. Sie hatte schwarzes schulterlanges Haar, und ihre Haut war gebräunt. Die schlicht gekleidete Frau trug eine Jeans, ein weißes T-Shirt und Mokassins. Viele der anwesenden Männer behaupteten, noch nie solch blaugrüne Augen wie die dieser faszinierenden Frau gesehen zu haben. Andere berichteten von ihrem eleganten Gang, als sie über das Flugfeld schritt. Der Pilot erwähnte ein paar Einheimischen gegenüber, dass die Frau auf einem Direktflug aus der Schweiz nach Nairobi geflogen sei.

Als sich die kleine Menge zerstreute, stiegen der »Mann

vom Hügel« und die Frau mit dem Säugling in den Land Cruiser und fuhren auf die Hügel zu.

An diesem Abend legte Daniel Webster die einen Monat alte Layla Webster zum ersten Mal in ihr neues Kinderbett. Sie war eine seltsame Mischung aus Daniel und Pamela, das Produkt eines Augenblicks der Liebe auf einem anderen Kontinent vor nicht allzu langer Zeit. Layla hatte die blaugrünen Augen von ihrer Mutter, aber die helle Haut von Daniels Seite geerbt. Alle Websters waren hellhäutig. Der für die Entbindung in der Züricher Klinik verantwortliche Schweizer Arzt hatte der stolzen Mutter prophezeit, die kleine Layla werde sich eines Tages in eine große starke Frau verwandeln.

Es war ein kühler Herbstabend. Die Luft war trocken und erfrischend. Daniel Webster stand auf der Veranda vor dem Haus und betrachtete die Sterne, deren fahles Licht auf die spiegelglatte Oberfläche des Lake Viktorias schien. Daniel Webster gefielen an diesem Ort besonders die dunklen Nächte und die absolute Ruhe. Wenn er genau hinhörte, konnte er die fernen Töne der Paviane hören, die auf der weiten Ebene, die zum Nationalpark führte, jagten. Er hatte das Gefühl, in eine andere Welt gereist zu sein. Vielleicht war das auch der Fall.

Pamela trug ein knielanges weißes Baumwollkleid, als sie barfuß auf die Veranda trat. Auf ihrem glänzenden Haar, das sanft auf die Schultern fiel, spiegelte sich das zarte Verandalicht. Ihre blaugrünen Augen waren auf Daniel gerichtet. Das Muttermal über der Oberlippe bewegte sich, als sie lächelte. Sie hatte zwei Tassen mit heißem Tee in den Händen und reichte Daniel eine. Er trank einen Schluck, ehe er die Tasse auf die Holzbrüstung stellte.

»Schläft sie?«, fragte Pamela.

Daniel nickte und schaute der Frau, die er so sehr liebte,

wie er Layla Shariff geliebt hatte, in die Augen. Er musterte sie mit einem lüsternen, arroganten Blick. »Sie sieht genauso aus wie du. Es wird schwer werden, die Jungs von ihr fern zu halten.«

Pamela schaute ihn mit geneigtem Kopf an, stellte ebenfalls die Tasse auf die Brüstung und schmiegte sich an seine starke Brust.

»Ich liebe dich, Daniel Webster«, sagte sie, wobei sich ihr kleines Muttermal bewegte.

Daniel drückte Pamela fest an sich. Er hielt seine Chance für ein neues Leben in den Armen.

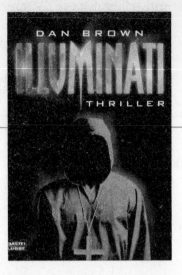

Ein Kernforscher wird in seinem Schweizer Labor ermordet aufgefunden. Auf seiner Brust finden sich merkwürdige Symbole eingraviert, Symbole, die nur der Harvardprofessor Robert Langdon zu entziffern vermag. Was er dabei entdeckt, erschreckt ihn zutiefst: Die Symbole gehören zu der legendären Geheimgesellschaft der »Illuminati«. Diese Gemeinschaft scheint wieder zum Leben erweckt zu sein, und sie verfolgt einen finsteren Plan, denn aus dem Labor des ermordeten Kernforschers wurde Antimaterie entwendet ...

ISBN 3-404-14866-5